D1418363

해커스가 만든 기본 독해책

READING START

저자 | **David Cho** / 언어학박사 / 前 UCLA 교수

Hackers Reading Start

초판 1쇄 발행 2003년 7월 2일
초판 12쇄 발행 2008년 1월 15일
지은이 | David Cho
펴낸곳 | 해커스어학연구소
펴낸이 | 해커스어학연구소 출판팀
주소 | 서울시 서초구 서초동 1316-15 해커스아카데미아
전화 | 02- 3454-0010
팩스 | 02- 563-0622
홈페이지 | www.goHackers.com
등록번호 | 978-89-90700-01-8 13740

정가 14,900 원

PREFACE

토플 독해의 입문서로 출간되었던 '해커스 리딩 스타트'가 토플 학습자들의 필수적인 입문서로 자리잡음은 물론 IELTS, 편입, 공무원, 대학원 입학시험, 텝스 등과 같은 수많은 영어시험의 준비서로 널리 활용되고 있습니다.

이는 '해커스 리딩 스타트'가 토플 시험을 넘어선 영어독해 자체의 가장 필수적이고 기본적인 틀을 제시하고 있으며, 이러한 틀에 의해 제작된 독해문제 하나하나가 유기적으로 독해의 핵심과 연결되어 있음을 의미합니다. 더불어 제대로 된 독해의 바탕인 '논리적 사고'를 키울 수 있도록 단문 해석이나 단순 문제 풀이 식 접근이 아닌 신개념의 '토론 독해 방식'을 도입한 것이 독해학습에 상당한 효과가 있음을 입증하고 있는 것입니다.

이렇듯 핵심적이고 기본적인 틀에 새로운 독해방식을 입혀 디자인된 '해커스 리딩 스타트'가 출간 이래 영어 독해의 베스트 셀러 자리를 지키게 된 것은 결코 우연이나 행운의 결과는 아니었습니다. '교육을 통한 사회환원'이라는 해커스 철학의 바탕 위에 수년간 땀과 노력이 깃든 분석과 연구에 연구를 거듭한 결과라고 감히 말씀 드리고 싶습니다.

초보라는 막연함을 가지고 이 책을 펼치게 되겠지만, 한 달간의 학습을 마무리 짓는 순간 훌쩍 성장한 여러분의 실력을 느끼게 될 것입니다. 영어 독해 입문서의 고전(Classic)인 '해커스 리딩 스타트'가 여러분의 힘든 길을 함께 할 믿음직한 동반자가 되기를 기원합니다.

David Cho

Contents

책의 특징 06

책의 구성 08

나에게 맞는 학습법 10

학습 방법 12

영어 독해 접근법 S&P 14

1st WEEK

1st Day 먼저 "무엇"에 관한 글인지 확인한다 18

2nd Day 글의 구조와 흐름을 파악한다 26

3rd Day 정확한 정보를 머릿속에 정리한다 34

4th Day 단어와 대명사를 꼼꼼히 확인한다 42

5th Day 직접 말하지 않아도 알아야 한다 50

6th Day 글의 분위기와 작가의 태도를 확인한다 56

2nd WEEK

1st Day 글의 주제 (Main Topic) 파악 64

2nd Day 글의 목적 (Main Purpose) 파악 74

3rd Day 글의 구조 (Organization) 파악 84

4th Day 문장 삽입 문제 (Insertion) 94

5th Day 세부 사항 (1): 일치 문제 (Fact) 104

3rd WEEK

1st Day 세부 사항 (2): 불일치 문제 (Negative) 116
2nd Day 세부 사항 (3): 정보 위치 클릭 문제 (Scanning) 126
3rd Day 어휘 문제 (Vocabulary) 136
4th Day 지시어 문제 (Reference) 146
5th Day 추론 문제 (Inference) 156

4th WEEK

1st Day Progressive Test 1 168
2nd Day Progressive Test 2 176
3rd Day Progressive Test 3 184
4th Day Progressive Test 4 192
5th Day Progressive Test 5 200
6th Day Actual Test 208

정답 · 해석 · 해설 218

책의 특징

01 영문독해의 기본서

토플 · IELTS · 편입 · 공무원 · 대학원 · 텝스 등 각종 영어 시험을 처음 준비하는 초보 학습자들이나 전반적인 영어 독해실력을 향상시키고자 하는 사람들이 독해의 기본을 익힐 수 있도록 구성하였다.

02 초보 독해 4주 완성

전체 책을 일별, 주별 학습량에 따라 구분하여, 제시된 학습량을 그 날 그 날 완벽하게 소화할 경우 4주 만에 독해의 기본을 완성하고, 나아가 중급 독해 실력에까지 오를 수 있도록 확실한 학습 플랜을 제시하였다.

03 독해 문제 유형 완전 분석

토플 · IELTS · 편입 · 공무원 · 대학원 · 텝스 등 각종 영어 시험에 출제되는 독해 문제를 10가지 유형으로 나누어 각각의 문제유형을 다각도로 분석하고 집중적으로 공략함으로써, 어떠한 독해 문제에도 완벽하게 대비할 수 있도록 하였다.

04 영문독해의 단계적 공략

1주의 연습문제를 통한 독해의 맥락 잡기에서 2, 3주의 문제 유형별 전략 익히기, Daily Check-up, Daily Test를 통한 일일 학습 내용 점검하기, 4주의 Progressive Test, Actual Test 를 통한 실전 감각 익히기까지 단계적으로 다양한 실전 독해 문제에 접근해가도록 체계적인 구성 방식을 갖추었다.

05 입체적 독해 학습법 제시

다양한 영어 실력과 학습 목적을 가진 학습자들을 위해 '자가진단' 코너를 제공하여, 개개인이 왕초보형, 일반 영어대상자, 시험 입문형, 실전 대비형 등 자신의 타입을 파악하고 타입에 맞는 학습법을 선택하여 이 책을 효율적으로 활용할 수 있도록 하였다.

06 영어 시험에 출제되는 지문 수록

광범위한 지식과 정보를 담은 지문과 문장들로 구성하여, 이 책을 공부하는 학습자들이 분야별로 다양한 영어 지문을 접하는 동시에 실제 각종 영어 시험에 완벽히 대비할 수 있도록 하였다.

07 문장 해석을 넘어선 논리력 배양

해커스 리딩 스타트에 실려 있는 예시와 해설은 단순한 문장 해석과 답찾기를 넘어서, '왜 답이 되는가', '왜 답이 되지 못하는가'에 대하여 학습자가 논리적으로 생각하도록 유도하고, 이를 통해 정확한 영문 독해와 문제 접근의 기본이 되는 논리력을 향상시켜 준다.

08 상세한 해설과 해석

해답에 대한 상세한 접근법을 담고 있는 문제풀이와 지문 내용에 대한 정확한 해석은, 논리적인 문제 해결 능력을 필요로 하고 독해에 어려움을 갖고 있는 초보 학습자들에게 유용한 지침서가 될 것이다.

09 다양한 연습문제를 통한 실전 훈련

100여 가지에 이르는 다양한 테스트를 통해 본문에서 학습한 내용을 확인하고 자신의 실력을 점검할 수 있도록 구성하였고, 실전 Actual Test를 수록함으로써 실제 시험에 대한 적응력을 키울 수 있도록 하였다.

10 실시간 온라인 토론의 장 goHackers.com

다른 해커스 시리즈와 같이 Hackers 홈페이지인 www.goHackers.com을 통해 실시간으로 정보를 공유하고, 의문점을 함께 해결해 나갈 수 있다. 이 공간을 자유롭게 이용함으로써, 혼자 공부하면서 발견하는 부족한 부분들을 보완할 수 있고 학습 과정에서 겪는 어려움에 대한 도움을 얻을 수 있다.

책의 구성

01 자가진단 & 학습방법

학습자들이 자신의 영어 실력과 학습 목적을 확인하여 자신들의 학습 위치를 점검할 수 있도록 '자가진단' 코너를 마련하여 각각의 위치에 맞는 가장 효과적인 학습방법을 제시하였다. 그리고 개별학습과 스터디학습에서 이 책을 효율적으로 이용할 수 있는 방법을 제시하였다.

02 1주 두줄 전략과 예제

연습할 문제를 위한 간략하지만, 필수적인 두줄 전략과 함께 예제를 통해 문제 접근법을 미리 제시하여 문제에 대한 확실한 가이드 라인을 제시하였다.

03 1주 연습문제

1주의 두줄 전략과 예제를 통한 핵심 독해 접근법을 다양한 문제들을 통해 연습할 수 있도록 하여 독해의 탄탄한 기반을 다지는데 도움을 준다.

04 2, 3주 1일-5일 전략

10가지 독해 문제 유형에 대해 하루에 한 가지 유형씩 2, 3주 열흘에 걸쳐 각 문제 유형 분석, 질문 형태, 선택지 형태, 오답의 분석, 문제 풀이 전략 및 단서 등에 관해 상세하게 설명하였다.

05 2, 3주 1일-5일 Daily Check-up

각 문제 유형에 관해 앞의 '전략' 부분에서 배운 내용을 적용하여 매일 간단한 지문과 문제를 통해 연습해 봄으로써, '전략' 을 확실하게 체화하는 코너이다.

06 2, 3주 1일-5일 Daily Test

앞에서 익힌 전략과 Daily Check-up을 통한 연습에 이어, 각 문제 유형에 해당하는 실전 문제를 풀어봄으로써 그 날 학습한 내용을 정리하고 마무리할 수 있는 코너이다.

07 4주 1일-5일 Progressive Test

1~3주 동안 배운 내용을 총정리할 수 있도록 각 지문별로 여러 유형의 문제를 혼합하여 출제한 실전 test코너이다.

08 4주 6일 Actual Test

이 책의 최종 마무리 단계로서, 44문항의 실전테스트 1회분을 실었다. 실제 시험 형태로 구성된 Actual Test를 풀어봄으로써 실전에 대비할 수 있는 기회를 제공하였다.

09 각 페이지 하단의 단어 정리

각 페이지의 하단에는 지문에 포함되어 있는 단어를 수록함으로써 학습자들이 직접 단어를 찾아보는 번거로움 없이 단어를 정리할 수 있도록 구성하였다. 또한 단어를 관련 지문 바로 아래에 싣지 않음으로써 독해하는 도중에 바로 단어를 참고하여 학습효과를 떨어뜨리는 것을 막았다.

10 정답+해설+해석

학습자들이 바르게 독해하였는지, 그리고 정답에 대해 제대로 접근하였는지 확인할 수 있도록 상세한 해설과 해석을 실었다. 특히 학습자의 편의를 고려하여, 한 지문에 대한 정답, 해설, 해석을 함께 구성하였다.

나에게 맞는 학습법

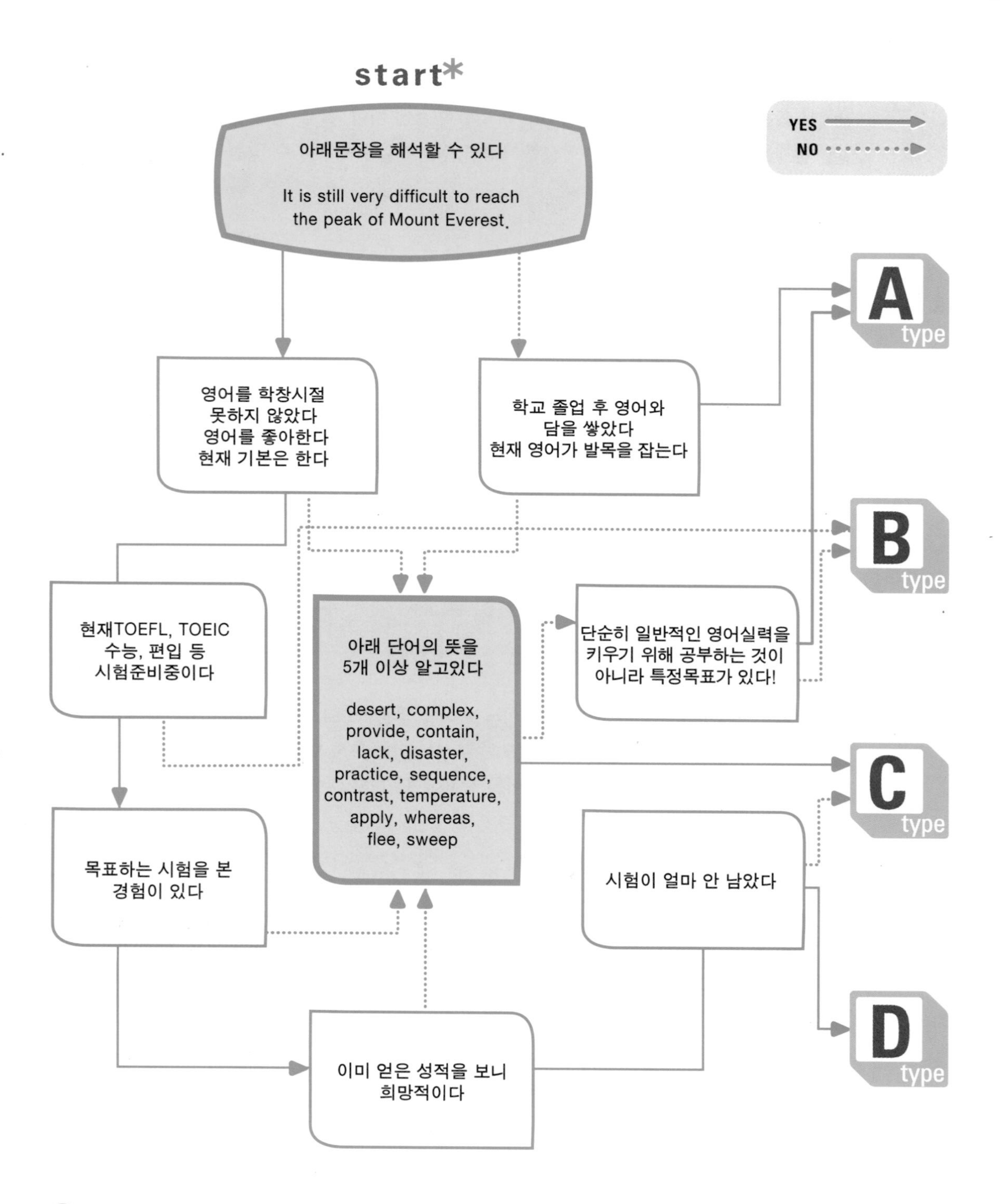

start*
YES
NO
아래문장을 해석할 수 있다
It is still very difficult to reach the peak of Mount Everest.
영어를 학창시절 못하지 않았다 영어를 좋아한다 현재 기본은 한다
학교 졸업 후 영어와 담을 쌓았다 현재 영어가 발목을 잡는다
현재TOEFL, TOEIC 수능, 편입 등 시험준비중이다
아래 단어의 뜻을 5개 이상 알고있다
desert, complex, provide, contain, lack, disaster, practice, sequence, contrast, temperature, apply, whereas, flee, sweep
단순히 일반적인 영어실력을 키우기 위해 공부하는 것이 아니라 특정목표가 있다!
목표하는 시험을 본 경험이 있다
시험이 얼마 안 남았다
이미 얻은 성적을 보니 희망적이다
A type
B type
C type
D type

왕초보형

영어를 새로이 시작하고자 하는 사람들이다. 이 타입에 해당하는 사람은, 무조건 읽고 문제 풀고 채점하는 것은 의미가 없다. 독해의 기본인 단어와 문법이 먼저 해결되어야 한다. 문제를 풀기 전에 미리 책 하단의 단어를 모두 외운다. 낯설게만 보이던 지문이 조금씩 눈에 들어오기 시작할 것이다. 또한 문법을 해결한다는 것은 구조를 보는 눈을 기른다는 것을 말하므로 책의 앞부분에 제시된 독해방법 S&P를 이용해 독해 시 적용해본다. 길게만 보이던 지문에서 주어, 동사가 눈에 들어오기 시작할 것이다. 귀찮더라도 line by line 해석을 한다. 한 달에 완전히 끝내는 것에 연연하지 말고 모든 내용을 완벽하게 소화하려는 목표를 세우자!

일반영어 학습형

시험 등 구체적인 목표를 가지고 있기 보다는 일반적인 영어 학습에 목적을 둔 사람들이다. 독해나 회화를 잘하려면 영어의 틀을 이해하는 것이 중요한데, 이 책은 그런 점에서 매우 체계적인 접근법을 제시한다. 독해 시 문제의 정답, 오답 맞추기에 치중하기 보다는 내용을 충분히 이해하는 데 초점을 맞추고, 책에서 제시하는 1달 학습법을 충실히 따르면서, 전략을 이용해 문제를 분석해본다. 전략에 입각한 독해는 논리력 배양을 비롯하여 영어 실력의 탄탄한 기본이 되어 줄 것이다!

시험입문형

시험을 보기위해 공부를 시작하는 사람들이다. 그러나 시험 날짜 때문에 조급해 하기 보다는 기본부터 차근히 공부해 나가는 것이 중요하므로 1주부터 시작해서 꼼꼼하게 공부해 나간다. 책이 조금 쉽게 느껴지는 사람은 진도를 빠르게 하되 어떤 부분도 '절대 skip하지는 않는다'. 전략을 확실하게 짚어가면서 공부하고 모든 문제의 오답까지를 분석한다. 이 책을 완전히 소화한 후 실전책으로 넘어가는 것이 좋다. 이 과정을 충실히 하지 않으면 일정 점수 이상 오르지 않는 딜레마에 빠지게 된다. 만점을 원한다면 기초공사가 튼튼해야 한다는 사실을 명심하자!

실전대비형

자신도 모르게 혹은 영어를 좋아해서 어느 정도 영어의 기본이 되어 있는 사람들이다. 따라서 조금만 정리하면 탄탄한 독해실력을 가질 수 있게 된다. 시험이 얼마 남지 않은 경우 『완전정독 + 문제 토론』에 입각하여 2주이내에 책을 소화한다.독해 영역에서 고득점을 받기 위해서는 해커스 보카를 병행함으로써 어휘 실력을 탄탄하게 다져야 한다. 시간이 부족하다면 리딩 스타트 4주 부분에 있는 실전문제들만 확실하게 숙지하는 것만으로도 큰 도움이 될 것이다!

학습 방법

01 개별학습

* 책에 정해진 분량대로 4주 동안 매일 공부해 나간다.

1. 매일 제시되는 전략을 숙지하여 1주의 연습문제와 2, 3주의 Daily Check-up을 풀고, 취약한 부분은 전략을 통해 다시 점검한다.
2. 2, 3주의 Daily Test를 풀어보고, 그 날 공부한 모든 지문을 정독한다.
3. 4주의 Progressive Test를 풀고, 틀린 문제에 대해서 반드시 전략을 확인한다.
4. 마지막 날에는 시간을 정해놓고 4주 6일의 Actual Test를 풀어본 후 실력을 평가해 보고 지문을 정독한다.

03 학습 TIP

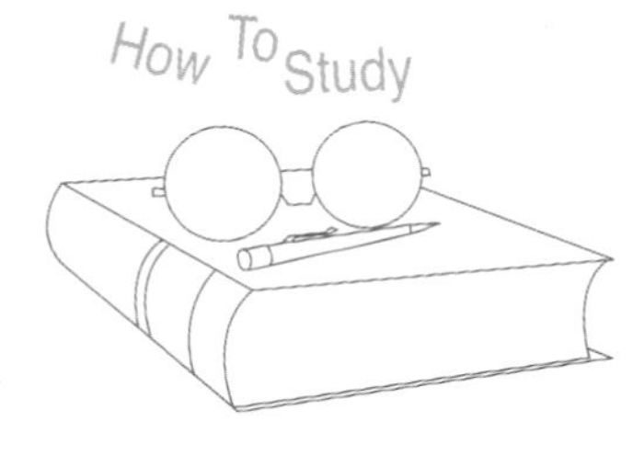

1. 문제를 풀어본 후에는 단순히 답을 맞추는 데 그치지 말고, '그것이 답이 되는지', 또는 '왜 그것이 답이 안 되는지'를 전략에 입각하여 꼼꼼하게 분석하고 확인하는 학습 습관을 갖도록 한다.
2. 기본 독해에서는 문제를 푸는 것도 중요하지만, 지문을 완벽하게 해석하는 것을 소홀히 해서는 안 된다. 문제를 모두 풀어본 후 반드시 문장의 구조를 분석하면서 지문을 정독하도록 한다. 완벽하게 문장 분석이 안 되는 부분은 문법 책과 사전 등을 활용하여 확실하게 마무리짓고 넘어간다.
3. 모든 독해에서, 특히 기본 독해에서 단어의 중요함은 아무리 강조해도 지나치지 않다. 지문의 단어와 구문은 미루지 말고 반드시 그 날 그 날 암기하고, 그 외에 해커스 보카를 하루에 2일분씩 반드시 암기하여 부족한 어휘력을 보강하도록 한다.
4. 그 날 학습할 분량을 오른편 '학습진도표'로 확인하고 다 끝내지 못했을 때는 부족한 부분을 6~7일째에 반드시 make-up 한다.

02 스터디 학습

* 스터디에서 진도를 나가고 공부한 내용을 집에서 복습하는 형식으로 진행한다.

1. 스터디 팀원들과 함께 전략 부분을 숙지한 뒤, 시간을 정해놓고 1주의 연습문제와 2, 3주의 Daily Check-up을 함께 풀어본다.
2. 채점하기 전에 먼저 답에 대해 토론해 본다. 모든 문제를 같은 방식으로 풀어본다. 단, 토론시 전략에 입각하여 논리적인 문제풀이를 제시하도록 한다.
3. 2, 3주의 6일째 날에는 그동안 배운 본문의 단어와 구문에 대한 시험을 보고, 암기한 단어와 구문들을 서로 확인한다.
4. Progressive Test는 팀원들과 시간을 정해놓고 풀어본 후 답에 대해 토론하고, 전략을 다시 정리한다.
5. 4주 6일에는 실전 시험을 보듯 함께 Actual Test를 시험본다.
6. 스터디한 내용은 집에서 반드시 정독하고, 단어와 구문을 암기한다.

[학습진도표] 그 날 학습한 분량에 대한 진도를 아래 표로 점검한다.

1st week	Day	1st day	2nd day	3rd day	4th day	5th day	6th day	7th day
	Progress	☐	☐	☐	☐	☐	☐	복습일

2nd week	Day	1st day	2nd day	3rd day	4th day	5th day	6th day	7th day
	Progress	☐	☐	☐	☐	☐	복습일	휴식

3rd week	Day	1st day	2nd day	3rd day	4th day	5th day	6th day	7th day
	Progress	☐	☐	☐	☐	☐	복습일	휴식

4th week	Day	1st day	2nd day	3rd day	4th day	5th day	6th day	7th day
	Progress	☐	☐	☐	☐	☐	☐	복습일

영어독해 접근법 S&P

영어 독해를 공략하기 위해서는 '문제 풀이 과정에 대한 접근 과정'과 '영어 독해에 대한 접근 과정'에 대하여 완전히 숙지해야 한다. 본문에서 '문제 풀이 과정에 대한 접근 과정'을 익히기 전에 '영어 독해에 대한 접근 과정'에 대하여 먼저 알아 보겠다. 해커스 리딩 스타트에서는 이러한 독해의 기본방식을 **S&P(Skimming & Parsing)**이라고 부른다.

Skimming 큰 그림 그리기

집이 어떻게 생겼는지 알기 위해서는 멀리 산 위에서 집의 전체 모양을 봐야 한다. 집에 직접 들어가서 손잡이가 어떤 것인지 마루는 어떤 것인지 아무리 봐도 집 전체 구조를 볼 수는 없다. 글에 대해서도 마찬가지이다. 글 전체를 파악하기 위해서는 글의 세부 구조가 아니라 글을 쓴 사람이 무엇에 대해 쓰고 있는지, 무슨 얘기를 하려고 이 글을 쓴 것인지, 그 얘기를 하기 위해 각 단락에서는 각각 어떤 얘기를 하고 있는지 등을 파악해야 한다.

① 조금은 멀리서 글을 보아라!

고개를 살며시 들고 조금 떨어져 글을 본다.

② 단어 하나하나에 집착하지 마라!

첫 문장의 첫 단어부터 하나하나 다 해석해야 한다는 강박관념을 버린다.

③ 적극적인 독자가 되어라!

글을 수동적으로 따라가는 것이 아니라, 글에 들어있는 중심 생각을 끊임없이 파악하면서 읽는다.

④ 중요한 부분만 읽어라!

주제문, 개괄적인 진술, 결론/요약과 같은 핵심 부분만 읽고 보충 설명이나 예를 드는 부분 등은 과감하게 넘어간다.

EX There are two reasons for the popularity and significance of Henry Wadsworth Longfellow's poetry. First, he had the gift of easy rhyme. ~~After reading or hearing his poems, his rhyme and meter last in the mind for a long time.~~ Second, Longfellow wrote on obvious themes which appeal to all kinds of people. ~~His poems are easily understood. Above all, there is a joyousness in them and a spirit of optimism and faith.~~ Consequently, Longfellow is regarded as the best loved American poet.

→ 주제문
→ 개괄적인진술
(예,보충설명)
→ 개괄적인진술
(예,보충설명)
→ 결론(요약)

영어 독해가 재미있고 쉽다

Parsing 세부사항 자세히 보기

이제 구체적인 집의 내부 구조를 살펴볼 순서이다. 이 때는 집에 직접 들어가서 하나하나 뜯어봐야 세부 구조를 알 수 있다. 거실의 조명은 어떤 모양이고 방 안에 있는 책장에는 어떤 책들이 꽂혀 있는지 자세히 봐야 안다. 글의 경우에도 마찬가지이다. 글의 세부 구조를 살펴보기 위해서는 이제 직접 글 속으로 들어가 글을 이루는 단위인 문장 구조를 분석해야 한다.

① 문장을 뼈대와 거품으로 나누어라!

한 단어씩 끊어 보지 말고 연결되는 여러 단어를 묶어서 본다.
주된 역할을 하는 부분(뼈대)과 부가적인 역할을 하는 부분(거품)을 나눈다.

EX Longfellow wrote on obvious themes which appeal to all kinds of people.

뼈대(주절) 거품(관계절)

② 뼈대를 다시 주어부와 술어부로 나누어라!

문장의 뼈대를, 주어가 있는 부분(주어부)과 동사를 포함한 부분(술어부)으로 나눈다.

EX Longfellow / wrote on obvious themes.

주어부 술어부

③ 뼈대를 머릿속에 정리 한 후, 거품부분을 뼈대에 덧붙여라!

거품을 다시 뼈대를 정리한 방법으로 나눈 후에, 뼈대에 거품을 끼워 넣는다.

EX Longfellow / wrote on obvious themes. + which / appeal to all kinds of people.

주어부 술어부 주어부 술어부

(Longfellow는 알기 쉬운 주제에 관해 글을 썼다.) + (모든 종류의 사람들의 흥미를 끄는)

➔ **Longfellow는** 모든 종류의 사람들의 흥미를 끄는 **알기 쉬운 주제에 관해 글을 썼다.**

거품: 문장의 중요의미에는 큰 영향을 끼치지 않는다.

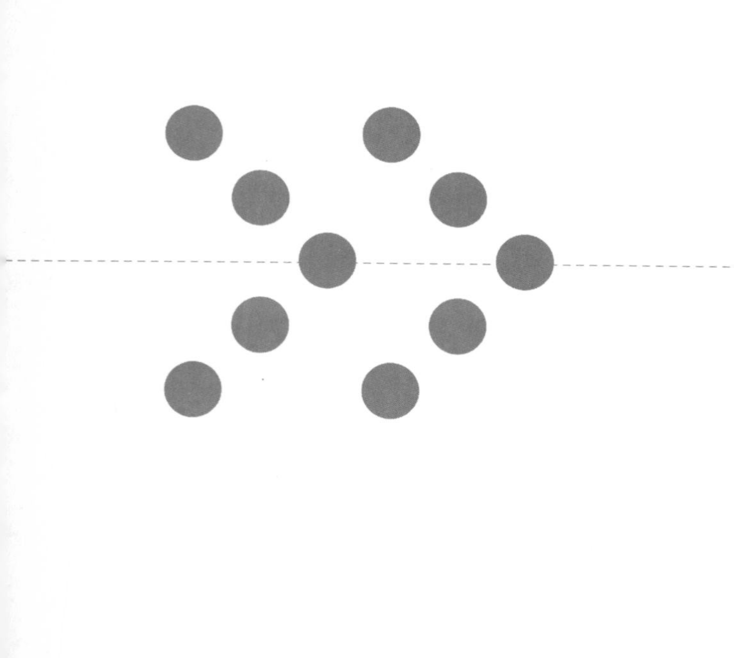

1st Week

1주에서는 기본 독해를 위한 워밍업으로 다양한 연습문제를 풀어본다.

1st Day | 먼저 무엇에 관한 글인지 확인한다

2nd Day | 글의 구조와 흐름을 파악한다

3rd Day | 정확한 정보를 머릿속에 정리한다

4th Day | 단어와 대명사를 꼼꼼히 확인한다

5th Day | 직접 말하지 않아도 알아야 한다

6th Day | 글의 분위기와 작가의 태도를 파악한다

1st Day 먼저 "무엇"에 관한 글인지 확인한다

1 핵심어(Keywords)를 통해 주제(Main Topic) 예상하기

- 처음 글을 쭉 훑어보면, 주로 눈에 들어오는 핵심어(Keywords)들을 찾을 수 있다.
- 이러한 핵심어를 통해서 글의 주제(Main Topic)를 찾을 수 있다.

다음은 어떤 글의 핵심어(Keywords)들이다. 이 글의 주제(Main Topic)를 예상하여 답을 고르시오.

Ex | rainforests, important, many reasons, carbon dioxide into oxygen, fight pollution, sustain the Earth, purify water, provide food

(A) Purified water in rainforest
(B) The importance of rainforests
(C) Rainforests on the Earth

해석 열대 우림, 중요한, 많은 이유, 이산화탄소를 산소로, 오염과 싸우다, 지구를 유지하다, 물을 정화하다, 식량을 공급하다

해설 나열된 핵심어들은 크게 [열대 우림, 중요한, 많은 이유]로 나누어 볼 수 있으므로, 이 핵심어들을 포함한 글은 '열대 우림의 중요성'에 관한 내용을 다루고 있을 것이라 생각할 수 있다.
(A)의 '열대 우림의 정화된 물'은 내용의 일부에 불과해 주제가 되기에 모자란다.
(C)의 '지구의 열대 우림'은 열대 우림의 중요성 이라는 주제가 되기에 넘친다.

단어 carbon dioxide [ká:rbən daiáksaid] 이산화탄소
sustain [səstéin] v. 유지하다
purify [pjú(:)ərəfài] v. 정화하다

정답 (B)

01 | gorillas and humans, primates, similar, two arms and legs, ten fingers and toes, 32 teeth, face, care for their young, complex social structure

(A) Gorillas' complex social structure
(B) Characteristics of primates
(C) The similarities between gorillas and humans

02 | bullfrog, size, six inches, dorsal, dull green, brownish, dark gray, black, ventral surface, white, yellow, habitat, central and eastern United States

(A) Characteristics of a bullfrog
(B) Colors of a bullfrog
(C) Description of frogs

03 | middle ages, simple sundials, 14th century, public clocks, regulation difficulties, spring-powered clocks, accurate mechanical clocks, improved accuracy, today, digital clocks

(A) The accuracy of clocks
(B) Various clocks
(C) The development of clocks

정답 p.218

VOCABULARY

01 | primate [práimèit] *n.* 영장류 care for [kɛər fər] 돌보다
02 | dorsal [dɔ́:rsəl] *a.* 등(부분)의 ventral [véntrəl] *a.* 배의 habitat [hǽbitæ̀t] *n.* 서식지
dull green 우중충한 녹색 ↔ bright green 선명한 녹색
03 | sundial [sʌ́ndàiəl] *n.* 해시계 regulation [règjəléiʃən] *n.* 조절

2 주제문(Topic Sentence)의 위치 확인과 주제(Main Topic) 찾기

- 주제문(Topic Sentence)은 대부분 글의 가장 앞에 위치하고, 주제(Main Topic)를 담고 있다.
- 글의 주제(Main Topic)는 내용을 너무 '모자라지도 넘치지도 벗어나지도 않게' 담아야 한다.

다음 글을 읽고 주제문(Topic Sentence)에 밑줄을 그은 후, 주제(Main Topic)를 고르시오.

Ex

Even today, with all the technology on Earth, it is still very difficult to reach the peak of Mount Everest. Because the air contains little oxygen on the peak of Mount Everest, people have trouble breathing there, and even thinking is difficult. Thus, it is not surprising that very few people have reached the top.

(A) Difficulty of climbing Mount Everest
(B) Lack of oxygen on the peak of Mount Everest
(C) Problems of mountain climbing

해석 심지어 오늘날, 지구상에 있는 그 모든 기술에도 불구하고, 에베레스트산 정상에 다다르는 것은 여전히 매우 어렵다. 에베레스트산 정상에 산소가 거의 없어, 사람들이 거기서 숨쉬기 힘들고, 심지어 생각조차도 어렵기 때문이다. 따라서 에베레스트의 정상에 오른 사람이 거의 없다는 것은 놀라운 일이 아니다.

해설 글의 첫 문장인 주제문(Topic Sentence)를 통해 '오늘날의 모든 기술에도 불구하고 에베레스트에 오르는 것이 어렵다' 라고 말한 후, 에베레스트 산에 오르는 것이 어려운 이유를 설명하고 있다. 따라서 이 글은 '에베레스트 산에 오르는 어려움' 에 관한 글이다.
(B)는 에베레스트 산에 오르는 어려움이 아닌 그 구체적 이유인 '산소의 부족' 이므로 글의 내용을 담는 주제가 되기에 모자란다.
(C)는 '등산의 문제점' 이므로 '에베레스트' 라는 특정 지역에 한정된 내용을 담는데 있어 주제가 되기에 넘친다.

정답 (A) **주제문** Even today, with all the technology on Earth, it is still very difficult to reach the peak of Mount Everest. (글의 첫 문장)

01

Although a tornado covers only a small area, it can destroy everything in its narrow path. A tornado moves at a rapid speed because the winds of a tornado spin very fast. When it rushes along the ground, it sucks up everything in its way. Sometimes, it can even destroy an entire town and kill many people.

(A) The wind speed of a tornado
(B) Hazardous natural disasters
(C) Dangers of a tornado

02

Hot spots beneath the earth's surface form geysers and hot springs. Sometimes, water seeping into these hot spots is heated and changes to steam. Then, some of the steam and hot water shoot up through cracks in the earth's surface and form geysers. Other times, the water and steam flow out slowly and form hot springs.

(A) Geysers and hot spots
(B) Creation of geysers and hot springs
(C) Heat energy beneath the earth's surface

03

In the 1930's, the Dust Bowl caused large damage to the southern Great Plains of the United States. It was a series of terrible dust storms that swept across the area. At that time because of a long drought, the soil was very dry. So almost all of the topsoil had been carried off by winds, destroying the land. Thousands of families fled the Dust Bowl looking for work.

(A) Harmful effects of the Dust Bowl
(B) Dangerous winds
(C) Dry topsoil

⇨ 뒤로

● VOCABULARY ●

01 | spin [spin] *v.* 돌다 rush [rʌʃ] *v.* 돌진하다 suck up [sʌ́k ʌ̀p] 삼키다 hazardous [hǽzərdəs] *a.* 위험한
02 | hot spot [hɑt spɑt] 뜨거운 부분 geyser [gáizər] *n.* 간헐천 hot spring [hɑt spriŋ] 온천 crack [krǽk] *n.* 틈
03 | sweep [swi:p] *v.* 쓸어버리다 (sweep–swept–swept) drought [draut] *n.* 가뭄 topsoil [tɑ́psɔ̀il] *n.* 표토
flee [fli:] *v.* 도망가다 (flee–fled–fled)

04

Some deserts are formed by human activities rather than natural phenomena. For example, the Thar Desert in western India was created by people where no desert existed before. Two thousand years ago it was a forest. Also, the Sahara in Africa has greatly expanded as a result of poor farming practices. During the time of the Roman Empire, the northern Sahara was a temperate area good for farming. The Romans cut hillside forests for firewood and to make fields.

(A) Deserts created by people
(B) Formation of the Sahara Desert
(C) Creation of deserts

05

The Great Lakes were formed about twelve thousand years ago when North America experienced an ice age. Temperatures were much lower than they are today, and the ice and snow that fell did not melt. They packed together to form glaciers that moved down from Canada and covered land as far south as southern Illinois. When temperatures warmed up again, the glaciers melted and left enormous holes behind in places where they scraped away rock and soil. These holes filled with meltwater and rainwater and became lakes.

(A) Relationship between temperatures and the Great Lakes
(B) Formation of the Great Lakes
(C) Results of climate change

정답 p.218

VOCABULARY

04 | phenomenon [finɑ́mənɑ̀n] *n.* 현상 (pl. phenomena) exist [igzíst] *v.* 있다, 존재하다 expand [ikspǽnd] *v.* 넓어지다
practice [prǽktis] *n.* 관습 temperate [témpərit] *a.* 온화한 hillside [hílsàid] *n.* 산허리

05 | Great Lakes [greit leiks] 5대호 ice age [ais eidʒ] 빙하기 pack together [pæk təgéðər] 뭉치다
glacier [gléiʃər] *n.* 빙하 melt [melt] *v.* 녹다 scrap away [skræp əwéi] 쓸고가다

3 요지(Main Idea)를 담은 주제문(Topic Sentence)고르기

- 주제문(Topic Sentence)에는 글 전체를 포함하는 요지(Main Idea)가 담겨 있다.
- 주제문(Topic Sentence)은 요지(Main Idea)를 '모자라지도 넘치지도 벗어나지도 않게' 담아야 한다.

밑줄 친 부분에 들어갈 요지(Main Idea)를 담은 주제문(Topic Sentence)을 고르시오.

Ex

________________________________ She wrote about 2,000 poems, but only four were published in her lifetime. No one wanted to publish her work because it was different from what other poets wrote. After Dickinson died, her poems were finally published and she became famous.

(A) Emily Dickinson wrote many books.
(B) Emily Dickinson was the most famous American poet.
(C) Emily Dickinson became more famous after her death.

해석 ____________ 그녀는 약 2,000여 편의 시를 썼다. 그러나 단지 네 편의 시만이 그녀 살아 생전에 출판되었다. 그녀의 작품이 다른 시인이 썼던 것과 달랐기 때문에 아무도 그녀의 작품을 출판하려고 하지 않았던 것이다. Dickinson이 죽고 난 후에야, 그녀의 시가 마침내 출판되었고 그녀는 유명해졌다.

해설 글의 내용을 통해 Dickinson이 시를 많이 썼으나, 생전이 아닌 죽고 나서야 책이 출판되어 유명해졌다는 것을 알 수 있다. 이러한 요지(Main Idea)를 잘 담은 것은 (C)로서 이 글의 주제문(Topic Sentence) 이 될 수 있다.
(A)는 Emily Dickinson이 책을 많이 썼다는 것으로 요지를 담기에 너무 넘친다.
(B)는 Emily Dickinson이 미국에서 가장 유명한 시인이었다 이므로 요지에서 벗어난다.

단어 poem [póuəm] *n.* 시
lifetime [láiftàim] *n.* 생애
poet [póuit] *n.* 시인

정답 (C)

01 _______________________________ For example, a box of cereal costs three to four dollars. However, the grain costs only about 10 cents, and the packaging costs about 90 cents. In the end, advertising costs can be as high as two or three dollars.

(A) The cost of advertising a product is often higher than the cost of making it.
(B) Advertising costs more than two dollars for a box of cereal.
(C) A box of cereal is not so expensive.

02 _______________________________ They reproduce as a young tree. It is nourished while attached to the parent tree, and then drops and disperses. This young tree eventually takes root in the soil surrounding the parent tree or is carried to distant shorelines. These mangrove trees can disperse over wide areas.

(A) Mangrove trees possess a unique reproductive strategy.
(B) Mangrove trees thrive along the California coast.
(C) There are two main types of mangrove trees.

03 ____________________________ Once there were many birds called peregrine falcons. The problem began when a pesticide called DDT was sprayed on crops to kill insects. The peregrine falcons ate insects on the crops on which DDT was sprayed. When the birds laid their eggs, the shells of the eggs were very thin. So the shells broke and the babies died before the baby birds were ready to hatch.

(A) The peregrine falcon can be found all around the world.
(B) Pesticides can be used to increase crop production.
(C) Pesticides, a substance used to kill insects, can also kill birds.

_____________________ Because people are so busy these days, they look for more precooked meals. There is a wide selection of precooked dishes in the market such as rice and pasta. These products are growing in popularity, and food-related companies are trying to promote and expand the menu of precooked meals.

(A) The market for precooked meals is determined by a food-related company.
(B) Demand for precooked meals is increasing more and more.
(C) Precooked meals are the most popular meals these days.

05

_____________________ It happens after an undersea disturbance, such as an earthquake or volcano eruption. Then, the waves travel in all directions from the area of disturbance, much like the ripples that happen after throwing a rock. As the big waves approach shallow waters along the coast, they grow to a great height and smash into the shore. They can be as high as 100 feet. Hawaii is the state that is especially at the greatest risk for the tsunami.

(A) A tsunami is a series of huge and dangerous ocean waves.
(B) All waves begin far out in the ocean.
(C) A tsunami causes a lot of destruction on the shore.

정답 p.219

VOCABULARY

01 | cereal [sí(:)əriəl] *n.* 씨리얼 grain [grein] *n.* 곡물 packaging [pǽkidʒiŋ] *n.* 포장 advertising [ǽdvərtàiziŋ] *n.* 광고

02 | reproduce [rì:prədjú:s] *v.* 재생하다 nourish [nə́:riʃ] *v.* 영양분을 주다 attach [ətǽtʃ] *v.* 붙다
disperse [dispə́:rs] *v.* 흩어지다, 퍼지다 eventually [ivéntʃuəli] *ad.* 결국에 distant [dístənt] *a.* 멀리 떨어진
shoreline [ʃɔ́:rlàin] *n.* 해안가 mangrove [mǽŋgròuv] *n.* 망그로브 나무

03 | peregrine falcon [pérəgrin fǽlkən] 송골매 pesticide [péstisàid] *n.* 살충제
lay [lei] *v.* 알을 낳다 (lay – laid – laid) shell [ʃel] *n.* 껍질 hatch [hætʃ] *v.* 부화하다

04 | precooked [prìkúkt] *a.* 선조리된 dish [diʃ] *n.* 음식 promote [prəmóut] *v.* 촉진하다

05 | disturbance [distə́:rbəns] *n.* 소란, 소동, [지질] 지각 변동 eruption [irʌ́pʃən] *n.* 분출 ripple [rípl] *n.* 파동, 잔물결
approach [əpróutʃ] *v.* 다가오다 shallow [ʃǽlou] *a.* 얕은 smash [smæʃ] *v.* 때리다 tsunami [tsuná:mi] *n.* 해일

2nd Day 글의 구조와 흐름을 파악한다

1 문장과 문장을 자연스럽게 연결하기

- 문장과 문장, 단락과 단락을 연결하는 기능을 하는 것을 '연결어' 라고 한다.
- '연결어' 는 글의 흐름을 자연스럽게 해주어, 글의 구조에 응집력(Coherence)을 준다.

문장을 해석하여 두개의 연결어 중 문장과 문장을 자연스럽게 연결하는 것을 선택하시오.

Ex

John F. Kennedy always used less power than he had, in dealing with the Congress and with the public. **In contrast/For example**, Lyndon Johnson always used slightly more power than he had.

해석 존 F. 케네디는 의회와 대중을 다루는데 있어 언제나 자신이 가진 것 보다 적은 권력을 사용했다. (반대로/예를 들어) 린든 존슨은 언제나 자신이 가진 것 보다 조금 더 많은 권력을 사용했다.

해설 첫 문장과 뒤의 문장은 서로 상반되는 개념으로 존 F. 케네디와 린든 존슨의 권력사용에 대한 상반되는 내용을 담고 있다. 따라서 상반되는 의미의 연결어인 In contrast를 이용하여 문장의 흐름을 자연스럽게 만들고, 구조적으로도 응집력을 주어야 한다. For example은 의미상 이 두 문장의 자연스런 연결어가 될 수 없다.

단어 deal with [diːl wið] 다루다
slightly [sláitli] *ad.* 조금, 약간

정답 In contrast

01 | On August 6, 1945, an American bomber dropped an atomic bomb over the southwestern Japanese port of Hiroshima. Afterwards/However, the United States dropped a second atomic bomb on Nagasaki on August 9, 1945.

02 | Saccharin is an artificial sweetener used in toothpaste, mouthwash, and sugarless gum. Finally/In addition, it is used in many diet foods.

03 | Rapid industrial growth has resulted in positive economic and social gains for developing countries. Nevertheless/For instance, this rapid industrial growth has caused much environmental waste.

04 | At the beginning of civilization, cities were already there. Thus/Furthermore, to learn the history of civilization is to study the history of cities.

05 | Deer in the United States destroy habitats of smaller animals and damage forests. Consequently/Similarly, the government must find ways to control the deer population.

06 | The Anasazi built their homes into the side of the cliff. For this reason/On the contrary, they were also called Cliffdwellers

07 | Thomas Edison read a lot, but he found many of the books he read boring. As a result/In contrast, he only read the books he liked.

08 | Raccoons and bears are related animals; for example/however, raccoons are much smaller.

정답 p.221

VOCABULARY

01 | bomber [bámər] *n.* 폭격기 atomic [ətámik] *a.* 원자의 port [pɔ:rt] *n.* 항구
02 | artificial [à:rtəfíʃəl] *a.* 인공의 sweetener [swí:tənər] *n.* 감미료 mouthwash [máuθwɔ̀(:)ʃ] *n.* 구강청정제
03 | gain [gein] *n.* 이익 developing country [divéləpiŋ kʌ́ntri] 개발도상국 environmental waste [invàiərənméntəl weist] 산업폐기물
04 | civilization [sìvəlizéiʃən] *n.* 문명화
05 | habitat [hǽbitæ̀t] *n.* 서식지 damage [dǽmidʒ] *v.* 훼손하다 control [kəntróul] *v.* 억제하다 population [pàpjəléiʃən] *n.* 개체수
06 | Cliffdweller [klifdwélər] *n.* 절벽거주자
08 | racoon [rækú:n] *n.* 미국너구리 related [riléitid] *a.* 연관된

2 문장간 구조 파악하기

● 문장과 문장 사이의 '연결어' 는 문장간 구조를 파악하는 중요한 Key가 된다.

다음 두 문장간의 구조를 제대로 표현한 것을 [보기]에서 선택하시오.

[보기] 부연설명 (Further Definition & Example)
비교&대조 (Comparison & Contrast)
인과 (Cause and Effect)
순서 (Sequence)

(A) Meteorites can be of many sizes.
(B) For instance, they can be as small as a peanut or as large as a truck.

해석 (A) 유성은 많은 크기를 가진다.
(B) 예를 들어, 유성은 땅콩만큼 작기도 하고 트럭만큼 크기도 하다.

해설 (B)의 문장은 for instance(예를들어)라는 연결어로 시작하여 (A)문장에 대하여 예를 들고 있다. 따라서 (A)와 (B)는 부연설명의 구조를 이룬다.

단어 meteorite [mí:tiəràit] *n.* 운석, 유성
be of ~ size '~한 크기이다' 라는 표현으로 많이 쓰인다.

정답 부연설명 (Further Definition & Example)

01

(A) Gasoline cars cause too much pollution.

(B) Consequently, scientists and engineers are trying to develop electric cars.

정답 ____________________

02

(A) The roots of a new plant take in water and minerals that the plant uses to grow.

(B) Next, as the stems grow upward, leaves appear.

정답 ____________________

03

(A) Women's suffrage or right to vote was opposed by many politicians.

(B) In addition, church groups and even some women opposed this movement.

정답 ____________________

04

(A) In the early 1900s, the Republican Party stayed in power during the long period of industrial growth.

(B) As a result, they became regarded as the party of business and wealth.

정답 ____________________

05

(A) Some educators believe students who learn English as a second language should be educated in their native language as well.

(B) On the other hand, some say they should study only English.

정답 ____________________

정답 p.222

● VOCABULARY ●

01 | pollution [pəljúːʃən] *n.* 오염 consequently [kánsəkwèntli] *ad.* 결과적으로 electric car [iléktrik kaːr] 전기차

02 | take in [téik ìn] 섭취하다 mineral [mínərəl] *n.* 미네랄 stem [stem] *n.* 줄기 upward [ʌ́pwərd] *ad.* 위쪽으로 appear [əpíər] *v.* 나타나다

03 | suffrage [sʌ́fridʒ] *n.* 참정권 right [rait] *n.* 권리 vote [vout] *v.* 투표하다 oppose [əpóuz] *v.* 반대하다

04 | the Republican Party [ðə ripʌ́blikən páːrti] 공화당 stay in power [stei in páuər] 권력을 쥐다 regard as [rigáːrd əz] ~로 간주하다 party [páːrti] *n.* 정당 business [bíznis] *n.* 산업

05 | educator [édʒukèitər] *n.* 교육자 as well [əz wel] ~도

3 문장의 순서 바로잡기

- 문장의 구조를 이해한 후, 문장들이 어떠한 흐름으로 배열되는지 살펴본다.
- 연결어를 포함한 시간표현, 대명사, 정관사는 글의 흐름을 파악하는데 중요한 역할을 한다.

주어진 두 문장의 선후관계를 적으시오

Ex

(A) First, restaurants had to convince people to try it. Then, Pizzeria, a restaurant like Pizza Hut, opened up in Moscow.
(B) The introduction of pizza in Russia took several steps.

해석 (A) 처음으로, 레스토랑들은 사람들이 그것을 시도해보도록 설득해야만 했다. 그리고는 피자헛과 같은 레스토랑인 피자음식점이 모스크바에서 문을 열었다.
(B) 러시아에서 피자의 소개는 여러 단계를 거쳤다.

해설 (A)문장의 대명사 it은 (B)문장의 Pizza를 가리킨다.

단어 convince [kənvíns] *v.* 설득하다 *convince A to B : A를 B하도록 설득하다
introduction [ìntrədʌ́kʃən] *n.* 소개

정답 (B) → (A)

01

(A) In the 1700s, height and weight became an important part of beauty. During the time of the French Revolution, many women used to wear corsets, uncomfortable belts that made their waists appear much slimmer.
(B) But nowadays, men or women who want to change the appearance of their body shape don't need to wear such uncomfortable clothing.

정답 ________ → ________

02

(A) He studied music in Saint Petersburg and wrote his first symphony three years later from the time he decided to be a musician.
(B) Peter Ilich Tchaikovsky was born in 1840 in Russia. First, he went to a university to study law. But at the age of 23, he decided to focus on music.

정답 ________ → ________

03

(A) In the early 1800s the French army used a system of raised dots to communicate urgent messages at night.
(B) When Louis Braille saw the system, he looked at it from a different point of view. He thought that the raised dots could be more than a method for night reading. So he adapted the raised letters for the blind.

정답 ________ → ________

정답 p.222

● VOCABULARY ●

01 | the French Revolution [ðə frentʃ rèvəljú:ʃən] 프랑스 혁명 corset [kɔ́:rsit] *n.* 코르셋 uncomfortable [ʌnkʌ́mfərtəbl] *a.* 불편한
waist [weist] *n.* 허리 slim [slim] *a.* 날씬한 appearance [əpí(:)ərəns] *n.* 모습

02 | symphony [símfəni] *n.* 교향곡 university [jù:nəvə́:rsəti] *n.* 대학교 focus on [fóukəs ən] 집중하다

03 | army [á:rmi] *n.* 군대 communicate [kəmjú:nəkèit] *v.* 주고받다, 통신하다 urgent [ə́:rdʒənt] *a.* 급한
point of view [pɔint əv vju:] 관점 method [méθəd] *n.* 수단 adapt [ədǽpt] *v.* 개조하다
raised letters [reizd létərs] 점자 (Braille도 마찬가지로 점자라는 의미로 사용된다) the blind [ðə blaind] 맹인들

4 구조와 흐름 최종 점검하기

● 전체 흐름에 어울리지 않아 글의 짜임새 있는 구조를 깨뜨리는 문장을 찾아봄으로써 문장의 구조와 흐름을 정확하게 이해했는지 최종 점검한다.

다음 문장 중 구조와 흐름을 깨는 문장을 고르시오.

Ex | Below 800 feet in the ocean there is generally no difference in temperature. (A) Even in winter or summer the temperature is the same. (B) In some areas on land the temperature can be very hot. (C) In shallow tidal pools, however, the water temperature varies greatly.

해석 바닷속의 800피트 아래에는 일반적으로 기온의 차이가 거의 없다.
(A) 심지어는 겨울이나 여름에 기온이 같다.
(B) 육지에서의 어떤 지역들은 기온이 매우 높아질 수 있다.
(C) 그러나 얕은 개펄 웅덩이에서는 물의 온도가 크게 변한다.

해석 첫 문장인 주제문(Topic Sentence)에서는 깊은 바닷속의 온도변화에 대해 언급하고, (A)는 이에 대한 부연설명을 하고 있다. (C)는 깊은 바닷속과는 대조적인 얕은 바다인 개펄 웅덩이의 온도 변화에 대해 언급하고 있다. 그러나 (B)의 문장은 주제문(Topic Sentence)에서 벗어난 육지의 온도가 높아질 수 있음을 언급하고 있다.

정답 (B)

01 Today, the number of people who go to their work place is decreasing in the United States. (A) They go to work using public transportation. (B) It is not because they have lost their jobs, but because of the birth of a new type of employee: the telecommuter. (C) This phenomenon has resulted from the popularization of computers and the spread of Internet use.

02 A human brain has more abilities than a computer. (A) It has the ability to create, to exercise initiative, to deduce, to reach conclusions, to doubt, and to reason logically. (B) In contrast, a computer can only compute; it can only multiply, divide, add, subtract, and perhaps extract roots. (C) In fact, a human brain consists of trillions upon trillions of nerve cells.

03 Many mushrooms are edible but some are deadly to eat. (A) People should be able to choose the types of mushrooms they want to eat. (B) One mushroom, the Amanita, looks very much like an edible mushroom. (C) However, its poison is almost certain to cause death if it is eaten.

04 The Chinese used the observation of nature to predict earthquakes. (A) Chinese scientists later used modern scientific methods and equipment. (B) Rural Chinese claimed to know something was wrong because their animals acted strangely before an earthquake. (C) They also noticed changes in the level and smell of water in wells.

05 Thousands of different words are made by arranging the twenty-six letters in the English alphabet in different ways. (A) For example, changing one letter in the word 'house' results in something totally different: 'mouse.' (B) Changing the order of letters also results in different words: 'pin' to 'nip' and 'last' to 'salt' or 'slat'. (C) In addition, changing the orders of letters can result in many spelling mistakes.

정답 p.223

VOCABULARY

01 | public transportation [pʌ́blik træ̀nspərtéiʃən] 대중 교통수단 telecommuter [tèlikəmjú:tər] *n.* 재택 근무자

02 | deduce [didjú:s] *v.* 연역하다 doubt [daut] *v.* 의심하다 reason [rí:zən] *v.* 추론하다 logically [ládʒikəli] *ad.* 논리적으로 compute [kəmpjú:t] *v.* 연산하다 subtract [səbtrǽkt] *v.* 빼다 extract [ikstrǽkt] *v.* 〈원리, 해석 등을〉 추론하다, 끌어내다 trillions upon trillions of [tríljənz əpán tríljənz əv] 억만조의 nerve cell [nə:rv sel] 신경세포

03 | mushroom [mʌ́ʃru(:)m] *n.* 버섯 edible [édəbl] *a.* 먹을 수 있는, 식용의 (=eatable) deadly [dédli] *a.* 치명적인

04 | observation [àbzə:rvéiʃən] *n.* 관찰 predict [pridíkt] *v.* 예측하다 modern [mádərn] *a.* 현대식의 well [wel] *n.* 우물

05 | arrange [əréindʒ] *v.* 정렬하다 nip [nip] *v.* 꼬집다 slat [slæt] *n.* 널빤지 *v.* 강타하다 spelling [spéliŋ] *n.* 철자 result in [rizʌ́lt in] 결과를 가져오다, 초래하다

3rd Day 정확한 정보를 머릿속에 정리한다

1 정보 재확인하기

● 독해를 통해 얻어진 정보가 다른 문장으로 재진술(Restate)되었을 때 재진술된 문장이 원래의 정보를 정확히 담고 있는지를 판단할 수 있어야한다.

주어진 문장의 의미를 그대로 담으면서 재진술한 문장을 고르시오.

Ex | Although jet engine power is used mostly for airplanes, it can also be applied to high-speed boats.

(A) Jet engine power can be used for airplanes but not high-speed boats.
(B) Jet engine power can be applied to both airplanes and high-speed boats.

해석 비록 제트엔진 파워가 대부분 비행기에 쓰이지만, 그것은 또한 빠른 속도를 내는 배에도 쓰인다.
(A) 제트엔진 파워는 비행기에 이용되지만, 빠른 속도를 내는 배에는 쓰이지 않는다.
(B) 제트엔진 파워는 비행기와 빠른 속도를 내는 배에 쓰인다.

해설 (A)에서는 but not이라는 구문을 이용해 주어진 문장을 잘못 옮기고 있다.
(B)에서는 both A and B라는 구문을 이용해 주어진 문장을 정확히 옮기고 있다.

단어 apply to [əplái tu] ~에 쓰이다

정답 (B)

01 | John Wesley Powell, an American geologist, conducted surveys of the Rocky Mountain region.

(A) The Rocky Mountain region was not discovered until John Wesley Powell, an American geologist, researched the area.
(B) John Wesley Powell, an American geologist, was involved in surveys of the Rocky Mountain region.

02 | The decrease in Earth's natural resources has been due mainly to the rise in human population.

(A) The increase in human population has resulted in a reduction of the Earth's natural resources.
(B) Because of the rise in human population, there will be no natural resources in the future.

03 | The code name for the United States program to develop an atomic bomb during World War II was the Manhattan Project.

(A) After the development of the atomic bomb during World War II, the United States decided on the code name the Manhattan Project.
(B) The United States program to develop an atomic bomb during World War II was referred to as the Manhattan Project.

뒤로

● VOCABULARY ●

01 | geologist [dʒiálədʒist] *n.* 지질학자 conduct [kándʌkt] *v.* 수행하다 survey [səːrvéi] *n.* 조사 region [ríːdʒən] *n.* 지역, 일대
02 | due to [djuː tu] ~때문에 reduction [ridʌ́kʃən] *n.* 감소 natural resource [nǽtʃərəl ríːsɔ̀ːrs] 천연자원
03 | code [koud] *n.* 암호 develop [divéləp] *v.* 개발하다 refer to [rifə́ːr tu] ~라고 불리다

04 | Carnegie Hall, a historic concert hall, has hosted many famous musicians since Russian composer Peter Ilich Tchaikovsky conducted its opening night concert on May 5, 1891.

(A) Among the many famous musicians that have performed at Carnegie Hall, Russian composer Peter Ilich Tchaikovsky was the first to conduct a concert there.
(B) Every important musician has performed a concert at the historic concert hall, Carnegie Hall, beginning with a performance of Russian composer Peter Ilich Tchaikovsky.

05 | President Harry Truman proposed a government-run system of health insurance for all Americans in 1945, but the proposal died in Congress.

(A) Congress did not pass President Harry Truman's plan for a government-run system of health insurance for all Americans in 1945.
(B) President Harry Truman and Congress agreed to reject the proposed government-run system of health insurance for all Americans in 1945.

정답 p.224

VOCABULARY

04 | historic [históː(ː)rik] *a.* 역사적인 host [houst] *v.* 유치하다 composer [kəmpóuzər] *n.* 작곡가
conduct [kándʌkt] *v.* 공연을 하다 perform [pərfɔ́ːrm] *v.* 공연하다 performance [pərfɔ́ːrməns] *n.* 공연

05 | propose [prəpóuz] *v.* 제안하다 government-run [gʌ́vərnmənt rʌn] *a.* 정부가 운영하는
health insurance [helθ inʃú(ː)ərəns] 건강보험 congress [káŋgrəs] *n.* 의회

질문 속에 들어 있는 답 찾기

- 정보를 제대로 이해했나를 묻는 문제는 질문 속에 답이 있는 경우가 많다.
- 질문에서 묻는 내용이 지문의 어떤 부분에서 언급되었는지를 찾는 것이 핵심이다.

다음의 글을 읽고 질문에 답해보자.

Ex

Speaking and writing are the two main forms of communication, but they are quite different from each other. Whereas speaking does not require any special training, writing has to be specially taught. Often writing is more formal than speaking.

Which form of communication requires special education?

(A) speaking (B) listening (C) writing

해석 말하기와 쓰기는 두 가지 중요한 형태의 의사 소통의 형태이다. 하지만 그것들은 꽤 서로 다르다. 어떠한 특별한 훈련 없이 말하기를 배우는 반면에, 쓰기는 특별히 배워야만 한다. 종종 쓰는 것은 말하는 것 보다 공식적이다.

어떤 형태의 의사 소통 수단이 특별한 교육을 필요로 하는가?

(A) 말하기 (B) 듣기 (C) 쓰기

해설 특별 교육과 관련된 문장을 찾아가면, writing has to be specially taught 에서 관련된 내용을 찾을 수 있다. special education을 be specially taught 로 바꾸어 재진술 했음을 알 수 있다.

단어 whereas [*h*wɛərǽz] *conj.* ~에 반하여, 반면에

formal [fɔ́ːrməl] *a.* 공식적인

정답 (C)

01

A study of a local community shows that there is a pattern in the location of some buildings. For instance, factories are generally associated with railroads and expensive homes occupy the higher and drier pieces of land. Furthermore, shopping areas are located where roads meet and large apartment buildings are usually placed close to business centers.

Which types of buildings can usually be found near railroads?

(A) Shopping centers
(B) Factories
(C) Apartments

02

Animals have a wonderful sense of direction. Cats and dogs do not have to be taught how to find their way home. Birds travel thousands of miles from their winter to their summer homes and do not get lost. Some even return to the same meadow or tree where they nested the year before. Meanwhile, the Pacific salmon swim across the ocean to lay their eggs in the very stream in which they were born.

Which animals journey a great distance to find their summer dwellings?

(A) Cats and dogs
(B) Pacific salmon
(C) Birds

03

The earliest Japanese writers were greatly influenced by the Chinese. Without a writing system of their own, the Japanese adopted and tailored Chinese characters to their own needs. This is shown clearly in the most ancient complete works, such as the "Kojiki" (Records of Ancient Matters), which was completed in 712, and "Nihon shoki" (Chronicles of Japan), completed eight years later.

When was "Nihon shoki" completed?

(A) 704
(B) 712
(C) 720

04

After World War I, the U.S. economy saw rapid growth. The Wall Street Crash of 1929 brought an abrupt end to this and led to worldwide Depression. During the Depression of the 1930s, thousands of poverty-stricken American families fled the East Coast and rural farming areas to search for work in the West, especially in California.

Where did the poor American go for jobs during the Depression?

(A) Rural farming
(B) East coast
(C) California

정답 p.225

VOCABULARY

01 | local community [lóukəl kəmjú:nəti] 지역사회 be associated with [bi əsóuʃièitid wið] 연관되다
railroad [réilròud] *n.* 철로 occupy [ákjəpài] *v.* 차지하다 furthermore [fə́:rðərmɔ̀:r] *ad.* 게다가

02 | get lost [get lɔ(:)st] 길을 잃다 meadow [médou] *n.* 목초지 nest [nest] *n.* 둥지 *v.* 둥지를 틀다 salmon [sǽmən] *n.* 연어
very [véri] *a.* 바로 그 stream [stri:m] *n.* 계곡

03 | influence [ínfluəns] *v.* 영향을 끼치다 *n.* 영향 adopt [ədápt] *v.* 채택하다 tailor [téilər] *v.* 적용하다

04 | abrupt [əbrʌ́pt] *a.* 뜻밖의 worldwide [wə:rldwaid] *a.* 세계적인 depression [dipréʃən] *n.* 불경기, 불황
the Depression [ðə dipréʃən] 대공황 (=the Great Depression)

3 정보의 그림화하기

- 정보를 정확하게 이해하면 머리에 그림이 그려진다!
- 정보의 그림화는 Mapping이라 해서 독해의 좋은 기본이 된다.
- 정보의 그림화 문제는 토플을 포함한 여러 가지 시험의 독해문제 형태로 응용된다.

다음의 글을 읽고 음영된 단어에 부합하는 그림을 고르시오.

Ex

In its most common form, a pyramid is a massive stone or brick structure with a square base. It also features four sloping triangular sides that meet in a point at the top. Pyramids have been built by different peoples at various times in history. Probably the best-known pyramids are those of ancient Egypt.

(A)

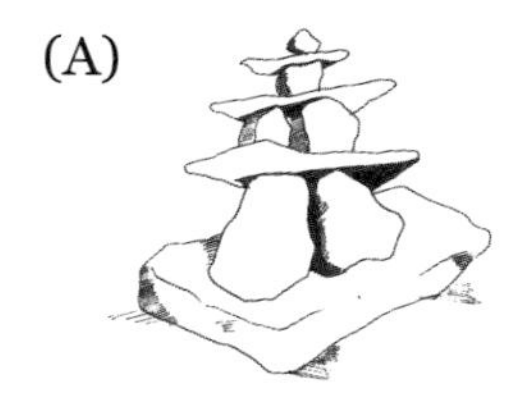

(B)

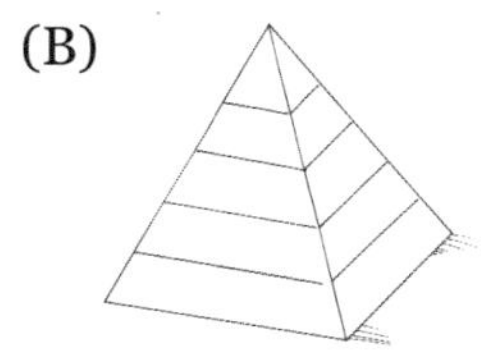

(C)

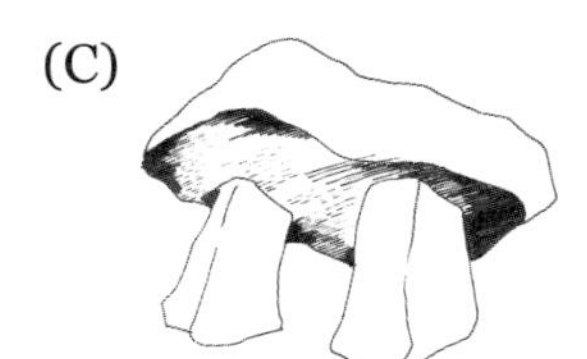

해석 그것의 가장 일반적인 형태에 있어, 피라미드는 네모난 밑바탕을 가지고 있는 돌이나 벽돌로 된 구조물이다. 이것은 기울어진 삼각형 4개가 꼭대기의 한 점에서 만나는 모양을 갖추고 있다. 피라미드는 다양한 시대에 다른 사람들에 의해 세워졌다. 아마도 가장 잘 알려진 피라미드는 고대의 이집트의 것들일 것이다.

해설 (A)는 네모난 밑바탕을 가지고 있는 것은 맞지만 기울어진 삼각형 4개가 한 지점에서 만난다는 설명에는 맞지 않는다.
(B)는 윗글에서 나타난 특징들을 가지고 있으므로, 답이다.
(C)는 네모난 밑바탕도 없고 삼각형을 가진 면도 없으므로 답이 될 수 없다.

단어 massive [mǽsiv] *a.* 큰　　feature [fíːtʃər] *v.* ~의 특색을 이루다

정답 (B)

01 | The viper is a poisonous snake. It is characterized by a pair of fangs, which are long, sharp teeth. The fangs are attached to the front of the upper jaw. When the viper strikes, it sends poison into its victim through the fangs.

(A) 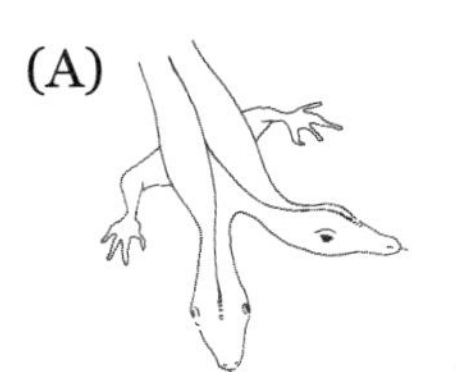

(B) 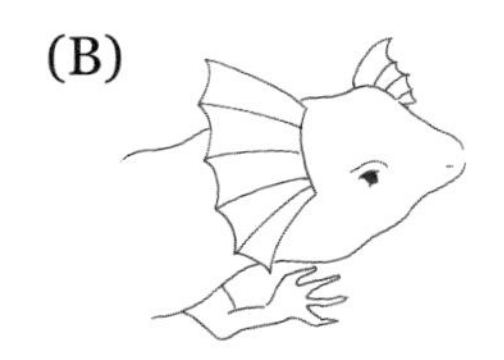

(C) 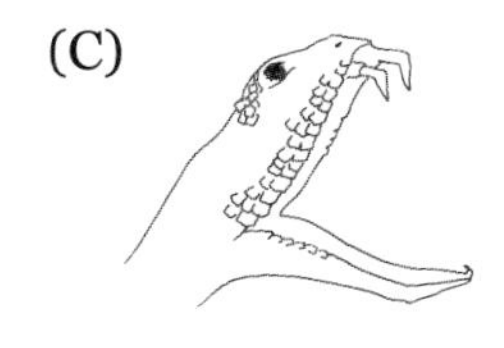

02 | Fences, which are used to keep people or animals out of certain areas, can take many shapes, sizes, and forms. For instance, in well-timbered areas, such as the 19th-century North America, many types of timber fences were developed: the split rail, post and rail, and hurdle fences. The split rail fence was a moveable fence and could be laid in a zigzag pattern around trees and other obstacles.

(A) 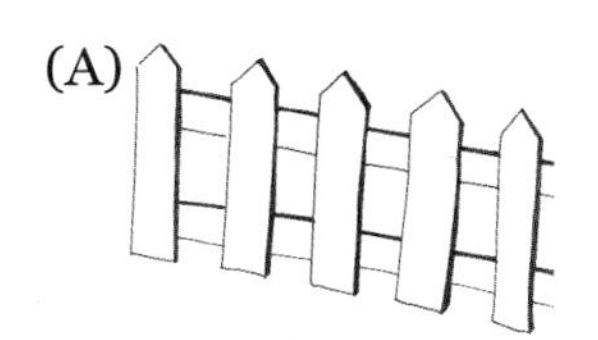

(B) 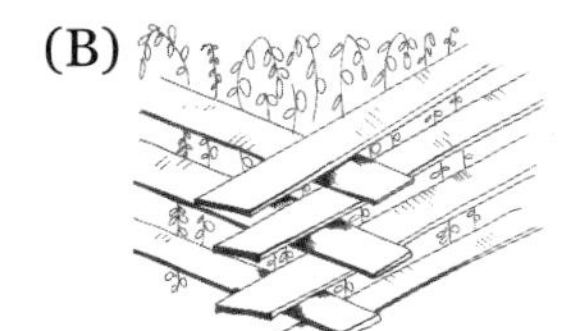

(C) 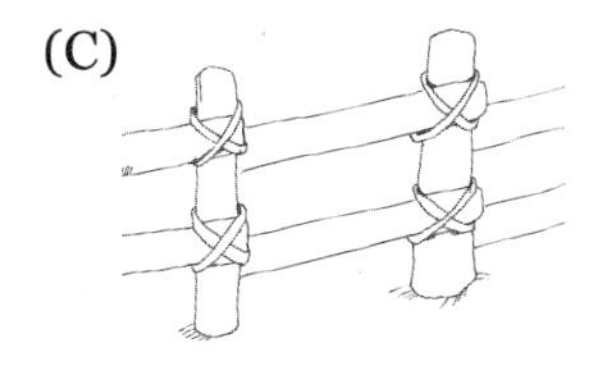

03 | Geometry is the study of objects in space. One interesting object is the "Reuleaux Triangle." It is a three-sided figure in which each side is part of a circle whose center is at the opposite corner. As such, the "Reuleaux Heptangle" is similar looking with seven sides instead of three.

(A) 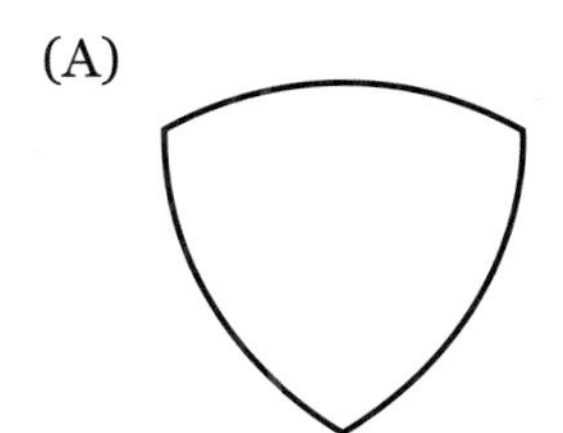

(B) 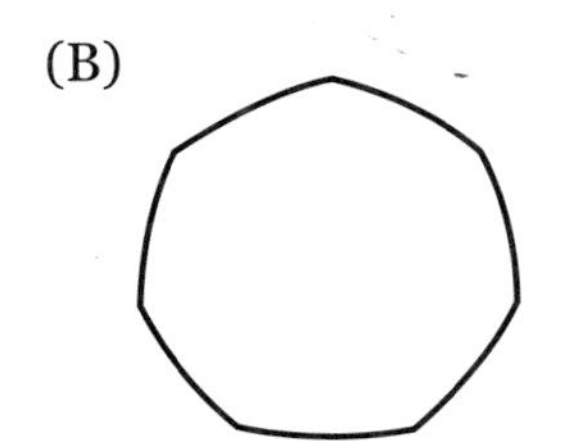

(C) 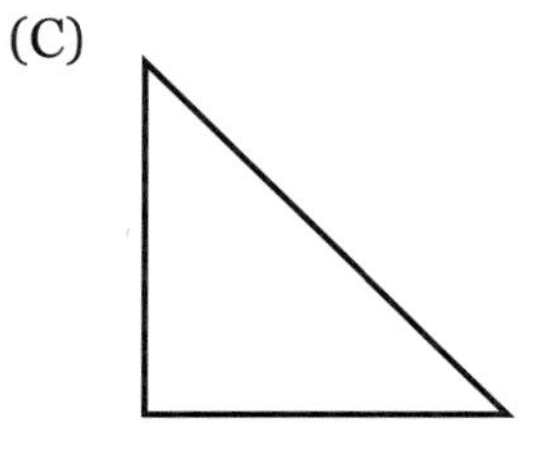

정답 p.225

● **VOCABULARY** ●

01 | viper [váipər] *n.* 독사 fang [fæŋ] *n.* (뱀의) 독니 jaw [dʒɔː] *n.* 턱 strike [straik] *v.* 공격하다 victim [víktim] *n.* 희생자
02 | timbered [tímbərd] *a.* 수목이 울창한 lay [lei] *v.* 놓다 (lay – laid – laid) obstacle [ábstəkl] *n.* 장애물, 방해물
03 | geometry [dʒiámitri] *n.* 기하학

4th Day 단어와 대명사를 꼼꼼히 확인한다

1 아는 뜻으로만 쓰이지 않는 단어의 뜻 확인하기

● 여러 의미를 가진 영어 단어를 문맥에 어울리는 의미로 해석할 수 있어야 정확한 독해가 이루어 진다.

주어진 사전 뜻풀이 가운데, 문맥상 음영이 있는 단어의 의미로 적절한 것은?

Ex | Decreased demand for steel was grounds for restructuring in the company.

ground [graund] *n*.

1. the solid surface of the earth
2. a surrounding area
3. a cause

해석 철의 수요의 감소는 회사 구조조정의 이유였다.
1. 지구의 딱딱한 표면 (지면, 땅)
2. 둘러싼 지역
3. 이유

해설 ground의 대표적인 뜻에는 앞서 말한 3가지가 포함된다. 일반적으로 첫 번째 뜻을 많이 알고 있으나 여기에서는 감소된 수요가 회사의 개편과 인과관계를 가지고 있으므로, 답은 '이유' 가 된다.

단어 demand [dimǽnd] *n.* 수요 steel [sti:l] *n.* 철
restructuring [rìstrʌ́ktʃəriŋ] *n.* 개편

정답 **3.** a cause

01 The Bushmen took possession of the fountains wherever they chose and shot the game that the pygmies depended upon for food.

game [geim] *n.*

1. play

2. tactic

3. animal

02 People who download music from the Internet should observe all copyright laws.

observe [əbzə́ːrv] *v.*

1. to watch attentively

2. to celebrate

3. to adhere to or abide by

03 The U.S. Constitution and the Bill of Rights established basic individual rights and the three branches of government. These sections are the legislative, executive, and judicial departments.

branch [bræntʃ] *n.*

1. a natural subdivision of a plant stem

2. a division of an organization

3. a natural stream of water

04 In the Caribbean, a portion of the population is of mixed American Indian and African descent.

descent [disént] *n.*

1. a decline; a fall

2. family origin; lineage

3. a sudden attack

정답 p.226

● VOCABULARY

01 | take possession of [teik pəzéʃən əv] ~를 소유하다 fountain [fáuntən] *n.* 샘 pygmy [pígmi] *n.* 피그미(족)

02 | copyright law [kápiràit lɔː] 저작권법

03 | constitution [kànstitjúːʃən] *n.* 헌법 the Bill of Rights [ðə bil əv raits] 권리장전
legislative [lédʒislèitiv] *a.* 입법의 executive [igzékjətiv] *a.* 행정의 judicial [dʒuːdíʃəl] *a.* 사법의

04 | the Caribbean [ðə kæ̀rəbíːən] 카리브해

2 문맥 속의 단어 뜻 알아내기

- 모르는 단어를 만나도 전혀 당황할 필요가 없다.
- be동사, 관계절, 동격, 예시, 문장부호 등을 잘 살펴보면 모르는 단어도 쉽게 내 것이 된다.

음영된 단어가 무엇이지 고르시오.

Ex | Dendrochronology is the study of tree ring growths

(A) study
(B) tree rings

해석 Dendrochronology는 나무 나이테의 성장에 관한 학문이다.

해설 be동사 뒤에 나온 정의를 통해 dendrochronology=the study of tree ring growths라는 것을 알 수 있다.

단어 dendrochronology [dèndroukrənáləd3i] *n.* [식물] 연륜 연대학
tree ring [triː riŋ] 나무 나이테

정답 (A)

01 Piaget concluded that children form a schema that is a collection of ideas and concepts as they develop.

(A) a collection of ideas and concepts (B) children's development

02 The weather vane, an instrument used to indicate wind direction, consists of various shaped objects like an arrow or a chicken.

(A) an arrow or a chicken (B) an instrument indicating wind direction

03 Saturn – the ringed planet – is one of the most interesting bodies in the solar system.

(A) the solar system (B) the ringed planet

04 Herbivorous, or plant-eating, dinosaurs inhabited North America.

(A) dinosaur like (B) plant-eating

05 Biologists are continuing to discover new species of crustaceans such as lobsters, shrimps, and crabs around the world.

(A) lobsters, shrimps, and crabs (B) new species

정답 p.226

VOCABULARY

01 | form [fɔːrm] *v.* 형성하다 concept [kánsept] *n.* 개념

02 | instrument [ínstrəmənt] *n.* 기구 indicate [índəkèit] *v.* 나타내다 consist of [kənsíst əv] ~로 이루어지다 arrow [ǽrou] *n.* 화살

03 | ringed [riŋd] *a.* 링달린 planet [plǽnit] *n.* 혹성 solar system [sóulər sístəm] 태양계

04 | inhabit [inhǽbit] *v.* 살다

05 | biologist [baiálədʒist] *n.* 생물학자 species [spíːʃiːz] *n.* 종 lobster [lábstər] *n.* 랍스타 shrimp [ʃrimp] *n.* 새우 crab [kræb] *n.* 게

3 문장 완성하기

- 문맥상 뉘앙스에 맞는 적합한 단어를 선택한다.
- 실제 모르는 단어가 나오더라도, 주위의 단어나 구를 잘 살펴보면 어렵지 않게 어떤 단어가 들어가는지 확인할 수 있다.

문장의 상황, 즉 의미상 어울리는 단어를 선택하시오.

Ex | The candidate's argument was so __________ that no one could make sense of it.

(A) significant
(B) clear
(C) illogical

해석 후보의 논쟁은 너무도 (   )해서 아무도 알아들을 수 없었다.

해설 so ~ that구문의 결과를 나타내는 that절 이하에서 '알아들을 수 없었다(이해할 수 없었다)' 라는 말로 보아 원인을 나타내는 가장 적당한 단어는 '비논리적인' 이라는 뜻을 가진 illogical 이다.

단어 candidate [kǽndidèit] *n.* 후보
make sense [meik sens] 알아듣다
argument [ɑ́:rgjumənt] *n.* 논쟁

정답 (C)

01 | Stamp collecting may be a __________ hobby for some but a waste of money for others.

(A) profitable (B) stable (C) vain

02 | In some situations it may be wiser to __________ a negative feeling than to reveal it.

(A) express (B) hide (C) show

03 | When it comes to publicity, an incumbent president obviously has more access to the press than other candidates. As a person ____________ holding office, the president is automatically followed everywhere by the press.

(A) repeatedly (B) immediately (C) already

04 | Contrary to what many people assume, the very rich are seldom ____1____ in their dress; they do not need to wear showy clothes to impress others. Secure in their wealth, they can afford to look ____2____ and unimpressive.

1. (A) sensible (B) flashy (C) modest
2. (A) humble (B) various (C) strange

정답 p.227

VOCABULARY

01 | hobby [hábi] *n.* 취미 waste [weist] *n.* 낭비 profitable [práfitəbl] *a.* 이익이 되는 stable [stéibl] *a.* 안정된, 지속성이 있는

03 | publicity [pʌblísəti] *n.* 선전, 홍보 incumbent [inkʌ́mbənt] *a.* 현직의, 재직의 access [ǽkses] *n.* 접근, 접근 방법
press [pres] *n.* 언론 hold office [hould ɔ́(:)fis] 관직을 차지하다 Cf) take office 관직에 취임하다 (=inaugurate)
automatically [ɔ̀:təmǽtikəli] *ad.* 자동적으로

04 | contrary to ~ [kántreri tu] ~와는 반대로 assume [əsjú:m] *v.* 예상하다 seldom [séldəm] *ad* 좀처럼~않다
showy [ʃóui] *a.* 화려한, 무익한 can afford to [kæn əfɔ́:rd tu] ~할 여유가 있다 flashy [flǽʃi] *a.* 화려한 (=showy)

4 지칭하는 것 찾기

● 대명사가 가리키는 것을 꼼꼼히 짚고 넘어가는 것은 올바른 독해에 매우 중요하다.

문장에서 음영이 있는 단어가 가리키는 것이 무엇인지를 고르시오.

Ex

The Italian government sent Raphael's painting to New York World's Fair in 1939, where it was exhibited. It now hangs in a palace in Florence, Italy.

(A) the Italian government
(B) the Raphael's painting
(C) the New York World's Fair

해석 이탈리아 정부는 Raphael의 그림을 1939년 뉴욕 세계 박람회에 보냈는데, 그곳에서 그것이 전시 되었다. 그것은 이탈리아의 Florence의 한 궁전에 현재 걸려있다.

해설 수동태의 문장이 되어있으므로 해석에 주의한다. 내용상 전시될 수 있는 것의 주체는 그림이다. 그러므로 답은 Raphael의 그림이다.

단어 fair [fɛər] *n.* 박람회
exhibit [igzíbit] *v.* 전시하다
palace [pǽlis] *n.* 궁전

정답 (B)

01

Reagan met with Gorbachev again in 1986, this time in Reykjavik, Iceland. The latter went to Washington, D.C., in December 1987 and was the first Soviet leader to visit the United States since 1973.

(A) Gorbachev (B) Ronald Reagan (C) Reykjavik

02

In Europe, the conflict between the Soviet Union and the Western Allies grew into the Cold War. In July 1949, the United States approved the North Atlantic Treaty. It joined with Canada and ten nations of Western Europe in promising a common defense against aggression for 20 years.

(A) Soviet Union (B) North Atlantic Treaty (C) United States

03

Lake Baikal in Siberia looks like an ordinary lake. Children laugh as they play ice hockey on its frozen surface.

(A) Lake Baikal (B) ice hockey (C) ordinary lake

04

Releasing chemicals is a way many common plants fight against the insects and animals that want to eat them.

(A) insects (B) animals (C) plants

정답 p.228

VOCABULARY

01 | the latter [ðə lǽtər] 후자

02 | conflict [kənflíkt] *n.* 분쟁 approve [əprúːv] *v.* 승인하다 the North Atlantic Treaty [ðə nɔːrθ ətlǽntik tríːti] 북대서양 조약 defense [diféns] *n.* 방어 aggression [əgréʃən] *n.* (정당한 이유 없는) 침략

03 | ordinary [ɔ́ːrdənèri] *a.* 일반적인 frozen [fróuzən] *a.* 얼어붙은 surface [sə́ːrfis] *n.* 표면

04 | release [riːlíːs] *v.* 내보내다 chemical [kémikəl] *n.* 화학물질(~s)

5th Day 직접 말하지 않아도 알아야 한다.

1 함축된 의미 추론하기

- 저자는 자신의 생각을 글에서 직설적으로 표현하기도 하지만, 함축적으로 말하기도 한다.
- 이렇게 직접 표현되지 않은 작가의 생각을 정확하게 추론하는 것은 독해에 있어 매우 중요하다.
- "전혀 말하지 않아도 아는 추론"은 절대 금물!

주어진 문장을 통해 추론이 가능한 문장에는 O표, 지문에 근거를 두지 않은 상상이나 비약 또는 잘못된 추론에는 X표를 하시오.

Ex

Neil Anderson helped the poor with other musicians.
⇨ Neil Anderson is a poor musician. (   )

해석 Neil Anderson은 다른 음악가들과 가난한 사람들을 도왔다.
⇨ Neil Anderson은 가난한 음악가이다.

해설 Neil Anderson이 다른 음악가들과 가난한 사람들을 도왔다는 말에서 그가 가난한 음악가라는 것은 잘못된 추론이다. 여기서 추론할 수 있는 것은 Neil Anderson이 음악가라는 사실이다. 이는 문장에서 직접 말하고 있지 않지만 'other musicians'이라는 것을 통해 짐작해 볼 수 있다.

단어 the poor [ðə puər] 가난한 사람들 (the+형용사 ⇨ 형용사+people)

정답 X

01 | Diesel engine cars are more efficient; however, most people purchase gasoline engine cars.
⇨ Efficiency may not be the most important criteria in choosing a car. (   )

02 | It was not until the 6th century that Christianity became prevalent among the aristocracy.
⇨ Before the 6th century, Christianity prevailed among the nobility. (   )

03 | Among biologist Ludwig von Bertalanffy's theories, the General Systems Theory was the most widely accepted.
⇨ Ludwig developed only one theory, the General Systems Theory. (   )

04 | A long time ago, painting usually meant portrait painting.
⇨ Long time ago, portrait painting was the most predominant type of painting. (   )

05 | The natives of the northern plains place hay in their tents to keep warm during the cold season.
⇨ The hay in the natives' tents may not be needed in the warm season.(   )

06 | Child-resistant containers have significantly reduced accidental poisoning deaths.
⇨ Child-resistant containers heal sick children. (   )

07 | Even "silent films" were not truly silent. There was a small orchestra in the theater.
⇨ Silent films were sometimes accompanied by musical compositions. (   )

정답 P.228

● VOCABULARY ●

01 | efficient [ifíʃənt] *a.* 효율적인 purchase [pə́ːrtʃəs] *v.* 구입하다 efficiency [ifíʃənsi] *n.* 효율성
criterion [kraití(ː)əriən] *n.* (판단의) 기준, 척도 (pl. criteria)

02 | Christianity [kristʃiǽnəti] *n.* 기독교 prevalent [prévələnt] *a.* 유행하는, 우세한 aristocracy [æ̀ristákrəsi] *n.* 귀족사회

03 | theory [θí(ː)əri] *n.* 이론 accept [əkséptid] *v.* 받아들이다

04 | portrait painting [pɔ́ːrtrit péintiŋ] *n.* 초상화 predominant [pridámənənt] *a.* 지배적인

05 | native [néitiv] *n.* 원주민 plain [plein] *n.* 평원 hay [hei] *n.* 건초

06 | significantly [signífikəntli] *ad.* 상당히 reduce [ridjúːs] *v.* 줄이다 poisoning death [pɔ́izəniŋ deθ] 약물중독에 의한 사망

07 | silent film [sáilənt film] 무성영화 accompany [əkʌ́mpəni] *v.* 동반하다 composition [kàmpəzíʃən] *n.* 악곡, 연주

2 새로운 사물이나 개념에 대한 추론하기

- 어떤 사물이나 개념이 항상 원래 가지고 있는 뜻이나 개념 그대로 쓰이지 않는다.
- 글을 읽으면서 정황상 추론하는 훈련을 한다.

음영이 있는 단어가 의미하는 것을 고르시오.

Ex

One of the most exciting jobs of Viking was to look for life on Mars. A metal spoon was used to collect soil. Then the soil was tested for signs of life. But the test results were inconclusive.

(A) spacecraft
(B) soil on Mars
(C) pirate ship

해석 Viking의 흥미로운 직무 중 하나는 화성에 있는 생물을 찾는 것이었다. 금속 숟가락이 토양을 수집하기 위해서 사용되었다. 그런 후 그 토양은 생명의 징후가 있는지 검사되었다. 하지만 검사 결과는 불명확했다.
(A) 우주선 (B) 화성의 토양 (C) 해적선

해설 Viking은 일반적으로 해적을 나타내지만, 지문의 내용을 통해 화성의 생물을 찾는 임무로 보아 Viking이 우주선임을 알 수 있다.

단어 look for [luk fər] 찾다
inconclusive [ìnkənklú:siv] *a.* 불명확한

정답 (A)

01 Poison makes the wearer very attractive. It possesses a blend of amber, honey, berries, and other spices. Many experts classify it as a luxurious, oriental, floral fragrance. So Poison is especially recommended for romantic wear.

(A) Perfume (B) Bikini (C) Alcohol

02 In January 2003, the worm infected 120,000 systems around the world. It was making everybody's lives difficult. In Korea, the worm was especially troublesome due to the country's high Internet penetration rate. As such, the worm spread much more quickly and affected many computer users. In order to be better prepared in case of a recurrence, people should install the necessary security measures.

(A) Biological disease (B) Insect (C) Computer virus

03 The tube was first proposed for London by Charles Pearson, a city official, as part of a city improvement plan. It is used to transport large numbers of passengers within urban and suburban areas. After 10 years of discussion, Parliament authorized the construction of 3.75 miles (6 km) of underground railway. Work on the tube began in 1860 by making trenches along the streets, digging underground, and then restoring the roadway on top. On January 10, 1863, the line was opened.

(A) Tunnel (B) Subway (C) City plan

정답 p.229

VOCABULARY

01 | wearer [wɛərər] *n.* 착용자, 휴대자 blend [blend] *n.* 혼합물 amber [ǽmbər] *n.* 호박 berry [béri] *n.* 딸기류의 열매
spice [spais] *n.* 향료 expert [ékspəːrt] *n.* 전문가 classify [klǽsəfài] *v.* 분류하다 luxurious [lʌgʒú(ː)riəs] *a.* 관능적인
oriental [ɔ̀ːriéntəl] *a.* 동양적인 floral [flɔ́ːrəl] *a.* 꽃의 fragrance [fréigrəns] *n.* 향기

02 | infect [infékt] *v.* 감염시키다 troublesome [trʌ́blsəm] *a.* 말썽을 부리는 penetration [pènitréiʃən] *n.* 침투, 시장 진출
rate [reit] *n.* 비율 affect [əfékt] *v.* 영향을 미치다 recurrence [rikə́ːrəns] *n.* 재발 install [instɔ́ːl] *v.* 설치하다
security [sikjú(ː)ərəti] *n.* 보안

03 | improvement [imprúːvmənt] *n.* 개선 transport [trænspɔ́ːrt] *v.* 운송하다 suburban [səbə́ːrbən] *a.* 교외의
Parliament [páːrləmənt] *n.* 영국의회 authorize [ɔ́ːθəràiz] *v.* 승인하다 construction [kənstrʌ́kʃən] *n.* 공사
trench [trentʃ] *n.* 도랑, 굴 dig [dig] *v.* 파다 restore [ristɔ́ːr] *v.* 복구하다 line [lain] *n.* 선로

3 지문에 근거한 정확한 사실 추론하기

- 글에서 직접 보여주지 않는 것을 추론하는 연습을 한다.
- 절대로 지문에서 주어진 이상의 것이나 틀린 것을 추론해서는 안 된다.

주어진 글을 통해 추론이 가능한 것에는 O, 추론이 불가능 한 것에는 X 표 하시오.

Ex

In 1909 Leo H. Baekeland, a Belgian-born inventor in the United States, developed Bakelite. Bakelite is a hard, chemically resistant plastic. The success of Bakelite increased interest and investment in the plastics industry.

_______(A) Bakelite was the first plastic in the 20th century.
_______(B) Before 1909, early plastics were not very successful.

해석 1909년 미국의 벨기에에서 태어난 Leo H. Baekeland는 Bakelite를 개발했다. Bakelite은 단단하고 화학적으로도 내성이 있는 플라스틱이다. Bakelite의 성공은 플라스틱 산업에 대한 관심과 투자를 증가시켰다.

해설 Bakelite의 성공으로 인해 플라스틱 산업이 증가되었다고 했으므로 그 이전 플라스틱 시장이 별로 성공적이지 않았음을 알 수 있다.
(A) Bakelite이 20세기 최초의 플라스틱이라는 것을 암시하는 언급은 위 글에 없고, 플라스틱 산업에 대한 관심과 투자를 증가시켰다는 말로 보아, 이미 플라스틱 시장이 형성되었음을 알 수 있으므로 추론할 수 없다.

단어 inventor [invéntər] *n.* 발명가 resistant [rizístənt] *a.* 저항성이 있는, 내성이 있는
investment [invéstmənt] *n.* 투자

정답 (A) X (B) O

Regional foods in the U.S. are becoming non-regional as people move from one area to another. For instance, New England's famous baked beans are served in Kentucky and Idaho. The popularity of chili has also spread across the country from the Mexican border regions. In addition, Maine lobsters and other east coast seafood specialties are served in the southern and western regions of the country.

_____(A) Originally, a region's food was served only in that native region.
_____(B) The popularity of American foods has spread to other countries.

02

During digestion, sugar from food is absorbed into the bloodstream from the stomach and small intestine. The amount of sugar in the bloodstream must stay within a certain range for a person to remain healthy. Insulin, a hormone, helps keep this blood sugar level in the healthy range by guiding some sugar out of the blood and into individual cells.

_____(A) Insulin is a substance that makes sugar.
_____(B) Lack of insulin could make a person unhealthy.

03

All planets travel around the sun in elliptical orbits that are close to being circular. Additionally, they travel in one direction around the sun and rotate in the same direction as the sun does. Of the nine planets in the Solar System, Mercury and Pluto are a little bit different. They have the most off-centered and most tilted orbits.

_____(A) Mercury and Pluto rotate in a different direction from the sun.
_____(B) Mercury and Pluto have the most deviant circular orbits.

정답 p.230

VOCABULARY

01 | popularity [pὰpjəlǽrəti] *n.* 인기 border region [bɔ́ːrdər ríːdʒən] 국경지역 specialty [spéʃəlti] *n.* 특선

02 | digestion [didʒéstʃən] *n.* 소화 absorb [əbsɔ́ːrb] *v.* 흡수하다 bloodstream [blʌ́dstrìːm] *n.* 혈류 stomach [stʌ́mək] *n.* 위 small intestine [smɔːl intéstin] 소장 range [reindʒ] *n.* 범위 insulin [ínsjəlin] *n.* 인슐린

03 | elliptical [ilíptikəl] *a.* 타원형의 orbit [ɔ́ːrbit] *n.* 궤도 circular [sə́ːrkjələr] *a.* 원의 rotate [róuteit] *v.* 회전(순환)하다 Mercury [mə́ːrkjəri] *n.* 수성 Pluto [plúːtou] *n.* 명왕성 off-centered [ɔ́(ː)f séntərd] *a.* 중심을 벗어난, 균형을 잃은 tilt [tilt] *a.* 기울다 deviant [díːviənt] *a.* 벗어난, 이상한

6th Day 글의 분위기와 작가의 태도를 확인한다

1 글의 분위기를 심증이 아닌 물증으로 알아내기

- 지문에서 쓰인 표현들 중, 특히 형용사나 부사 등의 수식어구를 눈 여겨 보면 작가의 '주제(Main Topic)' 에 대한 태도를 쉽게 파악할 수 있다.

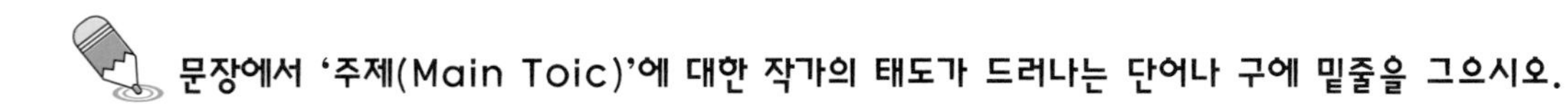

Ex School uniforms are potentially beneficial because they create a sense of community.

해석 교복은 잠재적으로 유익하다. 왜냐하면 그것은 소속감을 형성시키기 때문이다.

해설 각 문장에는 작가의 주제에 대한 태도가 나타나 있다. 이러한 표현들은 핵심어구들을 수식하는 어구들인 경우가 많다. 위 글에서는 유익한(beneficial)이라는 표현으로 작가가 교복에 대해 긍정적인 태도를 가지고 있다는 것을 알 수 있다.

단어 potentially [pəténʃəli] *ad.* 잠재적으로 beneficial [bènəfíʃəl] *a.* 유익한
sense of community [sens əv kəmjú:nəti] 소속감

정답 beneficial

01 San Francisco's decision to make smoking marijuana legal for medical purposes is definitely headed in the wrong direction.

02 Many parents believe that they are helping their children by teaching them at home. Home schooling, however, may do more harm than good.

03 Distance walking for exercise or pleasure is called hiking. Hiking is one of the easiest and least expensive ways to exercise and promote physical fitness.

04 SUVs (sport utility vehicles) are among the safest vehicles on the road and have vastly improved environmental performance and fuel efficiency.

05 Today the desire to look better, smell better, and thus feel better causes consumers to spend a wasteful $65 billion annually on cosmetics.

06 One positive result of zoology, the study of animals, has been the opening of zoos or aquariums. These places have allowed people to enjoy and take delight in viewing all types of animals.

07 Since the 1940s, television has become very popular for many in industrialized societies. Some television programs, however, do not always please everyone. These days programs are filled with too much sexual and violent content.

정답 p.230

VOCABULARY

01 | smoke [smouk] *v.* 피우다 marijuana [mæ̀rəhwɑ́:nə] *n.* 마리화나(마약의 일종) legal [lí:gəl] *a.* 합법의
medical [médikəl] *a.* 의료의 purpose [pə́:rpəs] *n.* 목적

02 | home schooling [houm skú:liŋ] 가정교육

03 | promote [prəmóut] *v.* 증진시키다 fitness [fítnis] *n.* 건강상태

04 | utility [ju:tíləti] *a.* 용도의 *n.* 쓸모가 있음, 유용 vehicle [ví:ikl] *n.* 탈 것, 수송 수단 vastly [vǽstli] *ad.* 대단히
performance [pərfɔ́:rməns] *n.* 수행, 성능 efficiency [ifíʃənsi] *n.* 효율, 효능

05 | consumer [kənsjú:mər] *n.* 소비자 wasteful [wéistfəl] *a.* 쓸모없는
billion [bíljən] *n.* 10억 annually [ǽnjuəli] *ad.* 해마다 cosmetic [kazmétik] *n.* 화장품 (~s)

06 | zoology [zouɑ́lədʒi] *n.* 동물학 aquarium [əkwɛ́(:)əriəm] *n.* 수족관 delight [diláit] *n.* 즐거움

07 | be filled with [bi fild wið] ~으로 가득차 있다 sexual [sékʃuəl] *a.* 성적인 violent [váiələnt] *a.* 폭력적인

2 작가의 태도를 긍정/중립/부정으로 나누기

- 작가는 글에서 '주제(Main Topic)'에 대하여 다양한 태도를 취한다.
- 작가의 태도는 크게 긍정적이냐, 중립적이냐, 부정적이냐로 나뉜다.

주어진 글의 '주제(Main Topic)'에 대한 작가의 감정을 긍정, 부정, 중립으로 나누어 적으시오.

Ex | *Internet*

_____(A) The use of the Internet is time-consuming and addictive.

_____(B) One of the benefits of the Internet has been online shopping. Consumers can now purchase items conveniently from their homes.

_____(C) The Internet is a large, international computer network linking tens of millions of users around the world.

해석 (A) 인터넷의 사용은 시간 낭비이고 중독성이 있다.
(B) 인터넷 사용의 이점 중 하나는 온라인 쇼핑이다. 소비자들은 오늘날 그들의 집에서 물건을 편하게 구매할 수 있다.
(C) 인터넷은 방대한 세계의 수천만을 연결하는 국제적인 컴퓨터 네트워크이다.

해설 각 글에서는 작가의 태도를 드러내는 단어가 있으며, 이를 통해 작가의 어조를 알 수 있다.
(A) time-consuming 과 addictive를 통해 작가의 부정적인 태도를 볼 수 있다.
(B) benefit를 통해 긍정적인 태도를 볼 수 있다.
(C) 어디에서도 작가의 태도가 나타나 있지 않으므로, 중립적이라 볼 수 있다.

단어 time-consuming [taim-kənsjú:miŋ] *a.* 시간을 낭비하는
addictive [ədíktiv] *a.* 중독성의 benefit [bénəfit] *n.* 이점
conveniently [kənví:njəntli] *ad.* 편하게 link [liŋk] *v.* 연결하다
tens of millions of [tenz əv míljənz əv] 수천만의

정답 (A) 부정적(negative) (B) 긍정적(positive) (C) 중립적(neutral)

01 International trade

_____(A) International trade includes all economic transactions that are made between countries.

_____(B) International trade allows partner countries to exchange goods efficiently and economically benefits both countries.

_____(C) International trade usually extorts poorer countries by making the people of these countries work for really low wages.

02 Advertisement

_____(A) Advertisements are advantageous to both companies and consumers. They are informative and allow the consumer to get a better understanding of the company and its products.

_____(B) Advertising on the Internet can come in many different forms such as banner ads, online billboards, and e-newsletters.

_____(C) Advertisements can have a harmful effect. For example, cigarette advertising can make children start smoking at an early age.

03 Exercise

_____(A) Exercise greatly reduces risk of major illness, decreases stress, and increases stamina and productivity, thus improving health.

_____(B) A drawback to exercise is that it can lead to back problems and other injuries.

_____(C) People are exercising more at home as their schedules become increasingly busier.

정답 p.231

● VOCABULARY ●

01 international trade [ìntərnǽʃənəl treid] 국제 무역 transaction [trænsǽkʃən] *n.* 처리, 거래, 매매
exchange [ikstʃéindʒ] *v.* 교환하다 economically [ì:kənάmikəli] *ad.* 경제적으로
extort [ikstɔ́:rt] *v.* 강제로 탈취하다, 강요하다 wage [weidʒ] *n.* 임금

02 advertisement [ædvərtáizmənt] *n.* 광고 advantageous [ædvəntéidʒəs] *a.* 이익의
informative [infɔ́:rmətiv] *a.* 정보를 제공하는 product [prάdəkt] *n.* 생산품

03 stamina [stǽmənə] *n.* 체력 productivity [pròudəktívəti] *n.* 생산성 drawback [drɔ́:bæ̀k] *n.* 결점, 약점
back problem [bæk prάbləm] 척추 손상 injury [índʒəri] *n.* 손상

3 작가의 태도 파악하기

● 형용사나 부사 등의 표현에 주의해서 글을 읽으면 작가의 '주제(Main Topic)' 에 대한 태도를 파악할 수 있다.

글을 읽고 '주제(Main Topic)'에 대한 작가의 태도를 선택하시오.

Ex Ella Fitzgerald, famous female jazz singer, was a quiet and humble woman. However, when she sang, she was vibrant and brilliant. Furthermore, even though she suffered from arthritis in her later years, her voice was always filled with joy and energy.

(A) objective
(B) defiant
(C) respectful

해석 유명한 여성 재즈 가수인 Ella Fitzgerald는 조용하고 소박한 여성이었다. 그러나, 그녀가 노래할 때, 그녀는 활기차고, 대단했다. 게다가, 말년에 관절염으로 고생했음에도 불구하고, 그녀의 목소리는 항상 즐거움과 에너지로 가득 찼다.
(A) 객관적인 (B) 반항적인 (C) 존경하는

해설 위 글에서는 주제인(main topic) Ella Fitzgerald 에 대해 vibrant 와 brilliant 그리고 joy 와 energy 같은 단어를 사용함으로써 존경하는 마음을 드러내고 있다.

단어 vibrant [váibrənt] *a.* 활기찬
suffer from [sʌ́fər frəm] ~으로 고생하다
arthritis [ɑːrθráitis] *n.* 관절염

정답 (C)

01 Two factors in the development of obesity in children are heredity and age. First, thinness and fatness are hereditary. Overweight children tend to have overweight parents, and underweight parents tend to have underweight children. Second, most people unavoidably put on fat as they grow older.

(A) outraged (B) pleased (C) objective

02 The Feminist movement, which developed during the 1960s, has focused on economic rights such as "equal pay for equal work." The main purpose of this movement is to free women from the restricted role that society has assigned them. It seeks to enable them to choose between a career and the home or to choose a combination of the two.

(A) negative (B) neutral (C) humorous

03 In India there is a type of dance-drama that is a form of total theater. The actor gloriously dances out the story through a complex language of gestures. This wonderful drama has a universal appeal because of its ability to cut across multilanguage barriers. Some of the classical dance-drama forms enact well-known stories derived from Hindu mythology. Finally, millions of people in India enjoy such dance-dramas.

(A) positive (B) critical (C) objective

정답 p.231

● VOCABULARY ●

01 obesity [oubí:səti] *n.* 비만 hereditary [hərédítèri] *a.* 유전의 thinness [θínnis] *n.* 빈약 fatness [fǽtnis] *n.* 비만
overweight [óuvərwèit] *a.* 중량 초과의 tend to [tend tu] ~하는 경향이 있다
underweight [ʌ́ndərwèit] *a.* 중량 미달된 unavoidably [ʌnəvɔ́idəbli] *ad.* 불가피하게 outrage [áutreidʒ] *n.* 격분, 격노, 분개

02 the Feminist movement [ðə fémənist mú:vmənt] *n.* 여성운동 pay [pei] *n.* 임금 work [wə:rk] *n.* 노동
restricted [ristríktid] *a.* 제한된, 한정된 role [roul] *n.* 역할 enable A to B [inéibl A tu B] A가 B 할 수 있게 하다
combination [kɑ̀mbənéiʃən] *n.* 조화, 조합

03 dance drama [dæns drɑ́:mə] *n.* 무용극 complex [kɑ́mpleks] *a.* 복잡한 gesture [dʒéstʃər] *n.* 동작
universal [jù:nəvə́:rsəl] *a.* 만인에 공통한 appeal [əpí:l] *n.* 감동 cut across [kʌt əkrɔ́:s] 뛰어넘다, 가로지르다
barrier [bǽriər] *n.* 장애 classical [klǽsikəl] *a.* 고전적인 enact [inǽkt] *v.* 공연하다 derive [diráiv] *v.* 유래하다

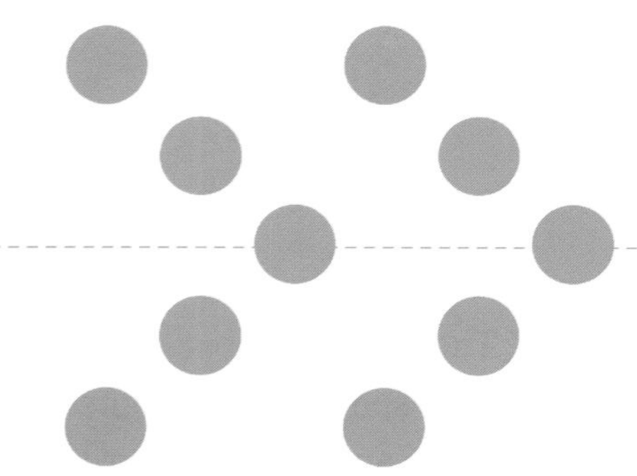

2nd Week

2~3주에서는 독해 문제 10가지 유형을 전략을 토대로 학습한다.

1st Day | 글의 주제 (Main Topic) 파악

2nd Day | 글의 목적 (Main Purpose) 파악

3rd Day | 글의 구조 (Organization) 파악

4th Day | 문장 삽입 문제 (Insertion)

5th Day | 세부 사항 (1): 일치 문제 (Fact)

1st Day 글의 주제 (Main Topic) 파악

글의 주제, 요지, 제목 살펴보기

글을 읽을 때 가장 먼저 해야 할 일은 그 글이 '무엇'에 관하여 '어떠한 생각'을 전달하고자 썼는가를 파악하는 것이다. 이러한 '무엇'이나 '중심 생각'을 알아내는 것이 바로 글의 주제, 요지, 제목을 파악하는 것으로 각종 영어 독해 시험에서 빠지지 않고 출제되는 문제 유형이다.

주제 (Main Topic)	글에서 일관되게 말하고 있는 '무엇'에 해당하는 것으로 글의 '글감'을 말한다.
요지 (Main Idea)	글쓴이가 글을 통해 전달하고자 하는 '중심 생각'에 해당한다.
제목 (Title)	주제를 조금 멋 부려서 쓴 것이 제목으로서 요지를 반영하기도 한다.

ex '태양의 중요성'에 대해 쓰여진 글이 있다면 주제, 요지, 제목은 다음과 같이 표현된다.

* **주제** 태양의 중요성
* **요지** 태양은 인간에게 매우 중요하다.
* **제목** 왜 태양은 인간에게 중요한가? / 인간에게 필수적인 태양

질문의 형태

주제를 물을 때

What is the main topic of this passage?	이 지문의 주제는 무엇인가?
What does the passage mainly discuss?	이 지문은 주로 무엇을 논하고 있는가?
The passage is primarily concerned with…	이 지문은 주로 …에 관한 것이다.

요지를 물을 때

What is the main idea of this passage?	이 지문의 요지는 무엇인가?
The main idea of the passage is that …	이 지문의 요지는 …이다.

제목을 물을 때

What is the best title for this passage?	이 지문의 제목으로 가장 적절한 것은?

* 특정 단락의 주제를 물을 때 What is the main topic of paragraph #? #단락의 주제는 무엇인가?

선택지의 형태

주제 구(phrase)가 나온다. ex Significance of the sun

요지 문장(sentence)이 나온다. ex The sun is very important to people.

제목 의문문 형태나 요지를 나타내는 형용사가 이용된 형태로 나온다. ex Why is the sun vital to people?

오답의 분석

1. 선택지 중 글의 내용을 모자라게, 넘치게, 혹은 벗어나게 담는 것들은 오답이 된다.

ex '태양의 중요성' 에 관한 글에서 오답을 분석해 보면 다음 그림과 같다.

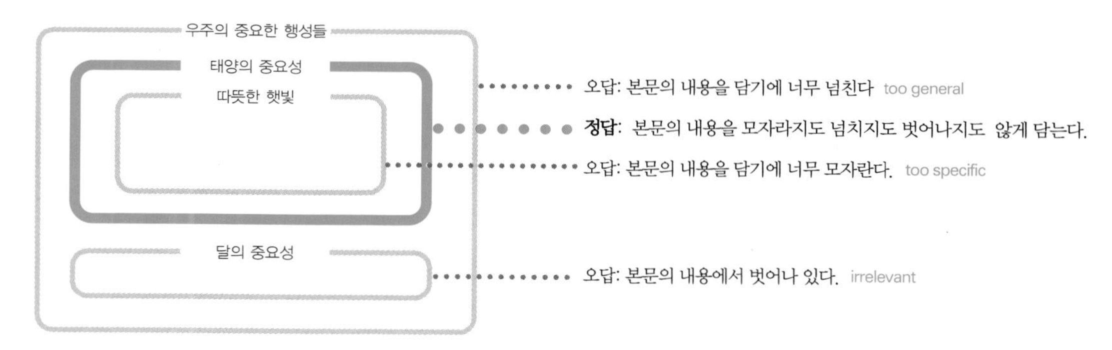

2. 특정 단락의 주제를 묻는 문제에서 글 전체의 주제를 답하면 오답이 된다.

1. 글에서 반복되거나 눈에 중요하게 들어오는 핵심어(Keywords)를 통해 주제(Main Topic)를 찾는다.
2. 대부분의 주제문(Topic Sentence)은 글의 가장 앞에 위치하나, 뒤나 중간에 위치하는 경우도 있다.
3. 글의 내용을 담기에 너무 모자라지도, 넘치지도, 벗어나지도 않는 답을 주제, 요지, 제목으로 선택한다.

글의 주제(Main Topic)를 고르시오. 선택지 중 주제(Main Topic)가 되기에 너무 넘치는 것은 TG(Too General), 너무 모자란 것에는 TS(Too Specific)라고 표기하시오.

01 The main reason for the extinction of animal species is human activity. Although extinction is a natural process, about one species becomes extinct every 20 minutes. That rate is between a hundred and a thousand times the "normal" extinction rate. For example, 2,000 species (or 15% of the world total) of the bird population on the Pacific Ocean Islands have regrettably become extinct since humans colonized these islands.

What is the main topic of this passage?

______(A) Decline in bird population
______(B) Extinction of animals caused by humans
______(C) Reasons for extinction

key point 주제(Main Topic)를 담은 주제문(Topic Sentence)은 첫 번째 문장이다.

02 The usefulness of polygraphs is still being debated today. Polygraphs are instruments that monitor a person's physiological reactions. People call them "lie detectors," but these instruments do not detect lies. They can only detect whether misleading behavior is being displayed. In some cases, a truthful person may be considered a liar because he or she was nervous or embarrassed during the examination. Furthermore, the instrument may not be able to detect the physiological changes in habitual liars.

What does the passage mainly discuss?

______(A) Use of polygraphs
______(B) Physiological changes in habitual liars
______(C) The controversial usefulness of polygraphs

주제(Main Topic)를 담은 주제문(Topic Sentence)은 첫 번째 문장이다.

03

The legs are the most essential part of the body in an insect's daily life. Besides basic functions such as jumping, digging, swimming, and running, legs are also used for other special purposes. For example, the mantis is an excellent predator because its front legs are modified to grasp prey. Along the same lines, butterflies have adapted front legs for the cleaning of their antennae.

What is the main topic of this passage?

_______(A) Skillful use of legs by mantis

_______(B) Advanced feature of animal adaptation

_______(C) Importance of insect legs

key point 주제(Main Topic)를 담은 주제문(Topic Sentence)은 첫 번째 문장이다.

04

Carl Fisher designed the first highway from coast to coast in the United States. He thought the two and a half million miles of roads existing in 1912 were not really fit for traveling. In fact, most of the roads were dirt. Initially, Fisher's project was estimated to cost ten million dollars. So Fisher asked for the support of car manufacturers. Then he sought help from Frank Sieberling of Goodyear and Henry Joy of the Packard Motor Company. After completion, the highway was named the 'Lincoln Highway' after Abraham Lincoln. The name was made by Henry Joy.

The passage is primarily concerned with

_______(A) the origin of the Lincoln Highway project

_______(B) United States roads in the early 20th century

_______(C) the naming of the Lincoln Highway

key point 주제(Main Topic)를 담은 주제문(Topic Sentence)은 첫 번째 문장이다. 전체 구조도 함께 본다.

정답 p.232

● VOCABULARY ●

01 | extinction [ikstíŋkʃən] *n.* 멸종 regrettably [rigrétəbli] *ad.* 유감스럽게도 colonize [kálənàiz] *v.* 식민지로 개척하다

02 | polygraph [páligræ̀f] *n.* 거짓말 탐지기 instrument [ínstrəmənt] *n.* 기계, 기구 physiological [fìziəládʒikəl] *a.* 생리적인

03 | dig [dig] *v.* 파다 mantis [mǽntis] *n.* 사마귀 predator [prédətər] *n.* 포획자

04 | estimate [éstəmèit] *v.* 추산하다 support [səpɔ́ːrt] *n.* 후원, 지지 manufacturer [mæ̀njəfǽktʃərər] *n.* 제조업자

05 Though not all scientists agree with the link between birds and dinosaurs, many scientists are convinced that birds evolved from dinosaurs. Numerous findings in recent years seem to support the claim that birds descended from two-legged, running dinosaurs called theropods. For instance, a fossil discovery in China also gave the distinct impression that theropods had been covered with feathers like birds today.

What is the main idea of this passage?

(A) A fossil discovery demonstrates that dinosaurs had feathers.
(B) All birds are descendants of dinosaurs.
(C) Birds might have evolved from dinosaurs.

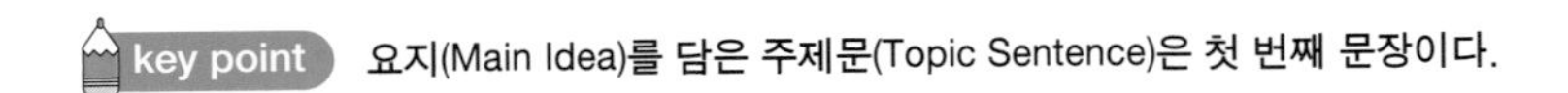

06 Many people have an incorrect view of deserts. Usually when people think of the word 'desert,' they think of only hot, dry places. However, cold deserts exist in the basin and range area of Utah and Nevada and in parts of western Asia. Another misconception of deserts is that they are barren, without plant or animal diversity. But deserts are second only to tropical rainforests in the variety of plant and animal species.

The main idea of the passage is that

(A) there are two kinds of deserts on the earth
(B) deserts posses a variety of plants and animal species
(C) people have false notions of deserts

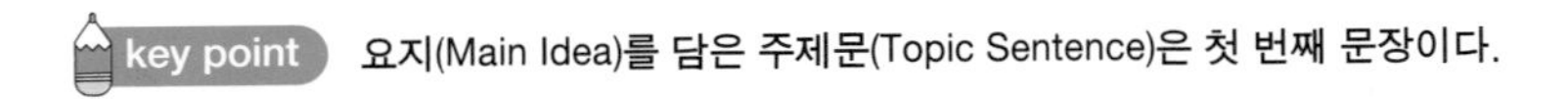

정답 P.233

VOCABULARY

05 | convince [kənvíns] *v.* 확신시키다 impression [impréʃən] *n.* 흔적 demonstrate [démənstrèit] *v.* 논증하다, 증명하다
06 | basin [béisən] *n.* 분지 range [reindʒ] *n.* 산맥 misconception [mìskənsépʃən] *n.* 오해 barren [bǽrən] *n.* 불모지
diversity [divə́ːrsəti] *n.* 다양함 tropical [trápikəl] *a.* 열대의 rainforest [reinfɔ́(ː)rist] *n.* 열대우림
be second (only) to [bi sékənd óunli tu] ~에 다음가다

글의 제목(Title)을 고르시오.

07 The Erie Canal, which was completed in 1825, is a great waterway that links the Hudson River with the Great Lakes. The canal had an enormous impact on the growth of both the upper Midwest and New York City. Many people moved west using the canal into states such as Michigan, Ohio, Indiana, and Illinois. These people then shipped farm produce via the Erie Canal to the East. In return, manufactured goods and supplies went west.

What is the best title for this passage?

(A) The effect of major waterways in the U.S.
(B) Erie Canal and the development of New York City
(C) Erie Canal's great influence in the upper midwest

key point 글의 제목(Title)을 보여 주는 주제문(Topic Sentence)은 두 번째 문장이다.

08 In 1998 a researcher at NASA submitted a paper about greenhouse gases and their effect on global warming. He believed that a high level of greenhouse gases such as carbon dioxide in the atmosphere heated the Earth's surface. Others, however, disagreed. They claimed that although carbon dioxide emission were increasing, it was increasing too slowly to affect the temperature. In addition, data regarding the effects of carbon dioxide emission were inconclusive.

What is the best title for this passage?

(A) How carbon dioxide emissions affect global warming?
(B) Do greenhouse gases affect global warming?
(C) What are some major causes of global warming?

key point 글의 제목(Title)을 보여 주는 주제문(Topic Sentence)은 첫 번째 문장이다. 전체 구조도 함께 본다.

정답 p.234

VOCABULARY

07 | canal [kənǽl] *n.* 운하 waterway [wɔ́:tərwèi] *n.* 수로 impact [ímpækt] *n.* 영향 via [váiə] *prep.* ~를 경유하여

08 | researcher [risə́:rtʃər] *n.* 연구원 submit [səbmít] *v.* 제출하다 greenhouse gas [grí:nhàus gæs] 온실가스 global warming [glóubəl wɔ́:rmiŋ] 지구 온난화 carbon dioxide [ká:rbən daiɑ́ksaid] 이산화탄소 atmosphere [ǽtməsfìər] *n.* 대기 emission [imíʃən] *n.* 방출

Daily Test

지문을 읽고 물음에 답하시오.

01 Schooling is the grouping of fish which travel as a social unit. Usually it is of similar size and age, and keeps approximately equal space between members of the group. The closeness of the fish in a school can vary with the season and time of day and depends on the social bonds between the members.

The advantages of traveling in schools include protection from predators and enhanced foraging. A predator is less likely to attack a large group of fish because large numbers confuse the predator or the school can resemble a large fish. The large numbers can be confusing when the members scatter, making it difficult for an attacking predator to catch an individual fish. Additionally schools make it easier for the fish to find food because there are more individuals searching and less successful individuals can follow the more successful ones.

VOCABULARY

schooling [skúːliŋ] *n.* 떼지어 다니는 것
approximately [əprάksəmitli] *ad.* 거의
bond [bɑnd] *n.* 결속
protection [prətékʃən] *n.* 보호
forage [fɔ́(ː)ridʒ] *v.* 먹이를 구하다
scatter [skǽtər] *v.* 흩어지다
escape [iskéip] *v.* 피하다
description [diskrípʃən] *n.* 기술, 서술
social unit [sóuʃəl júːnit] 사회단위
depend on [dipénd ən] ~에 달려있다
advantage [ədvǽntidʒ] *n.* 이점
enhance [inhǽns] *v.* 강화하다
resemble [rizémbl] *v.* 닮다
individual [ìndəvídʒuəl] *a.* 개개의
benefit [bénəfit] *n.* 이점
defend [difénd] *v.* 방어하다

1. What is the main topic of paragraph 1?

(A) Closeness between fish in schooling
(B) The season and time of day in which fish school
(C) Characteristics of fish schooling
(D) Variety in sizes of schooling fish

2. What is the main topic of paragraph 2?

(A) Escaping the attack of predators
(B) Ways for fish to find food
(C) The benefits of schooling
(D) Descriptions of schooling

3. What is the best title for this passage?

(A) How do fish bond together?
(B) Why was schooling developed?
(C) What do fish use to defend themselves against predators?
(D) What is fish schooling?

정답 p.235

 지문을 읽고 물음에 답하시오.

02 The United States is a nation of immigrants. People from countries all around the world have immigrated to America for various reasons. Among them, Pilgrims and the Puritans came to America for religious freedom. In England they were not allowed to worship in the way they believed was right, so they looked for a place where they could practice their religion and live as they wanted to. Quakers, Catholics, and Jews also left their home countries and came to America to observe their own beliefs.

Other immigrants have come to America to get away from poverty in their home countries. In Ireland a deadly disease almost wiped out one of the most important crops, potatoes. Without potatoes, many poor families in Ireland went hungry. There was so little to eat that thousands of people starved to death. Some of these Irish people decided that things were so bad that they had to leave their country. Thus they came to America. People came from other countries, as well, such as Sweden, Germany, and China. They came for the same reason – the land where they lived just wasn't producing enough food. They came to America with dreams of starting a farm, growing food, and never being hungry again.

VOCABULARY

immigrant [íməgrənt] *n.* 이민자
Puritan [pjú(:)əritən] *n.* 청교도
allow [əláu] *v.* 허락하다
practice [prǽktis] *v.* 수행하다
observe [əbzə́ːrv] *v.* 지키다
get away from [get əwéi frəm] 벗어나다
deadly [dédli] *a.* 치명적인
crop [krɑp] *n.* 곡물
starvation [stɑːrvéiʃən] *n.* 기아
immigrate [íməgrèit] *v.* 이주하다
religious [rilídʒəs] *a.* 종교적인
worship [wə́ːrʃip] *n.* 숭배
religion [rilídʒən] *n.* 종교
belief [bilíːf] *n.* 믿음
poverty [pávərti] *n.* 가난
wipe out [wáip àut] 피폐화 시키다
starve [stɑːrv] *v.* 굶다
suitable [sjúːtəbl] *a.* 적절한

1. What is the main topic of paragraph 1?

(A) American Immigrants from all around the world
(B) Fight for religious freedom
(C) U.S. immigrants in search of religious freedom
(D) Different religious traditions

2. What is the main topic of paragraph 2?

(A) Starvation in Germany
(B) Characteristics of Irish immigrants
(C) Suitable farming methods
(D) American immigrants avoiding poverty

3. What is the main idea of the entire passage?

(A) The immigrants to America came from diverse regions.
(B) People immigrated to America to seek religious freedom.
(C) People immigrated to America for various reasons.
(D) Many immigrants eventually returned to their home countries.

정답 p.236

2nd Day 글의 목적 (Main Purpose) 파악

글의 목적 살펴보기

글의 목적(Purpose)은 말 그대로 작가가 그 글을 쓴 이유를 말한다. 작가가 쓴 글이나, 단락, 그리고 단어 하나하나가 그 자리에 위치한 '존재 의미' 를 가지므로 그것을 제대로 파악하는 일은 매우 중요하다.

글의 목적은 크게 글 전체의 목적, 단락의 목적, 단어(구)의 언급 목적 세가지로 나뉘며, 특정 단어나 어구를 언급한 이유를 묻는 문제가 가장 빈번히 출제된다.

질문의 형태

글 전체의 목적을 물을 때

Why did the author write the passage?
작가가 이 지문을 쓴 이유는?
What is the main purpose of the passage?
이 지문의 주된 목적은?

단락의 목적을 물을 때

The author's main purpose in paragraph # is …
단락#의 주된 목적은 …하기 위함이다.

단어나 구의 언급 목적을 물을 때

Why does the author mention ______?
왜 작가는 ______ 를 언급했는가?
The author mentions/refers to ______ to …
작가는 …하기 위해 ______ 를 언급하고 있다.

선택지의 형태

to부정사로 시작되는 선택지가 나온다.

설명/묘사하기 위해	지지/제안하기 위해	비교/분류하기 위해	입증/증명하기 위해	정의하기 위해
to illustrate … …을 설명/예증하기 위해	to support … …을 지지하기 위해	to compare … …을 비교하기 위해	to demonstrate … …을 입증하기 위해	to define … …을 정의하기 위해
to describe … …을 묘사/설명하기 위해	to propose … …을 제안하기 위해	to distinguish… …을 비교하기 위해	to prove … …을 입증하기 위해	
to explain … …을 설명하기 위해		to classify … …을 분류하기 위해	to show… …을 입증하기 위해	
to discuss … …을 논하기 위해				
to give an example of … …에 대한 예를 보여주기 위해				

오답의 분석

선택지에 제시된 보기들에서 글의 내용을 잘못 말했거나, 목적을 잘못 말한 경우 오답이 된다.

ex 예를들어 **'태양의 흑점을 분석하기 위해'** 쓴 글이 있을때 '달의 흑점을 분석하기 위해서' 라던가 '태양의 흑점존재를 증명하기 위해서' 라고 하면 오답이 된다.

**1. 글이나 단락의 목적에는 주제(Main Topic)나 요지(Main Idea)가 포함되어 있다.
따라서 글이나 단락의 목적을 파악하려면 먼저 주제와 요지를 정확하게 알아야 한다.**

**2. 특정 문장이나 어구를 언급한 이유를 물을 때는 그 단어나 구가 포함된 문장을 잘 읽어야 한다.
대부분 언급된 단어나 구를 포함한 문장 혹은 바로 앞이나 바로 뒤 문장이 답이 되기 때문이다.**

 다음 글을 읽고 글이 쓰여진 목적(Purpose)을 고르시오.

01

The circulation of water consists of many steps. First, the sun heats ocean water. Next, the water evaporates and rises into the clouds. The wind then blows the clouds toward continental land. As the clouds become too big or are pushed toward cooler regions, it begins to rain. The rain falls to the ground and forms ground water or surface water in the form of spring water. The surface water meets other bodies of water to form streams and rivers. These later flow back to the oceans.

Why did the author write the passage?

(A) To compare ground water with surface water
(B) To give an example of the formation of rivers
(C) To describe water circulation process

key point 요지(Main Idea)를 담은 주제문(Topic Sentence)은 첫 번째 문장이다.

02

Virtually all Americans are touched in a positive way by the National Endowment for the Arts (NEA). The NEA brings art and culture to the people. It keeps Americans in contact with art. Since its inception, the NEA has awarded over 100,000 grants. Through the Federal/State NEA network, over 19 million children receive some form of arts education each year. Older and disabled Americans are exposed to the arts through programs like Elders Share the Arts in Brooklyn, NY. Residents of rural communities are also encouraged to learn about and enjoy the arts through a variety of programs.

What is the main purpose of the passage?

(A) To classify federal government programs
(B) To explain the many contributions of the NEA
(C) To emphasize the need for more awards

key point 요지(Main Idea)를 담은 주제문(Topic Sentence)은 첫 번째 문장이다.

03 Coal's formation is always taught as the successive decomposing of organic material under extreme pressure. Many millions of years ago, plants and trees grew in a great shallow sea and then fell and began to slowly decompose. Then, over millions of years, the weight of thousands of feet of sediment began compressing it into a carbonized layer known as coal.

There may be more to the formation of coal than this simplistic "composting" theory. Some scientists have proposed that bacteria played a very important role in the development of all fossil fuels such as coal, oil, or natural gas. Actually some type of bacteria could have easily turned organic matter into oil or coal.

The author's main purpose of paragraph 2 is

(A) to compare scientific theories of coal's formation

(B) to illustrate different types of fossil fuels

(C) to provide another explanation for the creation of coal

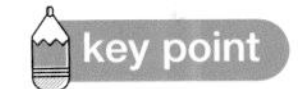

두번째 단락의 주제문(Topic Sentence)은 그 단락의 첫 번째 문장이다.

정답 p.237

VOCABULARY

01 | circulation *n.* 순환 consist of [kənsíst əv] ~으로 이루어져 있다 (=be composed of) evaporate [ivǽpərèit] *v.* 증발하다 blow [blou] *v.* 불다 continental [kàntənéntəl] *a.* 대륙의 cool [kuːl] *a.* 시원한 spring water [spriŋ wɔ́ːtər] 샘물

02 | virtually [vɔ́ːrtʃuəli] *ad.* 사실상으로 endowment [indáumənt] *n.* 기금 inception [insépʃən] *n.* 시초 grant [grænt] *n.* 하사, 하사금 network [nétwəːrk] *n.* 조직 disabled [diséibld] *a.* 불구가 된 encourage [inkə́ːridʒ] *v.* 장려하다

03 | successive [səksésiv] *a.* 연속적인 decompose [dìːkəmpóuz] *v.* 분해하다 organic material [ɔːrgǽnik mətí(ː)əriəl] 유기 물질 sediment [sédəmənt] *n.* 퇴적물 carbonized layer [káːrbənàizd léiər] 탄화층 compost [kámpoust] *v.* 퇴비가 되다

다음 글을 읽고 음영된 단어나 구를 언급한 목적((Purpose)을 고르시오.

04

The tongue is a muscular organ occupying the floor of the mouth. It is covered with papillae – small bumps on the tongue – and taste buds. The taste buds are clustered along the sides of the tongue. They allow people to perceive only bitter, salty, sweet, and sour flavors. Actually, seventy to seventy-five percent of what people perceive as taste comes from the sense of smell.

Why does the author mention sense of smell?

(A) To propose that sense of smell is only from the tongue
(B) To explain that taste is perceived from the nose as well as the tongue
(C) To distinguish between sense of taste and sense of smell

key point 언급된 단어가 포함된 문장을 유심히 읽는다.

05

There are two main kinds of supercomputers: vector machines and parallel machines. Both machines work fast but in different ways. For instance, a vector computer solves 100 problems as fast as possible. A parallel computer, on the other hand, divides the work. It shares 10 problems with 10 persons or 20 problems with 5 persons. In the end, the vector works step by step to find information and analyze it, and the parallel works like the human brain by solving many things simultaneously.

Why does the author mention human brain in the passage?

(A) To describe the advanced nature of parallel computers over the human brain
(B) To illustrate the similarity of parallel computers and the human brain
(C) To give an example of how the human brain solves problems

key point 언급된 단어가 포함된 문장을 유심히 읽는다.

VOCABULARY

04 | occupy [ákjəpài] *v.* 차지하다 papillae [pəpíləiː] *n.* 유두 bump [bʌmp] *n.* 융기, 돌기 taste bud [teist bʌd] 미뢰
cluster [klʌ́stər] *v.* 밀집하다 perceive [pərsíːv] *v.* 감지하다 bitter [bítər] *a.* 쓴 sour [sauər] *a.* 신

05 | parallel [pǽrəlèl] *a.* 병렬의 divide [diváid] *v.* 분할하다 share [ʃεər] *v.* 공유하다 in the end [in ðə end] 결국에는
analyze [ǽnəlàiz] *v.* 분석하다 simultaneously [sàiməltéiniəsli] *ad.* 동시에, 일제히

06 | Frogs have evolved to live in an astounding variety of climates. They can be found just about anywhere there is fresh water. Though they thrive in warm, moist tropical climates, frogs also live in deserts and high on 15,000-foot mountain slopes. The Australian water-holding frog is a desert dweller that can wait up to seven years for rain. It burrows underground and surrounds itself in a transparent cocoon made of its own shed skin.

The author mentions the Australian water-holding frog to

(A) prove that desert frogs have adapted better than other frogs
(B) illustrate how animals survive in dry climates
(C) give an example of frogs that live in dry conditions

key point 언급된 단어가 포함된 문장을 유심히 읽는다.

07 | The Earth is surrounded by a blanket of air, which people call the atmosphere. It reaches over 560 kilometers from the surface of the Earth. Early attempts at studying the nature of the atmosphere were simple. People used clues from the weather, the multi-colored sunsets and sunrises, and the twinkling of stars. Today, with the use of sensitive instruments from space, scientists have a better idea of how the atmosphere functions.

Why does the author mention the multi-colored sunsets and sunrises, and the twinkling of stars in the passage?

(A) To show how people in the past studied the atmosphere
(B) To illustrate how scientific methods have improved
(C) To emphasize that early attempts to study the atmosphere were incorrect

key point 언급된 단어가 포함된 문장을 유심히 읽는다.

정답 p.238

VOCABULARY

06 | astounding [əstáundiŋ] *a.* 몹시 놀라게 하는 climate [kláimit] *n.* 기후 thrive [θraiv] *v.* 번성하다 moist [mɔist] *a.* 습한 slope [slɑp] *n.* 비탈 water-holding [wɔ́:tər hóuldiŋ] *a.* 보수의 dweller [dwélər] *n.* 서식동물 burrow [bə́:rou] *v.* 구멍을 파다 *n.* 구멍, 굴 transparent [trænspέ(:)ərənt] *a.* 투명한 cocoon [kəkú:n] *n.* 누에고치 shed [ʃed] *v.* 탈피하다

07 | blanket [blǽŋkit] *n.* 덮개 atmosphere [ǽtməsfìər] *n.* 대기, 공기 attempt [ətémpt] *n.* 시도 nature [néitʃər] *n.* 성질 clue [klu:] *n.* 단서 sunset [sʌ́nsèt] *n.* 저녁놀 sunrise [sʌ́nràiz] *n.* 아침놀 (↔sunset) instrument [ínstrəmənt] *n.* 기계, 기구

지문을 읽고 물음에 답하시오.

01 Hibernation is commonly regarded as passing the winter in a state of lethargy, a defense against cold and food shortages, but it is not quite that simple. During hibernation, the metabolism, pulse rate, and body temperatures of animals are dramatically reduced. For example, the desert-dwelling western pipistrelles such as big browns and pallids, may drop their pulse rates from a high of over 600 beats per minute during mid-flight to a low of under 20 beats per minute during hibernation.

Besides, hibernation is not a continuous state. All hibernators periodically rouse themselves for hours to days. Little brown bats, for example, may hibernate uninterrupted for as long as 83 days or they may awaken every 12 to 19 days. Some animals store food in their hibernacula (their winter retreats) and eat during arousal episodes. Others rely on fat deposits for energy and arouse without eating.

VOCABULARY

hibernation [hàibərnéiʃən] *n.* 동면
shortage [ʃɔ́:rtidʒ] *n.* 부족
pulse rate [pʌls reit] 맥박
continuous [kəntínjuəs] *a.* 지속적인
rouse [rauz] *v.* 깨우다
retreat [ri:trí:t] *n.* 은신처
episode [épisòud] *n.* 시기
lethargy [léθərdʒi] *n.* 기면(嗜眠), 혼수상태
metabolism [mətǽbəlìzəm] *n.* 신진대사
pipistrelle [pipəstél] *n.* 집박쥐
periodically [pìəriádikəli] *ad.* 주기적으로
store [stɔ:r] *v.* 저장하다
arousal [əráuzəl] *a.* 각성의
deposit [dipázit] *n.* 저장물

1. What is the main topic of the passage?

(A) Arousals during hibernation
(B) Scientific studies on hibernation
(C) Hibernation of animals
(D) Extended periods of hibernation

2. What is the main purpose of the passage?

(A) To illustrate elaborate characteristics of hibernation
(B) To explain the benefits of hibernation
(C) To distinguish the hibernation of bats from that of other animals
(D) To describe the different stages of hibernation

3. Why does the author mention big browns and pallids?

(A) To discuss the harsh desert conditions for hibernation
(B) To distinguish different types of hibernating bats
(C) To propose further studies into the dangers of hibernating bats
(D) To give an example of animals that drop their heart rate during hibernation

정답 p.239

 지문을 읽고 물음에 답하시오.

02 Until the 1960s, people in the United States did not particularly pay attention to the natural environment. Rather, Americans were more focused on the economy. However, with an increase in oil spills, polluting factories and power plants, and the loss of wilderness, suddenly people realized they shared common values. They called for a national organization to protect the environment. Accordingly, on April 22, 1970, the first Earth Day, 20 million Americans took to the streets, parks, and auditoriums to demonstrate for a healthy, sustainable environment. Thousands of colleges and universities organized protests against the deterioration of the environment.

The first Earth Day led to the creation of the United States Environmental Protection Agency (EPA) and the passage of the Clean Air, Clean Water, and Endangered Species Acts. President Richard Nixon and Congress worked together to establish the EPA in response to the growing public demand for cleaner water, air, and land. Prior to the establishment of the EPA, the national government was not structured to make a coordinated attack on the pollutants, which harm human health and degrade the environment. The EPA was assigned the daunting task of repairing the damage already done to the natural environment.

VOCABULARY

focus on [fóukəs ən] ~에 초점을 맞추다
economy [ikάnəmi] *n.* 경제
spill [spil] *n.* 유출
pollute [pəljú:t] *v.* 오염시키다
power plant [páuər plænt] 발전소
wilderness [wíldərnis] *n.* 황무지
demonstrate [démənstrèit] *v.* 시위를 벌이다
sustainable [səstéinəbl] *a.* 유지될 수 있는
deterioration [ditìəriəréiʃən] *n.* (가치의) 하락, 퇴보
passage [pǽsidʒ] *n.* 통과, 통로
structure [strʌ́ktʃər] *v.* 조직화 하다
pollutant [pəlú:tənt] *n.* 오염원
degrade [digréid] *v.* 퇴화시키다
assign [əsáin] *v.* 할당하다
daunting [dɔ́ntiŋ] *a.* 위압적인
task [tæsk] *n.* 직무

1. What is the main topic of this passage?

(A) Increase in pollution and loss of wilderness
(B) The background that led to the formation of the EPA
(C) Protests that led to the start of Earth Day
(D) Different acts created by the U.S. government

2. What is the purpose of paragraph 2?

(A) To suggest that the government needed to control polluting factories and power plants
(B) To propose the need for further actions by the government
(C) To describe how the government became more involved in cleaning the environment
(D) To discuss public demonstrations that demanded a cleaner environment

3. Why did the author write the passage?

(A) To classify various acts passed by the U.S. government
(B) To compare different types of pollutants
(C) To illustrate the shortcomings of the first Earth Day
(D) To discuss the increase in public awareness for a cleaner environment

4. Why does the author mention the first Earth Day in paragrah 2?

(A) To illustrate how this event resulted in an important organization
(B) To demonstrate an event that attacked the national government
(C) To provide an example of the creation of a national holiday
(D) To explain the public's dissatisfaction over the lack of health benefits

정답 p.240

3rd Day 글의 구조 (Organization) 파악

글의 구조 살펴보기

글의 구조(organization)는 단락 간의 논리적 결합 방식을 말한다. 이러한 글의 전개 방식을 이해함으로써 글의 정보를 정확히 파악하는 일이 가능해지므로 독해에 있어 상당히 중요한 부분이다.

대개의 글은 글의 서두에 글의 요지(Main Idea), 즉 자신이 말하고자 하는 바를 쓰고, 이 중심 생각에 설득력을 주기 위해 뒤에 오는 단락에 부연설명, 비교/대조, 인과 관계, 순서 나열 등의 내용을 담는 구조를 가진다.

질문의 형태

글 전체의 구조를 물을 때

Which of the following best describes the organization of the passage?
다음 중 지문의 구조를 가장 잘 기술하고 있는 것은?
The author organizes the discussion in the passage by …
작가는 지문에서 내용을 …한 방식으로 구성했다.
The author organizes the discussion of ____ in terms of …
작가는 ____에 관한 내용을 …한 방식으로 구성했다.

특정 단락의 구조를 물을 때

Which of the following best describes the organization of paragraph #?
다음 중 어떤 것이 단락#의 구조를 가장 잘 묘사하는가?

뒤에 이어질 단락의 주제를 물을때

The paragraph after the passage most probably discusses …
이 지문 뒤에 오는 단락은 아마 …에 관한 내용일 것이다.
Which of the following topics would best follow this passage?
다음 중 이어질 주제로 가장 좋은 것은?

선택지의 형태

글의 구조를 설명하는 다음과 같은 용어들이 나온다.

listing 열거 definition 정의 description 묘사 explanation 설명 illustration 예증 classification 분류
contrast 대조 comparison 비교 cause and effect 인과 process 진행 순서 chronological order 시간적 순서

오답의 분석

위에 제시된 선택지의 유형들 중 지문의 구조에 맞지 않는 다른 것이 나온다.

1. 글의 구조(organization) 문제를 풀기 위해서는 단락간 논리적 결합 방식의 단서가 되는 '연결어'를 확인한다. 글의 구조를 보여주는 대표적인 연결어들은 다음과 같다.

부연설명	비교/대조	인과 관계	순서 나열
also 또한	but 그러나	as a result 그 결과/결과적으로	after that 그 후에
and 그리고	despite 그럼에도 불구하고	because 왜냐하면	afterwards 그 후에
besides 게다가	however 그러나	consequently 결과적으로	at the same time 동시에
for example 예를 들어	on the contrary 반대로	for this reason 이러한 이유로	finally 마침내
for instance 예를 들어	on the other hand 다른 한편/반면	in conclusion 결과적으로	first, second, third... 첫째, 둘째, 셋째..
furthermore 게다가	similarly 유사하게	therefore 따라서/그러므로	meanwhile 한편
in addition 게다가	in contrast 반대로	thus 따라서/그러므로	later 후에
first, second, third... 첫째, 둘째, 셋째..	yet 그러나		next 다음에
	whereas 반면에		then 그리고는
	likewise 마찬가지로		

2. 뒤에 이어질 단락의 주제(Following Topic)는 글의 구조를 보여주는 첫 문장(Topic Sentence)이나, 마지막 1-2 문장 정도를 읽으면 답으로 연결시킬 수 있는 결정적인 힌트가 있다.

 다음 글을 읽고 빈칸에 들어갈 말로 가장 적절한 것을 고르시오.

01 One of the first large markets for barbed wire was the railroads. As the lines moved west across the prairies, cattlemen and farmers were alarmed by the loss of their livestock on the unfenced tracks. In 1876, ______, the Missouri, Kansas and Texas Railroad reported that 1,948 animals had been killed at a cost of about $25,000 in the three states where it operated.

(A) in contrast (B) for example (C) at the same time

 빈칸 앞과 뒤의 관계를 파악하자. 특히 빈칸 뒤에 특정 회사가 언급된 것에 주목한다.

02 Most dreams occur during REM sleep. People who are awakened during REM sleep almost always remember what they were dreaming. Conversely, those awaken during non-REM sleep have around a 15% chance of remembering their dreams. The types of dreams are also different in two stages. Those reported by people who were awakened from REM sleep are often illogical and bizarre. ______, people dreaming in the non-REM state often have dreams that are more like normal thinking. They are not nearly as emotionally or visually charged compared to those during REM sleep.

(A) On the other hand (B) Furthermore (C) Therefore

 빈칸 앞에서 다루는 내용과 뒤에서 다루는 내용을 파악하자. conversely가 단서가 된다.

정답 P.241

VOCABULARY

01 | barbed wire [bɑ:rbd waiər] 철조망 line [lain] *n.* 선로 prairie [prɛ́(:)əri] *n.* 목초지 cattleman [kǽtlmən] *n.* 목장주
livestock [láivstɑ̀k] *n.* 가축 unfenced track [træk] 담이 없는 길 operate [ɑ́pərèit] *v.* 운행하다

02 | occur [əkə́:r] *v.* 일어나다 REM(Rapid Eye Movement [rǽpid ai mú:vmənt]) 급속 안구 운동
conversely [kənvə́:rsli] *ad.* 반대로 chance [tʃæns] *n.* 가능성 stage [steidʒ] *n.* 단계 illogical [ilɑ́dʒikəl] *a.* 비논리적인
bizarre [bizɑ́:r] *a.* 기괴한 emotionally [imóuʃənəli] *ad.* 감정적으로 visually [víʒuəli] *ad.* 시각적으로

다음 글을 읽고 단락의 구성을 가장 잘 묘사한 것을 고르시오.

03 A pioneer in the field of telecommunications, Alexander Graham Bell invented an "electrical speech machine" now called the telephone in 1876. News of his invention quickly spread throughout the country. Bell set up the first telephone exchange in New Haven, Connecticut by 1878. Six years later a long distance connection was also made between Boston, Massachusetts and New York City.

(A) Classification (B) Contrast (C) Chronological Order

글의 흐름을 파악하자. 특히 In 1876, by 1878, Six years later와 같은 표현에 주목한다.

04 The Hudson is not a true river. Millions of years ago the land where the river now flows was at a higher level. Then, the land sank deeper and deeper and became what geologists call a "drowned valley," perhaps because of an earthquake, erosion, or underground springs. After the land sank, it allowed sea water to enter the valley. The salty sea water mixed with the fresh water from the mountain streams to form an "estuary." The mix of salt and fresh water made the estuary a perfect habitat for many kinds of fish and other sea creatures in the area.

(A) Definition (B) Process (C) Comparison

글의 흐름을 파악하자. 특히 then과 after와 같은 표현에 주목한다.

정답 p.242

VOCABULARY

03 | pioneer [pàiəníər] *n.* 선구자 field [fiːld] *n.* 분야 telecommunication [tèləkəmjùːnəkéiʃən] *n.* 원거리 통신 spread [spred] *v.* 퍼지다 set up [set ʌp] 세우다 exchange [ikstʃéindʒ] *n.* 교환소

04 | sink [sæŋk] *v.* 가라앉다 (sink-sank-sunk) geologist [dʒiɑ́lədʒist] *n.* 지질학자 earthquake [ə́ːrθkwèik] *n.* 지진 erosion [iróuʒən] *n.* 침식 estuary [éstʃuèri] *n.* (조수가 드나드는 넓은) 강어귀 habitat [hǽbitæ̀t] *n.* 서식지

다음 글을 읽고 글의 흐름에 맞게 단락을 배열하시오.

05

(A) For instance, one species of bacteria that lives in the large intestine manufactures vitamin K, an essential blood clotting factor. There are also indirectly beneficial species of bacteria. They give yogurt its tangy flavor and sourdough bread its sour taste.

(B) Bacteria are essential to human life and living things on Earth. Although they are notorious for their role in causing human diseases such as tooth decay and the Black Plague, they are also beneficial for good health.

(C) They also make it possible for animals such as cows, sheep, and goats to digest plant cellulose.

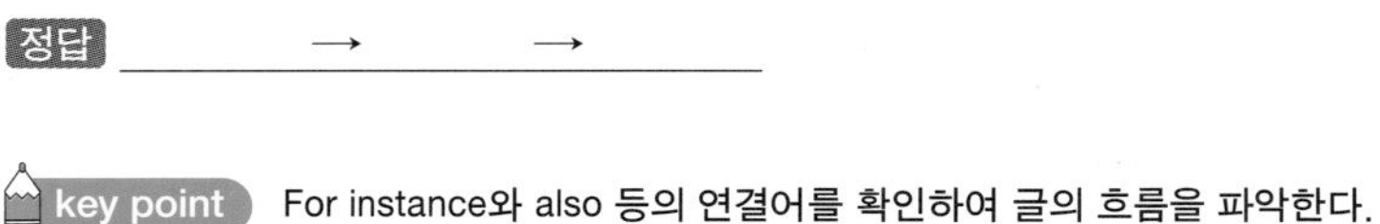

정답 ______ → ______ → ______

key point For instance와 also 등의 연결어를 확인하여 글의 흐름을 파악한다.

06

(A) When an unsuspecting organism comes too near and hits one of the trigger hairs, the door opens, the victim is sucked in, and the door shuts. Amazingly, the whole process takes less than a second. Once inside the prey is digested by enzymes secreted by the plant, and the resulting nutrients are absorbed.

(B) A fantastic example of a carnivorous plant is the Utricularia. It consists of a sac with an inward-opening trapdoor on one side, levered by tiny trigger-hairs. The plant pumps water out of the sac, creating a lower pressure inside the trap.

(C) A "carnivorous plant" is a plant that attracts, captures, and kills insects. It must also digest and absorb the nutrients from the prey to qualify as a carnivorous plant. These plants grow in areas that have very few nutrients. As such, they catch insects in order to compensate for a shortage of nitrogen.

정답 ______ → ______ → ______

key point 정의와 그에 대한 부연설명(예시)의 구조로 되어있는 글의 흐름을 파악한다.

정답 P.242

VOCABULARY

05 | intestine [intéstin] *n.* 창자 manufacture [mæ̀njəfǽktʃər] *v.* 만들다 clot [klɑt] *v.* 응고시키다 tangy [tǽŋi] *a.* 짜릿한 sourdough [sáuərdòu] *a.* 이스트로 부풀린 Black Plague [blæk pleig] 출혈성 페스트 cellulose [séljəlòus] *n.* 섬유소

06 | trigger hair [trigər hɛər] 감각 촉수 enzyme [énzaim] *n.* 효소 secrete [sikríːt] *v.* 분비하다 nutrient [njúːtriənt] *n.* 영양물 carnivorous [kɑːrnívərəs] *a.* 육식성의 inward-opening [ínwərd óupəniŋ] *a.* 안쪽으로 열리는 trapdoor [trǽpdɔ̀ːr] *n.* 함정문

다음 글을 읽고 바로 뒤에 올 글의 내용으로 가장 적절한 것을 고르시오.

07

During the eighth century there were three styles in Chinese painting: linear, boneless, and painterly. The linear style featured forms that were drawn in fine clear lines of varying thicknesses and were filled with color washes. The boneless style had colors broadly applied on opaque washes with little or no outlines.

The paragraph after the passage most probably discusses
(A) painting styles in the ninth century
(B) comparison of color and opaque washes
(C) the painterly style

첫번째 문장인 주제문(Topic Sentece)을 통해 해결한다.

08

The Georgian style was imported from England via pattern books, illustrations, and engravings. This is the second phase of Colonial Architecture and is associated with the emergence of a wealthy middle class. So the style was a symbol of prestige, wealth, and accomplishment. It officially ended with American Independence, since the war caused a hiatus in building, and Americans wanted to be free of their associations with England. The next style to emerge in this country was the American Federal style.

Which of the following topics would best follow this passage?
(A) The end of the American Independence
(B) The American Federal style
(C) The first phase of Colonial Architecture

마지막 문장을 통해 해결한다.

정답 p.243

VOCABULARY

07 | linear [líniər] *a.* 선적인 boneless [bóunlis] *a.* 뼈대가 없는 painterly [péintərli] *a.* 선보다 색채를 강조하는
feature [fíːtʃər] *v.* ~을 특징으로 하다 color wash [kʌ́lər wɑʃ] 투명물감 opaque [oupéik] *a.* 불투명의

08 | illustration [ìləstréiʃən] *n.* 도해 engraving [ingréiviŋ] *n.* 조각, 판화 phase [feiz] *n.* 단계
accomplishment [əkámpliʃmənt] *n.* 성취, 업적 officially [əfíʃəli] *ad.* 공식적으로 hiatus [haiéitəs] *n.* 틈, 균열

지문을 읽고 물음에 답하시오.

01 Archaeologists date fossils by using various methods such as stratigraphy, half-life dating, and carbon 14 dating. The oldest and most widely used method is stratigraphy, the study of strata, or layers. Newer layers are usually formed on top of older layers. Archaeologists can estimate the amount of time that has passed since deeper rocks and fossils are older than those found above them. For an accurate estimate, however, the fossil should be in the same position and the composition of the earth should have remained the same.

Another method of fossil dating is to use the half-life of the radioactive isotope. Radioactive atoms decay into stable atoms by a simple mathematical process. Half of the available atoms will change in a given period of time, known as the half-life. For example, radioactive isotope potassium-40 can be used to date fossils. It decays into argon gas at a known rate. By using potassium-40, which has a long half-life of 1.3 billion years, archaeologists can discern the earth's age.

VOCABULARY

date [deit] *v.* 연대측정하다
stratigraphy [strətígrəfi] *n.* 층위학
half-life dating [hæf laif déitiŋ] 반감기 연대 측정법
carbon dating [ká:rbən déitiŋ] 탄소 연대 측정법
composition [kàmpəzíʃən] *n.* 구성
radioactive [rèidiouǽktiv] *a.* 방사능의
isotope [áisətòup] *n.* 동위원소
stable [stéibl] *a.* 안정적인
available [əvéiləbl] *a.* 이용가능한
potassium [pətǽsiəm] *n.* 칼륨
argon [á:rgan] *n.* 아르곤 (기체 원소)
discern [disə́:rn] *v.* 분별하다

1. Which of the following best describes the organization of the passage?

(A) A definition of stratigraphy
(B) A listing of different methods to date fossils
(C) A chronological order of different estimates of the earth's age
(D) A comparison of the advantages and disadvantages of fossil dating

2. Which of the following best describes the organization of paragraph 2?

(A) A comparison of stratigraphy and half-life dating
(B) An explanation of half-life supported by a specific example
(C) A discussion on the benefits of half-life dating
(D) An illustration of the role of argon gas

3. Which of the following topics would be most likely discussed in the following paragraph?

(A) Problems encountered by archaeologists
(B) Dangers associated with radioactive materials
(C) The characteristics of carbon 14 dating
(D) The role of fossil dating in archaeology

정답 p.243

지문을 읽고 물음에 답하시오.

02 Pottery is one of the oldest and most widespread of the decorative arts. Made of clay and hardened with heat, the objects are commonly used as vessels for holding liquids and plates or bowls on which food is served. Throughout history, different cultures have made pottery pieces using local materials and traditional techniques. Between 500 and 1000 AD people patched shells to a wicker basket to use it as a kettle. Meanwhile, in the southwest region of the United States, pinkish clay was used to spur the development of pottery.

In the early period, pottery was plain with limited colors and monotonous patterns. With the rapid development of pottery techniques, the patterns used became more complex and decorative. Accordingly, there was an increase in variety in the types of vessels, and a clear distinction developed between high-quality ware and simpler pots. One example of a high quality vessel is the olla. It has a round body with a zigzag pattern. This vessel also features a checkered design inside the diamond. As designs became more intricate, an interest in pottery apprenticeship began to grow.

VOCABULARY

pottery [pátəri] ***n.*** 도기류
widespread [wáidspréd] ***a.*** 널리 퍼진
decorative [dékərətiv] ***a.*** 장식의
clay [klei] ***n.*** 진흙
vessel [vésəl] ***n.*** 용기
plate [pleit] ***n.*** 접시
bowl [boul] ***n.*** 그릇
piece [piːs] ***n.*** 작품
patch [pætʃ] ***v.*** 기워 맞춰 만들다
wicker [wíkər] ***n.*** 고리버들세공
kettle [kétl] ***n.*** 주전자
spur [spəːr] ***v.*** 격려하다, 자극하다
monotonous [mənátənəs] ***a.*** 단조로운
pot [pat] ***n.*** 그릇
olla [álə] ***n.*** 물독
zigzag [zígzæ̀g] ***a.*** 지그재그의
intricate [íntrəkit] ***a.*** 복잡한
apprenticeship [əpréntisʃìp] ***n.*** 도제 제도

1. What is the main topic of the passage?

(A) How to make pottery
(B) Southwestern influence on pottery designs
(C) History of pottery
(D) Various designs of pottery

2. Which of the following best describes the organization of paragraph 2?

(A) An explanation of the causes and effects of high quality vessels
(B) A comparison of materials used in early ceramics
(C) A description of enhanced pottery design
(D) A summary of the diverse colors of pottery

3. The paragraph after the passage will probably discuss

(A) modern pottery industry
(B) education in pottery-making
(C) pottery making in other countries
(D) process of making pottery

정답 p.244

4th Day 문장 삽입 문제 (Insertion)

문장 삽입 문제 살펴보기

문장 삽입(Insertion) 문제는 제시된 문장을 적절한 위치에 삽입하는 문제이다. 이것은 각 문장이 논리적으로 자연스럽게 배열되어 있는지를 판단하는 문제 유형이다. 각종 영어 독해 시험에서 종종 출제되는 문제로서 다소 까다롭게 느껴지지만 몇 가지 전략만 파악하면 아주 쉽고 정확하게 풀리는 문제이다.

각각의 문장이 논리적으로 자연스럽게 전개되어 응집력(coherence) 있는 글이 되기 위해서는 문장들이 논리적으로 배열되어야 하고, 문장을 긴밀하게 연결시키는 접착제와 같은 역할을 하는 연결어, 관계대명사, 지시어 등이 적절히 사용되어야 한다. 역으로 이러한 요소들을 잘 살펴보면 문장 삽입 문제를 쉽게 해결할 수 있다.

질문의 형태

The following sentence can be added to the passage.
삽입할 문장
Where would it best fit in the passage?
Click on the square (■) to add the sentence to the passage.
다음 문장을 지문에 삽입할 수 있다.
어디가 가장 적절한가?
삽입하려고 하는 곳에 있는 네모박스를(■) 클릭해라.

선택지의 형태

삽입문제는 4개의 보기가 주어지는 사지선다형의 문제와는 다르다.
본문 중에 삽입 후보 위치로 주어진 네모박스 (■)가 약 4-9개가 1-2 단락에 걸쳐 있어서,
삽입할 문장이 들어갈 만한 곳의 네모박스를 클릭하면 자동적으로 글이 삽입된다.

오답의 분석

다른 네모박스가 왜 안되는가(오답) 분석하는 것 보다, 단서와 해석을 통해 확실한 답인가를 확인하는 것이 더 중요하다.

1. **문장 삽입 문제에는 삽입을 위해 주어진 문장에 반드시 '단서'가 있다. 토플 삽입문제는 아래에 나온 단서들 중 1개 이상이 제시되므로 정확히 알아 두면 이것이 바로 정답을 찾는 Key Point가 된다.**

단서1 삽입 문장에 연결어 단서가 있다. (대표적인 연결어는 P. 85 참고)

* 순서를 나타낼 시 사용하는 연결어 ⇨ 시간 순서에 맞추어 문장을 삽입한다.
* 부연설명시 사용하는 연결어 ⇨ 보통 정의의 뒤에 예를 든 문장이 삽입된다.
* 비교/대조시 사용하는 연결어 ⇨ 비교/대조 대상이 바로 뒤에 삽입된다.
* 인과관계시 사용하는 연결어 ⇨ 원인과 결과, 혹은 결과와 원인 문장순으로 삽입한다.

단서2 삽입 문장에 대명사 단서가 있다.

그 대명사가 가리키는 것을 찾아 바로 '뒤' 에 삽입한다.

단서3 삽입 문장에 '정관사 (the)+명사' 단서가 나온다.

'부정관사(a)+명사' 가 나온 곳을 찾아 바로 '뒤' 에 삽입한다.

단서4 삽입 문장에 동어반복이나 , 유사어구 반복 등 단어 단서가 있다.

주어진 단어나 구와 비슷한 어구가 있는 곳의 주위를 살펴 삽입한다.

이 단서의 경우 비슷한 단어가 나온 부분이 중복될 수 있으므로 다른 단서와 함께 본다.

단서5 삽입 문장에 even이나 also와 같은 단서가 있다.

주어진 문장과 비슷한 내용이 있는 곳의 '뒤' 에 삽입한다.

단서6 삽입 문장이 두괄식/미괄식 지문의 주제문(Topic Sentence) 이다.

삽입될 문장이 문장의 구조상 본문의 내용을 모두 포괄하는 주제문일 경우,

글의 가장 앞에 삽입한다. (*미괄식의 경우는 글을 정리하는 마지막에 삽입한다.)

2. **새로 삽입될 문장을 그 자리에 넣은 후 문장들이 논리적으로 자연스럽게 연결되는지 반드시 해석을 통해 확인함으로써 최종 점검을 한다.**

글의 순서를 바로 잡으시오.

01

(A) When the fresh water of the river meets the salty water from the sea at the mouth, the sediment is released into the sea.
(B) A river carries a lot of sediment as it travels from its source to its mouth.
(C) It is then washed away far into the sea by the tides and currents.

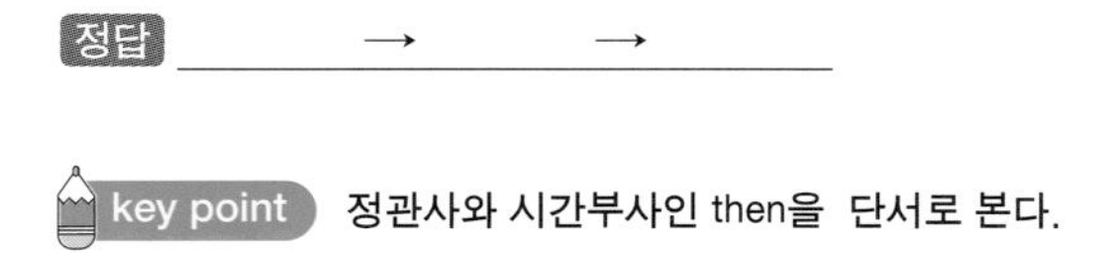

02

(A) In addition, he estimated the age of the animals by looking at the size of their mandible, the lower jaw of the seal.
(B) By examining teeth and jawbones, Professor Etnier was able to measure the age composition of seals with an emphasis on finding their breeding distribution.
(C) He could calculate their growth rates by observing their teeth because the teeth contain growth rings which can be used to determine age.

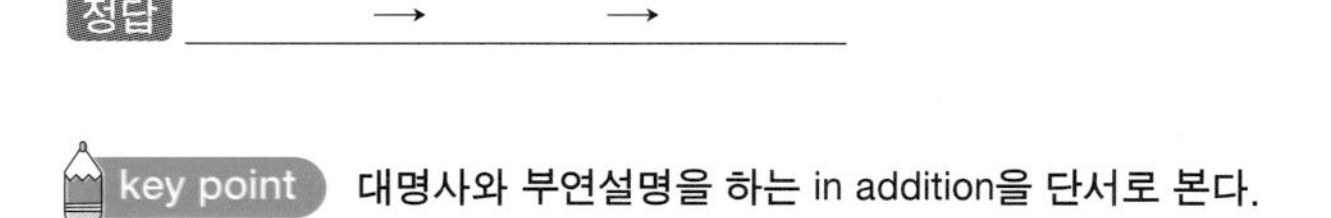

03

(A) The Native Americans showed the Pilgrims how to prepare corn, including how to make it into bread, soup, fried corn cakes, and pudding.

(B) Fish served as fertilizer for the young corn plants.

(C) They also showed the Pilgrims how to grow corn by digging holes in the ground, dropping in some corn kernels and small fish, and then covering the holes.

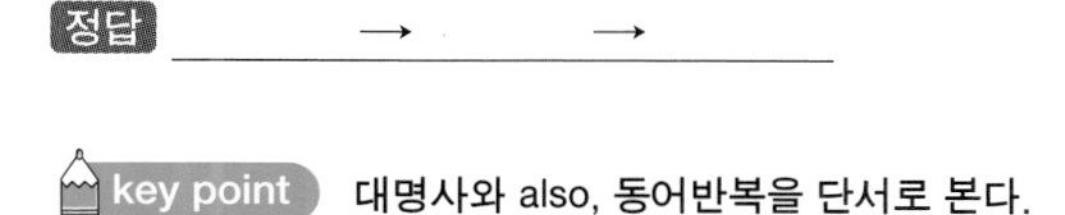

정답 ______ → ______ → ______

key point 대명사와 also, 동어반복을 단서로 본다.

04

(A) She learned that chimpanzees not only used various tools for different tasks, but also modified objects for tools so that they were better suited for the tasks.

(B) In the 1960's, this distinction was shattered when Dr. Jane Goodall reported several observations of chimpanzees making and using tools.

(C) For many years, humans had distinguished themselves from the rest of the animal world by their ability to make and use tools.

정답 ______ → ______ → ______

key point 유사어구 반복과 대명사, this와 같은 지시 형용사를 단서로 본다.

정답 p.245

VOCABULARY

01 | fresh water [freʃ wɔ́:tər] 담수　salty water [sɔ́:lti wɔ́:tər] 염수　sediment [sédəmənt] *n.* 퇴적물　source [sɔ:rs] *n.* 원천　tide [taid] *n.* 조류　current [kə́:rənt] *n.* 해류

02 | mandible [mǽndəbl] *n.* 하악골(下顎骨), [조류] 아랫부리　seal [si:l] *n.* 바다표범　distribution [dìstrəbjú:ʃən] *n.* 분포　determine [ditə́:rmin] *v.* 결정하다

03 | prepare [pripɛ́ər] *v.* 만들다, 준비하다　fertilizer [fə́:rtəlàizər] *n.* 비료　kernel [kə́:rnəl] *n.* 낟알

04 | tool [tu:l] *n.* 도구　task [tæsk] *n.* 일　modify [mɑ́dəfài] *v.* 수정하다, 개정하다　suit [sju:t] *v.* 적합하게 하다　distinction [distíŋkʃən] *n.* 구분　shatter [ʃǽtər] *v.* 산산이 부서지다　observation [ɑ̀bzə:rvéiʃən] *n.* 관찰

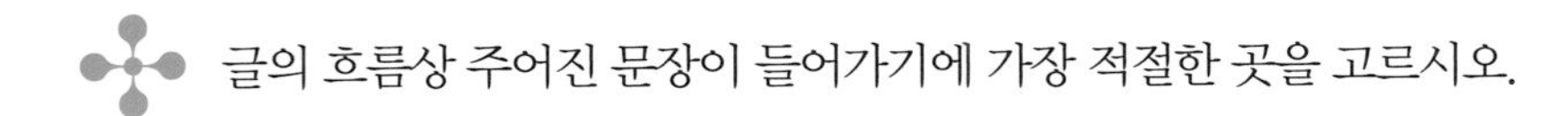
글의 흐름상 주어진 문장이 들어가기에 가장 적절한 곳을 고르시오.

05 The rich, on the other hand, came to Minnesota due to an increase in taxation and a change in inheritance laws in their homeland.

(A) Immigrant groups of Swedes, Germans, and Norwegians arrived at Minnesota in the 1880s and established homesteads on the abundant land. (B) The poor left Europe to find jobs and better opportunities as population increased in Europe. (C) Others emigrated because of unstable political situations.

key point 삽입할 문장의 on the other hand와 같은 연결어를 단서로 본다.

06 However, the cause of acidification in the environment is not only air pollution.

Acid rain is caused by smoke and gases such as nitrogen oxide (NOx) and sulfur oxide (SOx). (A) These gases are given off by factories and cars that run on fossil fuels. (B) Then they go into the atmosphere and cause acid rain. (C) For example, as a plant grows, it absorbs and uses the nourishment in the ground. This raises the acidity of the soil.

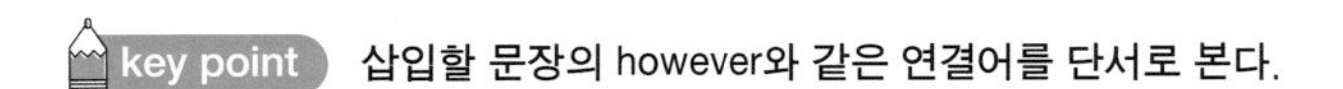
key point 삽입할 문장의 however와 같은 연결어를 단서로 본다.

정답 p.246

VOCABULARY

05 taxation [tækséiʃən] *n.* 과세, 조세 inheritance [inhéritəns] *n.* 상속, 유산 homeland [hóumlæ̀nd] *n.* 본국 homestead [hóumstèd] *n.* 자작 농장 abundant [əbʌ́ndənt] *a.* 풍요로운 opportunity [àpərtjú:nəti] *n.* 기회 emigrate [éməgrèit] *v.* 이주하다 unstable [ʌnstéibl] *a.* 불안정한 political [pəlítikəl] *a.* 정치적인

06 acidification [əsìdəfikéiʃən] *n.* 산성화 acid rain [ǽsid rein] 산성비 smoke [smouk] *n.* 연기 nitrogen oxide [náitrədʒən ɑ́ksaid] 산화질소 give off [giv ɔ:f] 방출하다 nourishment [nə́:riʃmənt] *n.* 영양분 acidity [əsídəti] *n.* 산성도

07 | There are two types of natural scientists.

[(A)] One type is scientists that are more interested in learning. They study to gain knowledge. These scientists are involved in basic, or pure, science. Their projects may or may not have any importance to everyday life. [(B)] Another type is scientists working in applied sciences. They usually have a specific goal in mind. This goal may involve a product, process, business, or other human need. An applied scientist often uses information recently gathered by other scientists. [(C)]

key point 글의 주제문(Topic Sentence)이 무엇인지 살펴본다.

08 | One classic example of body language can be found in an elevator.

[(A)] Information about other people's behavior is often provided by 'nonverbal cues' related to facial expressions such as eye contact and body posture. [(B)] Such nonverbal cues are usually termed body language. [(C)] When there are only a few people inside, they usually lean against the elevator's walls. But when more people enter, they occupy the corners.

key point 일반적인 원리 설명이나 정의 뒤에 예제가 나온다는 것과, 정관사+명사를 단서로 본다.

정답 p.246

● VOCABULARY ●

07 | natural scientist [nǽtʃərəl sáiəntist] 자연과학자 gain [gein] *v.* 얻다 pure [pjuər] *a.* 순수한
everyday life [évridèi laif]] 일상생활 applied science [əpláid sáiəns] 응용과학 specific [spisífik] *a.* 특정한

08 | cue [kju:] *n.* 암시 facial [féiʃəl] *a.* 얼굴의 expression [ikspréʃən] *n.* 표정 eye contact [ai kántækt] 눈빛 교환
posture [pástʃər] *n.* 자세 term [tə:rm] *v.* ~라 부르다

지문을 읽고 물음에 답하시오.

01 (A) During the 19th and early 20th centuries, several geologists explored the idea that the continents may have moved across the Earth's surface. (B) They were all inspired by the remarkable fit between the Atlantic coasts of Africa and South America. (C) The hypothesis of continental drift was finally developed by Alfred L. Wegener, who proposed that the Earth's continents had at one time been joined in two supercontinents. (D)

(A) The "drift" theory, however, was not immediately accepted by Wegener's peers because it is difficult in the world of science to change accepted or established doctrines or views. **(B)** Those who believed that the continents were basically unchanged in their position were called "permanentists." **(C)** Others believed that as a result of the gradual contraction of the solid earth, ocean floor became dry land, and dry land in turn became ocean floor; these scientists were called "contractionists." **(D)**

VOCABULARY

explore [iksplɔ́:r] v. 탐구하다
inspire [inspáiər] v. 영감을 주다, 격려하다
hypothesis [haipɑ́θisis] n. 가설
supercontinent [sjù:pərkɑ́ntənənt] n. 초대륙
doctrine [dɑ́ktrin] n. 학설
gradual [grǽdʒuəl] a. 점차적인
previously [prí:viəsli] ad. 이전에
idea [aidí(:)ə] n. 개념
fit [fit] n. 일치
drift [drift] v. 표류하다
peer [piər] n. 동료
view [vju:] n. 관점
contraction [kəntrǽkʃən] n. 수축, 축소
prevail [privéil] v. 우세하다

1. The following sentence can be added to paragraph 1.

In 1912, he proposed that all the continents were previously one large continent, but then broke apart, and drifted through the ocean floor.

Where would it best fit in the passage?
Click on the square (□) to add the sentence to the passage.

2. The following sentence can be added to paragraph 2.

Two other viewpoints prevailed at this time.

Where would it best fit in the passage?
Click on the square (■) to add the sentence to the passage.

3. What is the main topic of the passage?

(A) Ocean floor and earth plate
(B) History of the continental drift theory
(C) Permanentists and Contractionists
(D) History of the earth's continent

정답 p.247

Daily Test

지문을 읽고 물음에 답하시오.

02 (A) In the early 1920s, a man named George Merrick decided to strike it rich in Miami, Florida. (B) He realized that he could earn a lot of money buying cheap land and reselling it to people from out of state at much higher prices. (C) He and a handful of other real estate developers began a national marketing campaign, and posted advertisements around the United States that promised a beautiful and happy life in Miami. (D) People read these descriptions of a tropical paradise full of orange trees and sandy beaches with excitement. (E)

(A) Thanks primarily to Florida's warm weather, laid-back lifestyle, and easy access to many roads, new residents soon began moving to the South in the thousands. (B) The city of Miami's population doubled. Real estate brokers appeared all over the state, as buildings and resorts were constructed at a tremendous pace. (C) A hurricane hit the middle of Miami in 1926. The storm left some 400 dead, 3,600 injured, and 50,000 homeless. (D) Most people who had bought land suffered huge losses, and the speculation bubble was over. (E)

VOCABULARY

resell [ri:sél] *v.* 되팔다
real estate [rí:əl istéit] 부동산
national [nǽʃənəl] *a.* 전국적인
paradise [pǽrədàis] *n.* 낙원
access [ǽkses] *n.* 접근성
broker [bróukər] *n.* 중개인
construct [kənstrʌ́kt] *v.* 건설하다
pace [péisi] *n.* 속도
injured [índʒərd] *a.* 부상한, 상처입은
suffer [sʌ́fər] *v.* (고통을) 겪다
bubble [bʌ́bl] *n.* 꿈 같은 계획 (야심)
facility [fəsíləti] *n.* 시설
handful [hǽndfùl] *n.* 한움큼, 소량
developer [divéləpər] *n.* 개발업자
description [diskrípʃən] *n.* 묘사
laid-back [léidbæ̀k] *a.* 한가롭고 평온한, 느긋한
resident [rézidənt] *n.* 거주민
resort [ri:sɔ́:rt] *n.* 휴양지
tremendous [triméndəs] *a.* 엄청난
dead [ded] *a.* 사망한
homeless [hóumlis] *a.* 집없는
speculation [spèkjəléiʃən] *n.* 1.사색 2.투기
luxury [lʌ́kʃəri] *a.* 호화의

1. The following sentence can be added to the passage.

But how could he get people from across the country interested in buying his land?

Where would it best fit in the passage?
Click on the square (□) to add the sentence to the passage.

2. The following sentence can be added to the passage.

Just when it seemed that no more luxury resorts and leisure facilities could be built, disaster hit.

Where would it best fit in the passage?
Click on the square (■) to add the sentence to the passage.

3. What does the passage mainly discuss?

(A) Patterns of housing development in Florida
(B) A devastating storm in Miami in the 1920s
(C) Growth and collapse of Florida's real estate market
(D) Southward immigration in the 1920s

정답 p.248

5th Day 세부 사항 (1): 일치 문제 (Fact)

세부사항 파악 문제는 지문에 언급된 세부 사항들을 제대로 이해하고 있는가를 확인하는 문제 유형으로 각종 영어 독해 시험에서 가장 많은 비중을 차지 하는 문제이다. 이러한 세부사항 파악 문제는 글의 내용과 일치하는 것(Fact)고르기, 일치하지 않는 것(Negative) 고르기, 또는 특정 정보 나온 위치 클릭하기(Scanning) 세 가지 형태로 출제된다. 해커스 리딩 스타트에서는 세부사항 파악을 이 세 가지 파트로 나누어 공부하게 된다.

일치문제 살펴보기

일치 문제를 'Restate문제' 라고도 하는데, 이는 일치 문제의 질문이 지문에서 언급된 내용을 재진술(Restate)하여 출제 하기 때문이다. 일치 문제는 크게 지문의 일부에서 언급한 특정 정보나 사실과의 일치를 묻는 문제와 지문 전반에 걸친 내용과의 일치를 묻는 문제 두 가지가 있다. 두 가지 문제를 푸는 접근 방식은 기본적으로 같으나, 후자의 경우 글 전체 구조와 함께 파악해야 하므로 조금 더 난이도가 높다.

질문의 형태

지문의 일부에서 언급한 특정 정보나 사실과의 일치를 묻는 문제

육하원칙질문 According to the passage, who/when/where/what/how/why ____?
지문에 의하면, 무엇이/언제/어디서/왜 ____했는가?

사실여부파악 According to paragraph #, which of the following is true about ____?
#단락에 의하면, 다음 중 ____에 관해 사실인 것은?

지문 전반에 걸친 내용과의 일치를 묻는 문제

According to the passage, which of the following is true about ____?
지문에 의하면, 다음 중 ____에 관한 사실인 것은?
Which of the following statements is supported by the passage?
다음 내용 중 어느 것이 지문에 의해 지지되는가?
According to the passage, the author believes that ⋯.
지문에 의하면 저자는 ⋯이라고 믿는다.

선택지의 형태

지문에 나왔던 내용들이 구나 문장의 형태로 제시된다.

오답의 유형

일치 문제에서는 오답의 확인이 매우 중요하다. 선택지에 나오는 내용이 대부분 이미 지문에서 다루어 졌던 내용이거나, 때로는 상식적으로 생각할 때 맞는 내용일 수 있으므로, 지문에 근거해서 하나하나 따져나가지 않으면 실수 하기 쉽다. 대표적인 오답의 유형은 아래와 같다.

(1) 지문에서 전혀 언급된 바 없는 내용
(2) 지문과 다른 내용으로 기술된 것 (초점을 벗어나거나 과장해서 진술함)
(3) 시제 불일치
(4) 주어와 객체/순서/원인과 결과가 뒤바뀐 것

1. **주어진 문제와 선택지에 포함된 핵심어(Keywords : 주로 이름, 날짜, 다른 명사들)들을 확인하고, 무엇을 묻고 있는지 확실하게 파악한다.**
2. **문제의 내용이 지문의 어떤 부분에 재진술(Restate)되어 있는지 찾는다.**
   세부사항문제는 반드시 지문에 언급된 내용을 재진술(Restate)하여 문제를 만든다는 것을 명심하라!
3. **지문에서 해당 문제가 재진술되었다고 판단되는 부분의 문장과, 필요하면 그 앞뒷 문장을 아주 세심하게 읽는다. 그 곳에 반드시 질문의 답이 있다.**
4. **지문 전반과의 일치 문제는 지문 전체 구조와 함께 '선택지'와 '지문'의 재진술 부분을 따져본다.**

TIP 토플은 지문에 나온 내용순으로 문제가 출제되므로, 지문에서 세부사항 바로 앞에 나온 문제의 답의 단서가 되는 부분의 다음 부분에서 답을 찾으면 된다.

글을 읽고 선택지의 내용이 지문과 일치하면 T(True), 일치하지 않으면 F(False)라고 쓰시오.

01

The chameleon goby, a native fish of China, Korea, eastern Siberia, and Japan, was introduced into San Francisco Bay during the 1950s. It uses old oysters or clam shells as its nesting site, and lays eggs on the inner surface of the shell in a single layer. But because there are no oyster beds in the San Francisco Bay, the chameleon goby usually uses cans and bottles as spawning sites.

______(A) It is difficult for the chameleon goby to spawn in the San Francisco Bay because there are no oyster beds.

______(B) Cans and bottles are unusually utilized for the chameleon goby to spawn in the San Francisco Bay.

______(C) In the San Francisco Bay the chameleon goby prefers cans and bottles than oyster beds for depositing its eggs.

key point 선택지의 내용이 지문에서 재진술(Restate)된 부분을 찾아 선택지와 따져나간다.

02

Louis-Jacques-Mande Daguerre is credited with the discovery of the first photographic process in France in 1839. Daguerre was aided in his discovery by another Frenchman named Joseph-Nicephore Niepce. In 1827 Niepce and Daguerre formed a partnership and collectively worked on perfecting the world's first practical photographic process. Several years after Niepces' untimely death in 1833, Daguerre introduced the daguerreotype process. These Daguerreotypes were popular from 1839 to 1860.

______(A) Daguerre waited until Niepces died so that he could introduce the daguerreotype process by himself in 1833.

______(B) After Niepces and Daguerre introduced the daguerreotype process, Niepces died in 1833.

______(C) Niepces unfortunately died in 1833 before seeing the introduction of the daguerreotypes.

key point 선택지의 내용이 지문에서 재진술(Restate)된 부분을 찾아 선택지와 따져나간다.

03 | After 400 AD, the Egyptian language was written in the Greek alphabet. It has several extra letters to represent Egyptian sounds that didn't exist in Greek. This form of Egyptian is called Coptic, and was in turn eventually replaced by Arabic, the language spoken in Egypt today. In the end, Coptic, the ancient Egyptian written language, died out, and only the hieroglyphics or writing that uses pictorial symbols remained.

______(A) Coptic, the ancient written language, was replaced by hieroglyphics.
______(B) The Egyptian language ultimately survived in the form of hieroglyphics.
______(C) Eventually hieroglyphics lasted while Coptic disappeared.

정답 P.248

key point 선택지의 내용이 지문에서 재진술(Restate)된 부분을 찾아 선택지와 따져나간다.

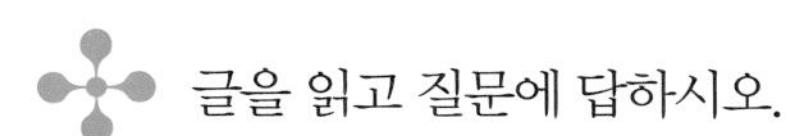

글을 읽고 질문에 답하시오.

04 | The fierce grizzly bear was a danger to the lives of early settlers in mountains of the western United States. This huge animal stole food. It also took the lives of many people, cows, and horses. For these reasons, the settlers went to war against the grizzly. By 1931, the grizzly bear had been killed off in five western states. Today, people are worried that the grizzly bear may become extinct.

Which of the following statements is supported by the passage?

(A) Early settlers killed grizzly bears for food.
(B) The number of grizzly bears sharply fell in the early 20th century.
(C) Grizzly bears posed a threat to the timber industry.

key point 의미의 왜곡 없이 지문의 내용을 담은 것을 찾는다.

뒤로

VOCABULARY

01 | goby [góubi] *n.* 망둥이 clam [klæm] *n.* 대합조개 bed [bed] *n.* 양식장 spawn [spɔːn] *v.* 산란하다 deposit [dipázit] *v.* 낳다
02 | credit [krédit] *v.* (공로 · 명예를) ~에게 돌리다 aid [eid] *v.* 돕다 partnership [páːrtnərʃip] *n.* 제휴
collectively [kəléktivli] *ad.* 함께
03 | letter [létər] *n.* 글자 represent [rèprizént] *v.* 나타내다 hieroglyphic [hàiərəglífik] *n.* 상형문자
04 | fierce [fiərs] *a.* 사나운 grizzly [grízli] *a.* 회색의 extinct [ikstíŋkt] *a.* 사멸한, 절멸한

05

There are already more than 5,000 robots at work in routine jobs throughout the world. Auto manufacturing is one industry that is finding these mechanical helpers useful. Plants that handle radioactive materials also use robots because the work is a threat to human safety. Some scientists are working on Artificial Intelligence or AI for robots. Through its use, some robots can come to have decision-making abilities. But robots in the future will not be able to take over human work completely. After all, robots are nothing more than machines.

According to the passage, robots of the future will

(A) not threaten human safety
(B) not entirely replace humans
(C) not be able to test radioactive materials

의미의 왜곡 없이 재진술된 문장을 찾는다.

06

When people began traveling hundreds of miles a day by train, calculating the time became a problem. Railroad lines also needed to create schedules for departures and arrivals, but every city had a different time. Railroad managers tried to address the problem by establishing 100 different railroad time zones. However, with so many time zones, different railroad lines were sometimes on different time systems, and scheduling remained confusing and uncertain. At last, on November 18, 1883, four standard time zones for the continental U.S. were introduced at the urging of the railroads.

According to the passage, which of the following is true about the four standard time zones?

(A) They made scheduling difficult and confusing.
(B) They lasted for a short period of time.
(C) They were implemented due to demands from railroads.

four standard time zones가 지문에서 언급된 부분을 찾는다.

정답 P.249

VOCABULARY

05 | radioactive [rèidiouǽktiv] *a.* 방사성이 있는 Artificial Intelligence [ɑ̀ːrtəfíʃəl intélidʒəns] 인공지능

06 | departure [dipɑ́ːrtʃər] *n.* 출발 arrival [əráivəl] *n.* 도착 manager [mǽnidʒər] *n.* 관리자 address [ədrés] *v.* 처리하다 establish [istǽbliʃ] *v.* 만들다 standard time zone [stǽndərd taim zoun] 표준시간대 urge [əːrdʒ] *v.* 주장하다, 강요하다

 지문을 읽고 지문에서 묘사하고 있는 내용에 해당되는 그림을 고르시오.

07 Brunelleschi's work on the cathedral of Florence made him famous. The cathedral featured a dome, measuring 130 feet (40 meters) in diameter. This dome usually looks like a large hemisphere which has eight supporting ribs on the exterior. The cathedral's decorative elements include circular windows and a beautifully proportioned cupola.

(A)

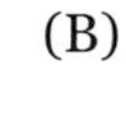

(B)
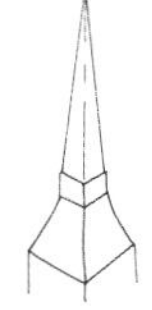

(C)
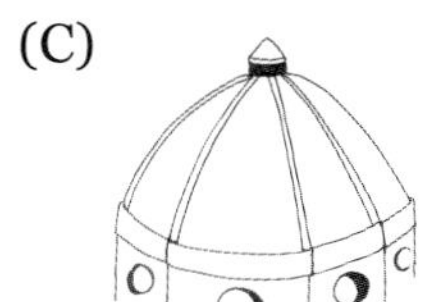

key point 지문에 나타난 주요 특징들을 가지고 있는 그림을 찾는다.

08 On the Galapagos Islands in the Pacific Ocean, Darwin found finches that descended from one species, but had differently shaped beaks. Evolution had adapted each bird's beak to eat a different type of food. In particular, the Red Crossbills are best known for their unusually shaped bills. The upper and lower parts of their bills cross unlike the bills of other finches. This unique and highly specialized adaptation enables crossbills to pry open evergreen cones to extract the seeds.

(A)
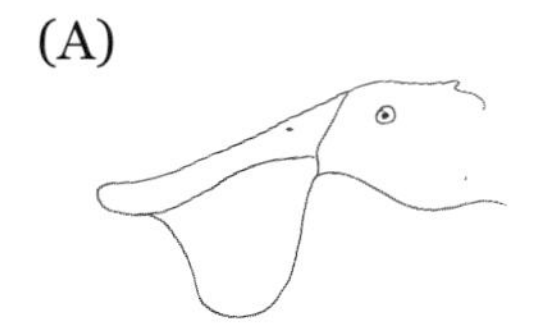

(B)

(C)

key point 지문에 나타난 주요 특징들을 가지고 있는 그림을 찾는다.

정답 p.250

VOCABULARY

07 | cathedral [kəθíːdrəl] *n.* 성당 dome [doum] *n.* 둥근천장 diameter [daiǽmitər] *n.* 직경 hemisphere [hémisfìər] *n.* 반구 proportioned [prəpɔ́ːrʃənd] *a.* 균형잡힌 cupola [kjúːpələ] *n.* 둥근지붕 (의 꼭대기 탑)

08 | finch [fintʃ] *n.* 되새류 (멋쟁이새) beak [biːk] *n.* 부리 evolution [èvəlúːʃən] *n.* 진화 adapt [ədǽpt] *v.* 적응시키다 bill [bil] *n.* 부리 unique [juːníːk] *a.* 독특한 enable [inéibl] *v.* 가능하게 하다 crossbill [krɔ́(ː)sbìl] *n.* 솔잣새 pry [prai] *v.* 움직이다, 지레로 들어 올리다 extract [ikstrǽkt] *v.* 뽑아내다, 추출하다

Daily Test

지문을 읽고 물음에 답하시오.

01 The word LASER stands for "Light Amplification by Stimulated Emission of Radiation." Basically, the laser is the same kind of light that shines from a lamp bulb, but there are differences. The light from a bulb is diffused or spread out over a room; the light from a laser travels in a very narrow beam. Initially, scientists found that by shining light through certain crystals or gases, they could keep the light from spreading. At the same time, the light becomes amplified, or stronger, as mirrors reflect it back and forth through the crystals or gases. In this way, the light is forced to move in one straight super beam or laser.

A variety of lasers are available to do different jobs. In industry, a laser's light energy can become heat to weld or mend metal parts and to burn away dirt from stone buildings. Lasers are also used in hospitals. The heating action of laser light beams can sterilize instruments or weld tiny blood vessels during delicate surgery. In communications, a laser beam can carry many voice messages and television signals at the same time.

● VOCABULARY ●

stand for [stænd fər] 의미하다
diffused [difjúːzd] *a.* 확산된, 널리퍼진
beam [biːm] *n.* 광선
reflect [riflékt] *v.* 비추다
weld [weld] *v.* 용접하다, 결합하다
sterilize [stérəlàiz] *v.* 살균하다, 소독하다
surgery [sə́ːrdʒəri] *n.* 수술
bulb [bʌlb] *n.* 전구
narrow [nǽrou] *a.* 좁은
amplified *a.* 증폭된
super beam [sjúːpər biːm] 초광선
dirt [dəːrt] *n.* 먼지
delicate [délәkit] *a.* 정밀한, 주의가 필요한
carry [kǽri] *v.* 나르다, 전송하다

1. What does the passage mainly discuss?

(A) Comparison of laser and light bulb
(B) Lasers used in the steel industry
(C) Scientific studies on light
(D) Lasers and their uses

2. According to the passage what is the difference between light from a laser and light from a bulb?

(A) Light from a bulb is brighter
(B) Light from a laser is more dispersed
(C) Light from a bulb is stronger
(D) Light from a laser is more fine

3. According to the passage, what did scientists use to amplify light?

(A) Mirrors
(B) Gases
(C) Metal
(D) Narrow beams

4. According to the passage, how are lasers used in hospitals?

(A) To send message signals
(B) To weld instruments
(C) To clean dirt
(D) To connect blood vessels

정답 p.251

지문을 읽고 물음에 답하시오.

02 Comets are sometimes called dirty snowballs since over half of their material is ice and dirt. Vast numbers of them live at the very edge of the solar system. When one travels close to the Sun, it grows a giant head and two tails. The head of the comet consists of a coma and a nucleus. A small, bright nucleus (less than 10 km in diameter) is visible in the middle of the coma. As comets approach the Sun, they develop enormous tails. Every comet has two tails, an ion tail and a dust tail, which extend for millions of kilometers from the head.

British astronomer Edmond Halley noticed that the records for the bright comets of 1531, 1607, and 1682 showed that all three comets had very similar orbits. He concluded that all three were actually the same comet, trapped by the gravitational pull of the outer planets. He further predicted that the comet would return in 1758-59. The comet was sighted again on Christmas night 1758 and was then named in the late astronomer's honor.

VOCABULARY

orbit [ɔ́ːrbit] *n.* 궤도
gravitational [græ̀vitéiʃənəl] *a.* 중력의
comet [kámit] *n.* 혜성
vast [væst] *a.* 엄청난
coma [kóumə] *n.* 코마 (혜성 주위의 성운 모양의 물질)
extend [iksténd] *v.* 뻗다
notice [nóutis] *v.* 주목하다
trap [træp] *v.* 덫으로 잡다, 좁은 장소에 가두다
further [fə́ːrðər] *ad.* 나아가
snowball [snóubɔ̀ːl] *n.* 눈덩이
edge [edʒ] *n.* 가장자리
ion [áiən] *n.* [화학]이온
astronomer [əstránəmər] *n.* 천문학자
late [leit] *a.* 고(故)

1. Which of the following is the main topic of the passage?

(A) Astronomer Halley's correct prediction
(B) Description and discovery of comets
(C) Notable scientific discoveries
(D) Origin of ice on distant comets

2. According to the passage, when are tails made?

(A) As comets reach the very edge of the solar system
(B) As comets orbit around similar objects
(C) As comets form a bright nucleus
(D) As comets near the Sun

3. According to the passage, where is the coma?

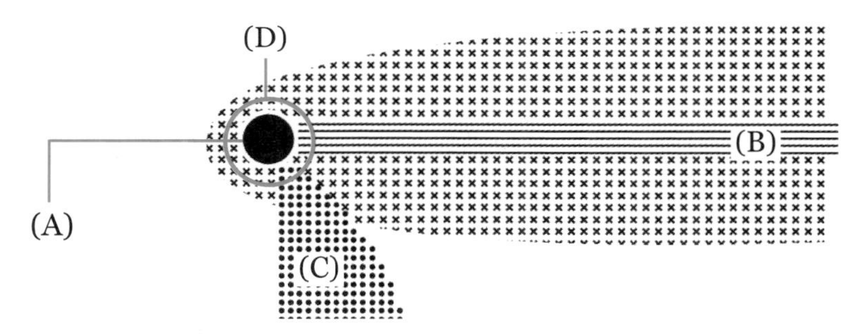

4. According to the passage, why did Halley's Comet receive its name?

(A) To celebrate Christmas night in 1758
(B) To recognize Edmond Halley's prediction
(C) To remember Edmond Halley's theory on the size of the comet
(D) To acknowledge the need for further studies in astronomy

정답 p.252

3rd Week

2~3주에서는 독해 문제 10가지 유형을 전략을 토대로 학습한다.

1st Day | 세부 사항 (2): 불일치 문제 (Negative)

2nd Day | 세부 사항 (3): 정보위치 클릭문제 (Scanning)

3rd Day | 어휘 문제 (Vocabulary)

4th Day | 지시어 문제 (Reference)

5th Day | 추론 문제 (Inference)

1st Day 세부 사항(2): 불일치 문제(Negative)

불일치 문제 살펴보기

세부사항 파악 문제 중 불일치 문제(Negative)는 앞서 배운 일치문제와 기본 접근은 동일하지만, 일치하는 것이 아닌 일치하지 않는 것을 고르는 문제이다. 크게 지문의 일부에서 언급한 특정 정보나 사실과 일치하지 않는 것을 고르는 문제와 지문 전반에 걸친 내용과의 불일치를 고르는 문제 두 가지로 나뉜다. 출제 비율은 일치문제에 비해 낮고, 일치문제와 접근 방식 자체는 동일하다. 단, NOT이나 EXCEPT에 유의한다.

질문의 형태

지문의 일부에서 언급한 특정 정보나 사실과 일치하지 않는 것을 묻는 문제

According to paragraph#, all of the following are true EXCEPT …
#단락에 따르면, 다음은 …만 제외하고 모두 진실이다.
Which of the following is NOT mentioned in the passage?
다음 중 어느 것이 지문에서 언급되지 않았는가?
All of the following are ____ EXCEPT …
다음의 모두는 …만 제외하고 ____하다.

지문 전반에 걸친 내용과의 불일치를 묻는 문제

According to the passage, all of the following are true EXCEPT …
이 지문에 따르면, 다음은 …만 제외하고 모두 진실이다.
Which of the following is NOT mentioned in the passage as …?
다음 중 어느 것이 지문에서 …로서 언급되지 않았는가?
Which of the following is the LEAST likely …?
다음 중 어느 것이 가장 …하지 않은가?

선택지의 형태

지문에 나왔던 내용들이 구나, 문장의 형태로 제시된다.

오답의 분석

선택지 중에 다음과 같은 것들이 오답이 된다.

(1) 지문에서 전혀 언급되지 않은 것
(2) 지문에서 언급된 사실과 다른 것
(3) 지문에서 언급되긴 하였으나, 문제와 관련이 없는 부분에서 언급된 것

1. **주어진 문제와 선택지에 포함된 핵심어(Keywords: 주로 이름, 날짜, 다른 명사들)들을 확인하고, 무엇을 묻고 있는지 확실하게 파악한다. 문제의 NOT과 EXCEPT를 주의깊게 본다.**
2. **문제의 내용이 지문의 어떤 부분에서 재진술(Restate)되어 있는지 찾는다. 세부사항문제는 반드시 지문에 언급된 내용을 재진술하여 문제를 만든다는 것을 명심하라!**
3. **확인한 어휘를 토대로 문제의 내용이 재진술(Restate)되어 있는 부분을 지문에서 찾는다.**
4. **특정 정보와의 불일치 문제는 문제와 선택지의 불일치를 따져나가고, 전체적인 불일치 문제는 선택지 하나하나와 지문의 불일치를 따져나간다.**

지문을 읽고 질문에 답하시오.

01 Deer live mainly in forests but may be found in habitats as diverse as deserts, tundra, swamps, and high mountainsides. They have also been sited in urban areas such as cities and parks. They have been able to survive and thrive in diverse areas due to their ability to adapt to varying conditions.

Which of the following is **NOT** mentioned as an area in which deer inhabit?

(A) Urban areas (B) Deserts (C) Jungles

문제의 deer inhabit이 지문의 어디에서 재진술(Restate)되었는지 확인한다.

02 Although the origins and development of the fresco are unclear, evidence of frescoes dates back to the Minoan civilization of Crete in the second millennium BC. Artists continued to paint frescoes throughout the Greek, Roman, and Byzantine Empires. Though few Greek frescoes have survived, many examples of Roman frescoes are found in Herculaneum and Pompeii. Early Christians from about 250 to 400 AD even decorated Roman catacombs with simple frescoes. Catacombs were places of burial, found mainly in Rome.

According to the passage, frescoes were drawn in all of the following **EXCEPT**

(A) Roman Empire (B) Islamic Empire (C) Byzantine Empire

문제의 fresco were drawn이 지문의 어디에서 재진술(Restate)되었는지 확인한다.

VOCABULARY

01 | diverse [divə́ːrs] *a.* 다양한 tundra [tʌ́ndrə] *n.* 동토대 swamp [swɑmp] *n.* 늪, 습지
mountainside [máuntənsàid] *n.* 산허리, 산중턱 site [sait] *v.* ~의 위치를 차지하다 survive [sərváiv] *v.* 살다, 생존하다
thrive [θraiv] *v.* 번성하다 due to [dju tu] ~때문에 vary [vέ(:)əri] *v.* 여러가지이다, 다르다

02 | fresco [fréskou] *n.* 프레스코 화법, 벽화 catacomb [kǽtəkòum] *n.* 지하묘지 (~s)

03

Not all snowflakes are the same on all sides. Uneven temperatures, presence of dirt, and other factors may cause a snowflake to be lopsided. Yet it is true that many snowflakes are symmetrical. This is because a snowflake's shape reflects the internal order of the water molecules. Water molecules in the solid state, such as in ice and snow, form weak bonds with one another. These ordered arrangements result in the symmetrical, hexagonal shape of the snowflake.

According to the passage, all of the following cause snowflakes to be unbalanced **EXCEPT**

(A) weak bonds (B) irregular temperatures (C) dirt

key point 문제의 to be unbalanced가 지문의 어디에서 재진술(Restate)되었는지 확인한다.

04

The layer of rock below the crust is called the mantle. This is about 2,900 km thick and contains most of the mass of the Earth. The upper part of the mantle is solid but at greater depths the heat causes the rock to behave more like a liquid. The high pressure, however, stops the rock from melting. It becomes 'plastic' at temperatures in excess of 1000°C and can flow. The plastics are mainly composed of iron (Fe), magnesium (Mg), aluminum (Al), silicon (Si), and oxygen (O) compounds.

According to the passage, plastic in the mantle is **NOT** made up of

(A) Carbon (B) Magnesium (C) Oxygen

문제의 made up of가 지문의 어디에서 재진술(Restate)되었는지 확인한다.

VOCABULARY

03 | snowflake [snóuflèik] *n.* 눈송이 uneven [ʌníːvən] *a.* 균일하지 않은 lopsided [lápsáidid] *a.* 한쪽으로 기울어진 symmetrical [simétrikəl] *a.* 대칭적인 internal [intə́ːrnəl] *a.* 내부의 molecule [máləkjùːl] *n.* 분자 bond [band] *n.* 결합 intricate [íntrəkit] *a.* 얽힌, 복잡한 hexagonal [heksǽgənəl] *a.* 육각형의

04 | crust [krʌst] *n.* 지각 mantle [mǽntəl] *n.* 맨틀 contain [kəntéin] *v.* 포함하다 mass [mæs] *n.* 부피 excess [iksés] *n.* 초과 iron [áiərn] *n.* 철 magnesium [mægníːziəm] *n.* 마그네슘 aluminum [əljúːmənəm] *n.* 알루미늄 silicon [síləkən] *n.* 규소 oxygen [áksidʒən] *n.* 산소 compound [kámpaund] *n.* 화합물

05

From 1789 to 1850 the United States established itself as one of the great democracies in the world. Its population increased from less than 4 million to more than 23 million. At the same time it more than tripled its area to include almost 3 million square miles. The growing strength of the nation was shown by the addition of 18 states.

According to the passage, which of the following did **NOT** occur in the United States during the period of 1789 to 1850?

(A) The population increased.
(B) Area was divided into three parts.
(C) The U.S. grew in power.

key point 지문에서 언급된 triple의 의미를 잘 새긴다.

06

When two people engage in a conversation, they tend to keep a specific distance from one another. This personal distance is not due to body odor or disrespect, but rather to the constraints of an invisible boundary. Everyone constructs this boundary to express the amount of intimacy that determines his/her relationship to the other individual. Interestingly, the average personal distance varies from culture to culture. North Americans tend to require more personal space than people in other cultures.

Which of the following is **NOT** true of personal distance?

(A) It stems from a lack of respect for another individual.
(B) It differs from culture to culture.
(C) It is usually wider in North America than in other countries.

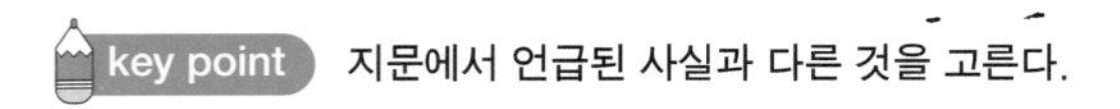

key point 지문에서 언급된 사실과 다른 것을 고른다.

VOCABULARY

05 | establish [istǽbliʃ] *v.* 확립하다 democracy [dimákrəsi] *n.* 민주주의 국가 triple [trípl] *v.* 3배로 되다
square [skwɛər] *n.* 평방, 정사각형 strength [streŋkθ] *n.* 힘, 능력, 위력 addition [ədíʃən] *n.* 추가

06 | conversation [kɑ̀nvərséiʃən] *n.* 대화 tend to [tend tu] ~하는 경향이 있다 distance [dístəns] *n.* 거리
personal [pə́rsənəl] *a.* 개인적인 odor [óudər] *n.* 냄새 disrespect [dìsrispékt] *n.* 경멸 rather [rǽðər] *ad.* 오히려, 도리어
constraint [kənstréint] *n.* 제약 invisible [invízəbl] *a.* 보이지 않는 boundary [báundəri] *n.* 경계
express [iksprés] *v.* 표현하다 intimacy [íntəməsi] *n.* 친밀도 relationship [riléiʃənʃìp] *n.* 관계
require [rikwáiər] *v.* 요구하다 stem from [stem frəm] ~에서 연유하다 lack [læk] *n.* 부족

07

William Wordsworth is best known as the poet of nature. He was born on April 7, 1770, in Cockermouth, England. Wordsworth's life was peaceful and uneventful. However, during his second visit to France he became interested in the French Revolution, so he decided to join the fighters for freedom. But his family disapproved and stopped sending him money. The lack of funds brought him back to England late in 1792, and then he decided to devote his life to poetry.

According to the passage, all of the following are true about Wordsworth **EXCEPT** that

(A) he became interested in the French Revolution
(B) he eventually determined to devote his life to poetry
(C) he was born in France

key point 지문에서 언급된 사실과 다른 것을 고른다.

08

While antibiotics inhibit the growth of or destroy certain microorganisms, they also cause toxic side effects. Some, like penicillin, are highly allergenic and can cause skin rashes and shock. Others, such as tetracyclines, cause major changes in the intestinal bacterial population and can result in superinfection by fungi and other microorganisms. Chloramphenicol, which is now restricted in use, produces severe blood diseases, and use of streptomycin can result in ear and kidney damage.

According to the passage, all of the following are side effects of antibiotics **EXCEPT**

(A) kidney damage
(B) skin rashes
(C) headaches

지문에서 전혀 언급되지 않은 것을 고른다.

정답 p.253

VOCABULARY

07 | uneventful [ʌnivéntfəl] *a.* 단조로운 visit [vízit] *n.* 방문 *v.* 방문하다 fighter [fáitər] *n.* 투쟁자
disapprove [dìsəprúːv] *v.* 찬성하지 않다 send [send] *v.* 보내다 fund [fʌnd] *n.* 자금

08 | antibiotic [æ̀ntaibaiátik] *n.* 항생제 inhibit [inhíbit] *v.* 억제하다 microorganism [màikrouɔ́ːrgənìzəm] *n.* 미생물
toxic [táksik] *a.* 유독한 side effect [said ifékt] 부작용 penicillin [pènisílin] *n.* 페니실린
allergenic [æ̀lərdʒénik] *a.* 알레르기를 일으키는 skin rash [skin ræʃ] 피부 발진
tetracycline [tètrəsáiklain] *n.* 테트라시클린(항생제) superinfection [sjúːpərinfékʃən] *n.* 중복 감염
fungus [fʌ́ŋgəs] *n.* 진균류, 효모균 (pl. fungi) streptomycin [strèptoumáisin] *n.* 스트렙토 마이신(항생제) kidney [kídni] *n.* 신장

지문을 읽고 물음에 답하시오.

01 Pop Art movement was marked by a fascination with popular culture reflecting the affluence in post-war society. It was most prominent in American art but soon spread to Britain. In celebrating everyday objects such as soup cans, washing powder, comic strips, and soda pop bottles, the movement turned the commonplace into icons. It is a direct descendant of Dadaism in the way it mocks the established art world by appropriating images from the street, the supermarket, and the mass media. Futhermore, by embracing commercial techniques, the Pop artists were setting themselves apart from the Abstract Expressionist movement that immediately preceded them.

The leading artists in Pop Art were Roy Lichtenstein, Roy Hamilton, Jasper Johns, Robert Rauschenberg, and Claes Oldenburg. It was Andy Warhol, however, who really brought Pop Art to the public eye. His screen prints of Coke bottles, Campbell's soup tins, and film stars are part of the iconography of the 20th century.

VOCABULARY

movement [múːvmənt] *n.* 운동, 사조
be marked by [bi mɑːrkt bai] ~로 나타나다
fascination [fæ̀sənéiʃən] *n.* 매혹
affluence [ǽfluəns] *n.* 풍족함
post-war [póustwɔ́ːr] *a.* 전후의
prominent [prɑ́mənənt] *a.* 두드러진
celebrate [séləbrèit] *v.* 찬양하다
washing powder [wɑ́ʃiŋ páudər] 분말세제
comic strip [kɑ́mik strip] 연재만화
commonplace [kɑ́mənplèis] *n.* 평범한 것
icon [áikɑn] *n.* 아이콘
direct [dirékt] *a.* 직접적인
descendant [diséndənt] *n.* 계승자
mock [mɑk] *v.* 조롱하다
appropriate [əpróupriit] *v.* 전유하다, 사용하다
mass media [mæs míːdiə] 대중매체
tin [tin] *n.* 깡통, 주석
screen print [skriːn print] 스크린 프린트
film [film] *n.* 영화
iconography [àikənɑ́grəfi] *n.* 도상학

1. The passage is primarily concerned with

(A) famous people that contributed to Pop Art
(B) art used in mass media
(C) American art in the 20th century
(D) the characteristics and artists of an art movement

2. Pop Art featured all of the following objects EXCEPT

(A) Soup cans
(B) Soda pop bottles
(C) Rifles
(D) Comic strips

3. According to the passage all of the following are true of Pop Art EXCEPT that

(A) it originated from Dadaism
(B) its charateristic celebrated everyday objects
(C) it was popular only in America
(D) it exhibited the wealth of society after the war

정답 p.255

 지문을 읽고 물음에 답하시오.

02 Artificial reefs are often added to aquatic environments to increase fish population, to protect existing habitat, and to enhance angling opportunities. The common justification for such artificial reefs is that they improve fish production by enhancing recruitment of young fish to the fishery. In spite of this, extensive research in marine environments has yet to determine if artificial reefs merely attract fish or actually result in increased production.

During November 1999, an artificial reef was built into Lake Michigan just south of Chicago to improve smallmouth bass fishing in the area. Researchers are currently investigating the effectiveness of this artificial reef to attract and/or produce smallmouth bass. The difference between attracting and producing fish is a critical one. For instance, if the artificial reef attracts but does not produce additional smallmouth bass, their population will eventually decrease. Conversely, if the artificial reef produces additional smallmouth bass, the added production can offset angler harvest and may provide a more stable population of smallmouth bass.

VOCABULARY

artificial reef [ὰːrtəfíʃəl riːf] 인공 암초
recruitment [rikrúːtmənt] *n.* 모집
offset [ɔ̀(ː)fsét] *v.* 상쇄시키다
aquatic [əkwǽtik] *a.* 수중의
marine [məríːn] *a.* 바다의
angling [ǽŋgliŋ] *n.* 낚시질
fishery [fíʃəri] *n.* 어장
angler harvest [ǽŋglər háːrvist] 어획량
justification [dʒʌ̀stəfəkéiʃən] *n.* 정당화, 변명사유
critical [krítikəl] *a.* 중요한

1. What is the main topic of this passage?

(A) Artificial reef project in Lake Michigan
(B) The roles of artificial reefs
(C) Ways to increase fish population
(D) Artificial reefs for producing some fish

2. Which of the following is **NOT** a motive for adding artificial reefs?

(A) To increase fish supply
(B) To safeguard current environment
(C) To improve research methods of studying fish
(D) To strengthen angling opportunities

3. According to the passage, all of the following are true of artificial reefs **EXCEPT**

(A) Artificial reefs are added to the environment to enhance fish production.
(B) The effectiveness of artificial reefs is still being debated.
(C) Artificial reefs produce additional smallmouth bass.
(D) Population will finally decrease if artificial reefs only attract fish.

정답 p.255

세부 사항 (3): 정보 위치 클릭 문제 (Scanning)

정보 위치 클릭 문제 살펴보기

세부 사항 파악 문제 중 특정한 정보의 위치를 찾는 문제는, 지문에 있어서 해당 정보가 어디에 있는가를 확인하는 문제이다. 정보 위치 클릭 문제 역시 앞의 두 세부사항 파악 문제처럼 단락에서 특정 부분(문장)에 있는 정보의 위치를 클릭하는 문제와 지문에서 특정 부분(단락)에 있는 정보의 위치를 클릭하는 문제 두 가지로 나뉜다. 후자의 경우, 전체 지문을 크게 4-5 덩어리로 나누어 해당 정보가 위치한 곳을 찾는 문제이므로 전체 지문을 훑어 보는 눈(Scanning)을 가져야 한다.

질문의 형태

단락에서 특정 부분(문장)에 있는 정보의 위치를 클릭하는 문제

Click on the sentence(s) in paragraph# that explains …
tells …
mentions …
describes …
indicates …

Paragraph # is marked with an arrow [➡].
#문단에서 …을 설명/말/언급/묘사/지시하는 문장을 클릭하시오.
#문단은 화살표[➡]로 표시되어 있음

지문에서 특정 부분(단락)에 있는 정보의 위치를 클릭하는 문제

Click on the paragraph in the passage explains …
tells …
mentions …
describes …
indicates

…을 설명/말/언급/묘사/지시하는 단락을 클릭하시오.
Scroll the passage to see all of the paragraphs.
모든 단락을 보기위해 마우스로 지문을 스크롤 하시오.

선택지의 형태

지문을 찾아 선택하는 형태이므로 따로 선택지를 주지는 않는다.
다만 원하고 있는 정보라고 생각되는 부분(답)을 지문에서 클릭하면 검게 음영처리 된다.

오답의 분석

다른 클릭형의 문제와 마찬가지로 다른 부분이 왜 답이 되지 않는가를 생각하기 보다, 정답이라고 생각하는 부분이 왜 정답인가를 한번 더 생각하는 것이 중요하다.

1. 주어진 문제와 선택지에 포함된 핵심어(Keywords: 주로 이름, 날짜, 다른 명사들)들을 확인하고, 무엇을 묻고 있는지 확실하게 파악한다.
2. 문제의 내용이 지문의 어떤 부분에서 재진술(Restate)되어 있는지 찾는다.
   세부사항문제는 반드시 지문에 언급된 내용을 재진술하여 문제를 만든다는 것을 명심하라!
3. 확인한 어휘를 토대로 문제의 내용이 재진술(Restate)되어 있는 부분을 지문에서 찾는다.
4. 그 해당 문장과 필요하면 그 문장의 앞뒷 문장을 아주 세심하게 읽고, 문제에 답이 되는지 다시 한번 확인하여 답으로 클릭한다.

질문에서 묻는 부분에 밑줄을 그으시오.

01 In October 1920, people began to panic and sell their shares rapidly. On a single day, almost 13 million shares were sold on the New York Stock Exchange. This started the crisis known as the Wall Street Crash. It soon affected the whole world. Many people lost all their money, banks and businesses closed, and unemployment began to rise. The situation was made worse by a drought in the Great Plains.

Underline the sentence that indicates the effects of the Wall Street Crash.

key point 질문에 해당하는 부분을 찾아가자. Wall Street Crash가 언급된 곳을 중심으로 읽는다.

02 Salmon breed in fresh waters and spend their adult life in the sea. When the adults reach a certain age, they migrate back towards the rivers where they were spawned and begin to swim upstream. Spawning occurs in fast-flowing, oxygen-rich water where the bottom consists of small stones and gravel. Once they have bred, it is usual for the adult salmon to die.

Underline the sentence that explains the conditions in which salmon lay eggs.

key point 질문에 해당하는 부분을 찾아가자. spawning이 언급된 곳을 중심으로 읽는다.

03 At a certain time each day or each year, a chicken lays an egg, people feel sleepy, and a tree loses its leaves. All of these things, and many more, happen in a certain way. They take place because of something called an 'internal clock.' The word 'internal' means 'inside of,' and the internal clock is inside a certain part of every plant and animal. The internal clock receives a signal or message from the world around it. Some of these signals include light, heat, dark, and cold.

Underline the sentence that states the definition of an internal clock.

key point 질문에 해당하는 부분을 찾아가자. internal clock이 언급된 곳을 중심으로 읽는다.

04 Bat wings are made of greatly lengthened hand and arm bones covered by a wide membrane or skin. The skin is attached to the lower leg near the ankle so that the wing is length of the body. Using powerful muscles, the bat doesn't just flap its wings up and down like a bird, but rather swims through the air reaching forward in an action much like a breast stroke of up to 20 beats a second. It can also glide on air currents much like a gull or hawk.

Underline the sentence that describes the distinction in the way bats and birds fly.

key point 질문에 해당하는 부분을 찾아가자. bat과 bird가 언급된 곳을 중심으로 읽는다.

05 The first railroads to build tracks from the Missouri and Mississippi Rivers to the Pacific Ocean were the Central Pacific and Union Pacific. The Central Pacific built tracks from Sacramento to over the Sierra Nevada Mountains. They had a difficult time building bridges and digging tunnels. Meanwhile, the Union Pacific began building westward out of Omaha, Nebraska. Construction was faster across the plains, but they had to fight Indians along the way. These Central Pacific and Union Pacific Railroads met and joined together at Promontory, Utah, in May 1869.

Underline the sentence that describes the problems in building the Union Pacific tracks.

질문에 해당하는 부분을 찾아가자. Union Pacific의 건설이 언급된 곳을 중심으로 읽는다.

정답 p.257

VOCABULARY

01 | panic [pǽnik] *v.* 당황하다 share [ʃεər] *n.* 주식 rapidly [rǽpidli] *ad.* 급속히, 신속히
stock exchange [stak ikstʃéindʒ] 증권 거래소 crisis [kráisis] *n.* 위기 affect [əfékt] *v.* 영향을 미치다

02 | breed [bri:d] *v.* 번식하다 adult life [ədʌ́lt laif] 성숙기 spawn [spɔ:n] *v.* 낳다, 산란하다

03 | lay [lei] *v.* (알을) 낳다 internal clock [intə́:rnəl klak] 내부시계
mean [mi:n] *v.* 의미하다 receive [risí:v] *v.* 받다 signal [sígnəl] *n.* 신호

04 | be made of [bi meid əv] ~(특정한 물질)로 이루어져 있다 lengthen [léŋkθən] *v.* 연장하다
membrane [mémbrein] *n.* 막 ankle [ǽŋkl] *n.* 발목 flap [flæp] *v.* 퍼덕거리다
air current [εər kə́:rənt] 기류 gull [gʌl] *n.* 갈매기 hawk [hɔ:k] *n.* 매

05 | track [træk] *n.* 철로 over [óuvər] *prep.* ~을 넘어

 질문에서 말하는 부분에 해당하는 곳을 (A)~(C)중에 선택하시오.

06

(A) Hydroelectric power is produced as water passes through a dam. The more water that passes through a dam, the more energy is produced.
(B) Hydroelectric Electricity is produced by a device called a turbine. Turbines contain metal coils surrounded by magnets. When the magnets spin over the metal coils, electricity is produced. These turbines are located inside dams, and the falling water spins the magnets.
(C) Dams provide clean, pollution free energy, but they can also harm the environment. Species that use rivers to spawn are often hurt by dams. In the Northwest, sockeye salmon and trout populations have dropped from 16 million to 2.5 million since hydroelectric plants were built on the Columbia River.

Choose the letter in the passage that describes some of the adverse effects of dams.

질문에 해당하는 부분을 찾아가자. 댐의 악영향에 관한 언급을 한 곳을 찾는다.

07

(A) The night sky is filled with a strange rainbow of color. Huge ribbons of color flick across the sky and then disappear. Sometimes radios stop working, and electricity goes off in some places. These strange happenings usually occur near the earth's Polar Regions.
(B) Scientists believe that they are caused by solar storms. During a solar storm, the sun blasts superstrong energy to Earth. This extra-strong energy is given off when the nuclei of two atoms fuse, or come together, to form a new material that has a single, heavier nucleus.
(C) This process is called fusion. Fusion requires a very high temperature and produces a great amount of energy.

Choose the letter in the passage that offers a description of the solar storm phenomenon.

질문에 해당하는 부분을 찾아가자. solar storm이 일어날 때 나타나는 현상들을 묘사한 곳을 찾는다.

08

(A) Each year a tree wraps a new layer of wood around itself. So when a tree trunk or branch is cut, there are layers of wood that look like rings. Looking at a fallen tree, it is also possible to see the growth rings. By counting tree rings people can tell how old a tree is.
(B) Although a tree makes a new ring every year, not every ring is the same. In wet and warm years, trees grow well, whereas in cold and dry years, they hardly grow at all. A thin annual ring therefore indicates a cold year and a thick ring suggests a warm year.
(C) Since the summers and winters of consecutive years are never completely the same, the rings of trees show an irregular pattern. For example, thick and thin rings alternate without any particular pattern.

Choose the letter in the passage that explains how climate affects the thickness of tree rings.

질문에 해당하는 부분을 찾아가자. 기후와 나무의 나이테 두께의 관계에 대한 설명이 나온 곳을 찾는다.

정답 p.258

VOCABULARY

06 | hydroelectric power [hàidrouiléktrik páuər] 수력 dam [dæm] n. 댐 device [diváis] n. 장치
metal [métəl] a. 금속의 coil [kɔil] n. 코일 surround [səráund] v. 둘러싸다 magnet [mǽgnit] n. 자석
spin [spin] v. 회전하다 harm [hɑːrm] v. 해치다 trout [traut] n. 송어 adverse effect [ædvə́ːrs ifékt] 역효과

07 | be filled with [bi fild wið] ~로 가득차다 huge [hjuːdʒ] a. 거대한 flick [flik] v. 휙 지나가다 then [ðen] ad. 그 후에
disappear [dìsəpíər] v. 사라지다 go off [gou ɔːf] (전기가) 나가다 happening [hǽpəniŋ] n. 일, 사건
Polar Regions [póulər ríːdʒəns] 극지방 solar storm [sóulər stɔːrm] 태양 폭풍 blast [blæst] v. 폭발하다, (큰소리를)내다
give off [giv ɔːf] 발산하다 nucleus [njúːkliəs] n. 핵 (pl. nuclei) heavy [hévi] a. 무거운 fusion [fjúːʒən] n. 융합
amount [əmáunt] n. 양 phenomenon [finámənàn] n. 현상

08 | wrap [ræp] v. 싸다 trunk [trʌŋk] n. 줄기 branch [bræntʃ] n. 가지 hardly [háːrdli] ad. 거의 ~ 않다
indicate [índəkèit] v. 나타내다 consecutive [kənsékjətiv] a. 계속되는
irregular [irégjələr] a. 불규칙의 pattern [pǽtərn] n. 패턴 alternate [ɔ́ːltərnit] v. 번갈아 일어나다

 지문을 읽고 물음에 답하시오.

01 ➡ The most visible thing about an egg in birds is the shell because of its color. This is white in some birds and colored in others. Birds with white eggs tend to be either those who lay their eggs in dark and enclosed spaces such as owls and kingfishers or primitive birds such as pelicans and cormorants. Birds that lay their eggs in more open and visible places have more colored eggs. The coloration helps make the egg hard to see against the background, thus protecting the egg against predators. In some species which nest on the ground, this coloration is excellent.

Eggs get their color in the uterine region of the genital tract. The colors are derived from pigments obtained from broken down products of blood. The colors are added in patches as the egg moves through the bird's body. The pattern of the colors is controlled by the speed of the egg as it passes through the uterus and the degree of turning it undergoes while passing through.

● VOCABULARY ●

enclose [inklóuz] *v.* 에워싸다
kingfisher [kíŋfìʃər] *n.* 물총새
pelican [péləkən] *n.* 펠리컨
coloration [kʌ̀ləréiʃən] *n.* 착색
predator [prédətər] *n.* 포식동물
region [ríːdʒən] *n.* 부위
derive [diráiv] *v.* 추출하다
in patches [in pætʃis] 부분적으로, 군데군데
owl [aul] *n.* 올빼미
primitive [prímitiv] *a.* 원시적인
cormorant [kɔ́ːrmərənt] *n.* 가마우지
background [bǽkgràund] *n.* 배경
uterine [júːtərin] *a.* 자궁의
genital tract [dʒénitəl trækt] 생식계
pigment [pígmənt] *n.* 색소
uterus [júːtərəs] *n.* 자궁

1. What is the main topic of the passage?

(A) Process of egg formation
(B) Types of birds' egg color
(C) Benefits of egg coloration
(D) Egg coloration in birds

2. Click on the sentence in paragraph 1 that explains the benefits of egg coloration.

Paragraph 1 is marked with an arrow [➡].

3. Click on the sentences in the passage that describes the source of the egg's color.

정답 p.259

 지문을 읽고 물음에 답하시오.

02 ⇨ Blaise Pascal's father was an overworked and harassed tax commissioner in Rouen, France, so the young Pascal devised a mechanical calculator to help him with his work. Pascal started on the project in 1642 at the age of 19. Three years later he had a working machine, the Pascaline. The Pascaline was quite limited; it had some difficulty with addition, and subtraction was tedious because the gears on the device only rotated in one direction. Multiplication and division were beyond its capabilities.

➡ Later in 1820 Charles Xavier Thomas of Paris, France invented the first calculating machine, the Arithmometer. The device utilized stepped drum gears for calculation and was capable of performing the four operations in a simple and reliable way. Because of its unidirectional drum, division and subtraction required setting a lever. The success of the machine was due to the many springs that neutralized the momentum of moving parts, which was the cause of failure in earlier machines. Machines of this design continued to be sold for about 90 years.

VOCABULARY

- overwork [òuvərwə́ːrk] *v.* 과로하다
- tax commissioner [tæks kəmíʃənər] 국세청장
- subtraction [səbtrǽkʃən] *n.* 뺄셈
- devise [diváiz] *v.* 고안하다
- division [divíʒən] *n.* 나눗셈
- arithmometer [æ̀riθmámitər] *n.* 계산기
- drum gear [drʌm giər] 드럼 기어
- perform [pərfɔ́ːrm] *v.* 수행하다
- unidirectional [jùːnidirékʃənəl] *a.* 단일방향의
- neutralize [njúːtrəlàiz] *v.* 중립시키다, 상쇄시키다
- harassed [hǽrəsd] *a.* 몹시 지친
- addition [ədíʃən] *n.* 덧셈
- gear [giər] *n.* 기어
- multiplication [mʌ̀ltəpləkéiʃən] *n.* 곱셈
- capability [kèipəbíləti] *n.* 능력
- stepped [stept] *a.* 층층으로 나누어진
- be capable of [bi kéipəbl əv] ~할 수 있는
- reliable [riláiəbl] *a.* 신뢰할 만한
- lever [lévər] *n.* 레버
- momentum [mouméntəm] *n.* 힘, 운동량

1. What is the main topic of the passage?

(A) Innovative people of the 19th century
(B) Development of mechanical calculators
(C) The advantages of the Arithmometer
(D) Design of mechanical calculators

2. Click on the sentences in paragraph 1 that explains the restrictions of the Pascaline.

Paragraph 1 is marked with an arrow [⇨].

3. Click on the sentence in paragraph 2 that indicates how the Arithmometer overcame the problem faced by previous devices.

Paragraph 2 is marked with an arrow [➡].

4. Click on the sentence in the passage that explains the reason why Pascal decided to make a calculating machine.

정답 p.259

3rd Day 어휘 문제 (Vocabulary)

어휘 문제 살펴보기

어휘문제는 각종 영어 독해 시험에서 높은 출제율을 가진다. 어휘문제를 풀기 위해서 뿐 아니라, 올바른 독해를 위해서 독해 중 모르는 단어들을 보게 되더라도 문맥 속에서 단어의 뜻을 유추하는 스킬을 알아둘 필요가 있다.

어휘(Vocabulary) 문제는 주로 지문에 나온 단어나 구의 동의어(synonym)나 반의어(antonym)를 묻는데 대부분 동의어를 묻는다. 출제 형태는 사지선다형과 지문클릭형으로 나뉘는데 사지선다형이 비율적으로 훨씬 더 많이 출제된다. 결국 어휘 문제의 70%는 **동의어 선택 문제**라고 보면 된다. 최근에는 지문에 나온 단어 중 4개에 음영 처리한 후, 단어의 정의가 되어있는 단어(혹은 되어있지 않은 단어)를 고르는 문제도 출제되는데, 이는 콤마(,)를 이용한 단어의 동격설명만 파악하면 쉽게 풀 수 있는 보너스 문제이다.

질문의 형태

사지선다형

동의어 The word/phrase ______ in the passage is closest in meaning to …
지문의 ______와 유사한 것은 …이다

반의어 The word/phrase ______ in the passage is OPPOSITE in meaning to …
지문의 ______와 반대인 것은 …이다

지문클릭형

동의어 Look at the word/phrase ______ in the passage. Click on the word/phrase ______ in the **BOLD** text that has the same meaning.
지문의 ______를 보아라. 볼드체로 된 부분에서 그 단어와 같은 의미를 가진 ______를 클릭해라

반의어 Look at the word/phrase ______ in the passage. Click on the word/phrase ______ in the **BOLD** text that has the OPPOSITE meaning.
지문의 ______를 보아라. 볼드체로 된 부분에서 그 단어와 의미가 반대되는 ______를 클릭해라.

* 지문에 나온 어휘들의 정의여부를 묻는 문제

Look at the terms ______, ______, ______, and ______ in the passage, Which of these terms is (NOT) defined in the passage?
지문의 ______, ______, ______, 그리고 ______를 보아라 . 이 중에 어떤 단어가 정의되어 있는가(있지 않은가)?

선택지의 형태

사지 선다형의 경우 대개 선택지에 단어를 나열하나, 간혹 숙어나 단어의 뜻을 풀이해 놓은 구(phrase)가 등장하기도 한다. 클릭형의 경우 답이 들어있는 범위를 볼드체(진한 글씨)로 해두어서 클릭하도록 한다.

오답의 분석

선택지 중 다음과 같은 것들은 오답이 된다.

(1) 주어진 단어와는 전혀 다른 뜻이지만 해당 문맥 속에서 무난히 해석이 되는 단어

(2) 주어진 단어의 반의어 (반의어 문제일 경우에는 동의어)

* 어휘정의여부 문제에서 정의 되어있는 단어를 고를 시에는 콤마(,)를 이용한 동격설명이 없는 것이 오답이고, 정의 되지 않은 단어는 그 반대이다.

1. **기본적으로 어휘는 '다다익선'이므로 가능한 많은 어휘를 외워둔다.**
2. **문맥속에 들어있는 단서들을 십분 활용한다. 항상 단서가 있는 것은 아니지만, 많은 경우 문맥속에 이미 단어의 뜻을 짐작할 수 있도록 하는 아래와 같은 단서들이 있다.**

단서1	동격어	콤마, and, or를 이용해 앞 단어에 대한 동격설명(정의나 부연 설명)
단서2	관계절	앞에 나온 명사 (선행사)를 수식하는 관계절로 선행사의 의미 설명
단서3	문장구조	대조/인과관계에 있는 구문들 내에는 대조/인과 의미를 가진 단어들을 제시
단서4	예시	단어 뒤에 예들을 통해 단어의 의미를 부연
단서5	구두점	대쉬(–), 콜론(:), 세미콜론(;) 등을 통해 단어의 의미를 되새겨줌
단서6	지시대명사	this(these)와 같은 지시대명사가 다시 한번 단어의 의미를 되새겨줌

3. **동의어, 반의어 클릭형 문제는 대부분 문장 구조에서 답을 찾을 수 있는 경우가 많다. 위 6개 단서중 특히 '단서3: 문장구조'의 경우에 해당한다.**

음영된 부분과 동의어를 고르시오.

01 | The landscape appears **arid** and barren, without any surface water.

(A) dry (B) wet (C) empty

key point and와 콤마(,) 단서를 활용하여 단어의 의미를 유추한다.

02 | Insects are **crucial** to the survival of life on earth. Without them many plants would die, because they would have no alternative means to transport their seeds.

(A) suitable (B) vital (C) original

key point without이하의 인과관계를 가지는 문맥을 통해 단어의 의미를 유추한다.

03 | Hibernation is an adaptation to the cold of winter, when an animal enters a **dormant** state. In this sleeplike condition, the animal's body temperature, heart beat rate and energy requirements are reduced.

(A) dead (B) lazy (C) inactive

key point 지시대명사 this 단서를 활용하여 단어의 의미를 유추한다.

04 | Plants that have adapted by altering their physical structure are called xerophytes. Xerophytes, such as cacti, usually have special means of storing and **conserving** water. They often have few or no leaves, which reduce transpiration.

(A) saving (B) deserving (C) flowing

key point and 단서를 활용하여 단어의 의미를 유추한다.

VOCABULARY

01 | landscape [lǽndskèip] *n.* 경치 arid [ǽrid] *a.* 메마른 surface water [sə́:rfis wɔ́:tər] 지표수

02 | alternative [ɔ:ltə́:rnətiv] *a.* 대체의 means [mi:nz] *n.* 수단 transport [trænspɔ́:rt] *v.* 운반하다 seed [si:d] *n.* 씨

03 | hibernation [hàibərnéiʃən] *n.* 동면 adaptation [æ̀dəptéiʃən] *n.* 적응 requirement [rikwáiərmənt] *n.* 필요물, 필요

04 | alter [ɔ́:ltər] *v.* 바꾸다 physical [fízikəl] *a.* 물리적 xerophyte [zí(:)ərəfàit] *n.* 건생식물

05 Early humans found that the regular movements of the sun, the earth, the moon, and the stars made good ways to measure time. The rising and setting of the sun were used to distinguish day from night. But eventually people needed to tell time more accurately or exactly.

(A) frankly (B) cautiously (C) precisely

key point or 단서를 활용하여 단어의 의미를 유추한다.

06 Animals that live in the desert have many ways to adapt. Some animals never drink, but get their water from seeds and plants. Others are nocturnal, sleeping during the hot day and only coming out at night to eat and hunt.

(A) active at night (B) always moist (C) grass-eating

key point 콤마(,) 단서를 활용하여 단어의 의미를 유추한다.

07 By the middle of the 11th century, the military court began to lose power as the authority of the emperors diminished. But even after political power passed to the new masters of society, the court retained some of its rights.

(A) intensified (B) lessened (C) governed

key point But 이후의 문맥을 통해 단어의 의미를 유추한다.

08 Glaciers form in high mountain areas, where more snow falls during the winter than melts, or evaporates in the summer. The snow builds up in layers until the increasing weight causes the snow flakes to be forced together, or compressed.

(A) stretched (B) melted (C) compacted

key point 콤마(,)와 or 단서를 활용하여 단어의 의미를 유추한다.

정답 p.260

● VOCABULARY

05 | regular [régjələr] a. 규칙적인 measure [méʒər] v. 측정하다 distinguish [distíŋgwiʃ] v. 구분하다
06 | hunt [hʌnt] v. 사냥하다
07 | court [kɔːrt] n. 법정 authority [əθɔ́ːrəti] n. 권한 emperor [émpərər] n. 황제 master [mǽstər] n. 주인
08 | glacier [gléiʃər] n. 빙하 evaporate [ivǽpərèit] v. 증발하다

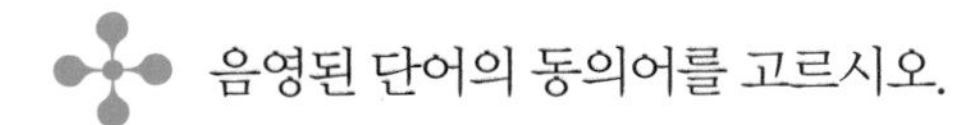

음영된 단어의 동의어를 고르시오.

09 The troops ordered the arrest of the Sioux's chief, Sitting Bull. The soldiers surrounded the camp and commanded the warriors to give up. Women and children became frightened when soldiers searched the tepees for guns.

key point 음영된 단어의 주어와 같은 의미를 가진 것을 살펴 동사를 비교한다.

10 Many museums, libraries, and archives have described and displayed the works of the New Deal arts project. The paintings, books, posters, and music transcriptions exhibited are more than artifacts and documents of an emergency work program.

key point 음영된 단어의 주체와 같은 주체가 무엇인지 살펴 동사를 비교한다.

11 As the 1800s drew to a close, American Indians were losing the struggle for the West. Their longing for the return of their lands and old ways of life increased. They expressed such desire in a practice started by a Paiute Indian named Wovoka. He told Indians to dance a sacred dance, called the Ghost Dance.

key point such+명사는 한번 나온 명사를 반복해서 받는다.

정답 p.261

음영된 단어의 반의어를 문장 내에서 찾아 쓰시오.

12 The older staff tended to be conservative in their ideas, but the newly hired staff were more innovative and creative.

key point but 연결어를 이용한 대조 구조를 통해 확인한다.

13 In the mid-1960s, some young blacks began to question Martin Luther King's tactic of a passive resistance. So more and more young blacks pursued a "black power" strategy, which meant an active revolution against whites.

key point So 연결어를 이용한 인과 구조를 통해 확인한다.

14 Before the famous Egyptian feminist Hoda Shaarawi deliberately removed her veil in 1922, it was worn in public by all respectable middle-class and upper-class women. By 1935, however, veils were optional in Egypt. On the other hand, they have remained obligatory in the Arabian Peninsula to this day.

key point On the other hand 연결어를 이용한 대조 구조를 통해 확인한다.

정답 p.261

음영된 단어의 반의어를 고르시오.

15 The United States had been providing food, supplies, and money credits into war-torn Europe in order to **prevent** a collapse.

(A) permit (B) waste (C) defend

key point in order to의 전후 관계를 살펴 파악한다.

16 Skin disease is **seldom** contagious in adults, sometimes contagious in children, and very contagious in newborn infants.

(A) frequently (B) rarely (C) occasionally

key point 문장의 구조가 정도(degree)를 보여주고 있음을 확인한다.

17 Car sales are likely to **shrink** by 10 to 20 percent this year because of the continued economic slump.

(A) grow (B) contract (C) decrease

key point because of를 이용한 인과 구조를 통해 확인한다.

정답 p.261

VOCABULARY

09 | troop [tru:p] *n.* 군대 order [ɔ́:rdər] *v.* 명령하다 arrest [ərést] *v.* 체포하다 chief [tʃi:f] *n.* 추장
warrior [wɔ́(:)riər] *n.* 전사 frighten [fráitən] *v.* 놀라게 하다 tepee [tí:pi:] *n.* (인디언) 천막집

10 | museum [mju(:)zí(:)əm] *n.* 박물관 library [láibrèri] *n.* 도서관 archive [á:rkaiv] *n.* 기록 보관소 (~s)
describe [diskráib] *v.* 묘사하다, 기술하다 transcription [trænskrípʃən] *n.* 필사본 exhibit [igzíbit] *v.* 전시하다
artifact [á:rtəfæ̀kt] *n.* 예술품, 문화유물 document *n.* 기록 emergency [imə́:rdʒənsi] *a.* 긴급의

11 | struggle [strʌ́gl] *n.* 투쟁 desire [dizáiər] *n.* 열망 practice [prǽktis] *n.* 관습 sacred [séikrid] *a.* 신성한

12 | staff [stæf] *n.* 직원 hire [haiər] *v.* 고용하다 daring [dɛ́(:)əriŋ] *a.* 혁신적인, 참신한 innovative [ínəvèitiv] *a.* 혁신적인

13 | mid [mid] *a.* 중반의 black [blæk] *n.* 흑인 tactic [tǽktik] *n.* 전략 (=tactics) resistance [rizístəns] *n.* 저항
pursue [pərsjú:] *v.* 추구하다 strategy [strǽtidʒi] *n.* 전략 mean [mi:n] *v.* 의미하다 white [hwait] *n.* 백인

14 | feminist [fémənist] *n.* 페미니스트 deliberately [dilíbəritli] *ad.* 고의로, 일부러 remove [rimú:v] *v.* 제거하다
veil [veil] *n.* 베일 respectable [rispéktəbl] *a.* 상당한, 많은 middle-class [mídl klæs] *n.* 중산층
upper-class [ʌ́pər klæs] *n.* 상류층 optional [ápʃənəl] *a.* 선택적인 peninsula [pənínsələ] *n.* 반도

15 | money credit [mʌ́ni krédit] 외상 war-torn [wɔ́:r-tɔ̀:rn] *a.* 전쟁으로 피폐한 collapse [kəlǽps] *n.* 붕괴

16 | contagious [kəntéidʒəs] *a.* 전염성의 newborn [njú:bɔ́:rn] *a.* 신생의 infant [ínfənt] *n.* 유아

17 | sale [seil] *n.* 판매 slump [slʌmp] *n.* 침체

Daily Test

지문을 읽고 물음에 답하시오.

01 Frank Lloyd Wright was one of the most prominent architects of the first half of the 20th century. He designed his own home-studio complex, called Taliesin, which was built near Spring Green, Wisconsin in 1911. The complex was a distinctive low one-story L-shaped structure with views over a lake on one side and Wright's studio on the opposite side. But Taliesin was twice destroyed by fire; the current building there is Taliesin III.

His most famous house "Fallingwater" was constructed from 1935-1939 for E.J. Kaufmann at Bear Run, Pennsylvania. This house was designed according to Wright's desire to place the occupants close to natural surroundings. **Amazingly, Fallingwater had a stream running under part of the building. The construction is a series of balconies and terraces, using stone for all verticals and concrete for the horizontals.**

VOCABULARY

prominent [prámənənt] *a.* 두드러진
distinctive [distíŋktiv] *a.* 독특한, 특유의
view [vjuː] *n.* 경치, 전망
according to [əkɔ́ːrdiŋ tu] ~에 따라
occupant [ákjəpənt] *n.* 거주자
run [rʌn] *v.* 흐르다
balcony [bǽlkəni] *n.* 발코니
vertical [vɔ́ːrtikəl] *n.* 수직물
horizontal [hɔ̀(ː)rəzántəl] *n.* 수평물
humble [hʌ́mbl] *a.* 소박한
complex [kámpleks] *n.* 복합시설
story [stɔ́ːri] *n.* 층
opposite [ápəzit] *a.* 반대의
place [pleis] *v.* 두다 *n.* 장소
surrounding [səráundiŋ] *n.* 환경
series [sí(ː)əriːz] *n.* 연속
terrace [térəs] *n.* 테라스
concrete [kánkriːt] *n.* 콘크리트
inconspicuous [ìnkənspíkjuəs] *a.* 눈에 띄지 않는
inferior [infí(ː)əriər] *a.* 열등한

1. What is the main purpose of the passage?

(A) To describe the interesting structures of the 20th century
(B) To discuss the location of Wright's famous houses
(C) To introduce the characteristics of Wright's works
(D) To emphasize the importance of urban settings

2. The word prominent in the passage is closest in meaning to

(A) common
(B) inconspicuous
(C) distinguished
(D) humble

3. The word distinctive in the passage is closest in meaning to

(A) inferior
(B) common
(C) popular
(D) unique

4. The word occupants in the passage is closest in meaning to

(A) residents
(B) architects
(C) environmentalists
(D) landscapes

5. Look at the word verticals in the passage. Click on the word or phrase in the **BOLD** text that has the **OPPOSITE** meaning.

정답 p263

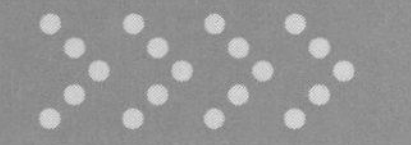

Daily Test

지문을 읽고 물음에 답하시오.

02 Scientists once believed that there were few living organisms in the deep ocean. This belief stemmed from the fact that most life on Earth is dependent upon photosynthesis, the process by which plants make energy from sunlight. Because sunlight can only penetrate 600 feet under water, scientists were surprised to find clusters of living organisms in the deep ocean. These organisms had a different source of energy. In other words, they did not rely on photosynthesis but rather chemosynthesis, the process by which certain microbes create energy by causing chemical reactions.

Animals in the deep ocean live around hydrothermal vents, and make their living from the chemicals coming out of the seafloor in the vent fluids. Chemosynthetic microbes live on or below the seafloor. In areas where microbial mat covers the seafloor around vents, grazers such as snails and tubeworms eat the mat, and predators come to eat the grazers. One of the most interesting grazers is the tubeworm. When scientists investigated these tubeworms, they found hemoglobin, which is a protein in the red blood cell that transports oxygen to the tissues, inside their bodies. In addition, they discovered that these tubeworms had a distinct smell.

VOCABULARY

living organism [líviŋ ɔ́:rgənìzəm] 생물
dependent [dipéndənt] *a.* 의존하는
penetrate [pénitrèit] *v.* 투과하다
chemosynthesis [kì:mousínθəsis] *n.* 화학합성
hydrothermal [hàidrəθə́:rməl] *a.* [지질]열수의
fluid [flú(:)id] *n.* 용액
mat [mæt] *n.* 매트
snail [sneil] *n.* 달팽이
investigate [invéstəgèit] *v.* 연구하다
protein [próuti:n] *n.* 단백질
stem from [stem frəm] ~에서 비롯하다
photosynthesis [fòutəsínθisis] *n.* 광합성
cluster [klʌ́stər] *n.* 떼, 집단
chemical [kémikəl] *a.* 화학의
vent [vent] *n.* 구멍
microbial [maikróubiəl] *a.* 미생물의
grazer [gréizər] *n.* 방목 가축, 초식자
tubeworm [tju:bwə:rm] *n.* 서관충
hemoglobin [hí:məglòubin] *n.* 헤모글로빈
tissue [tíʃu:] *n.* 조직

1. What is the main topic of this passage?

(A) Animals that thrive in the deep ocean
(B) Organisms that benefit from photosynthesis
(C) Deep ocean animals that use photosynthesis
(D) The characteristics of deep ocean tubeworms

2. The word clusters in the passage is closest in meaning to

(A) individuals
(B) fragments
(C) groups
(D) plants

3. The word investigated in the passage is closest in meaning to

(A) classified
(B) gained
(C) pioneered
(D) probed

4. Look at the terms photosynthesis, chemosynthesis, vents, and hemoglobin in the passage, which of these terms is **NOT** defined in the passage?

(A) photosynthesis
(B) chemosynthesis
(C) vents
(D) hemoglobin

정답 p.264

4th Day 지시어 문제 (Reference)

지시어 문제 살펴보기

작가는 글의 간결성과 응집성(coherence)을 확보하기 위해 같은 단어의 반복적 사용을 피하고 대명사와 같은 지시어로 표현을 대신한다. 따라서 우리가 문장의 의미를 정확하게 파악하기 위해서는 그러한 지시어들이 지칭하는 지시대상(referent)이 무엇인지 정확히 찾아 낼 수 있어야 한다.

지시어 (Reference) 문제는 대명사를 비롯한 지시어들이 실제로 가리키고 있는 것이 무엇인지를 확인하는 것이다. 사지선다형이나 지문클릭형의 두 가지로 출제되며, 비율적으로 사지선다가 많은 추세이다.

문제에 주로 출제되는 지시어는 다음과 같다.

it/they;them;their
this(these)/that(those), which
each, one(ones), such, another, some/others
the former/the latter, here/there

* 지시대상이 될 수 있는 요소는 대부분 단어나 구이지만 경우에 따라서는 문장이 될 수 도 있다.
* this(these)의 지시대상을 단독으로 묻기도 하지만 this method와 같은 형태로 출제되기도 한다.

질문의 형태

사지선다형

The word ______ in the passage refers to …
지문에 있는 ______는 …를 지칭한다.

지문클릭형

Look at the word ______ in the passage. Click on the word or phrase in the **BOLD** text that ______ refers to.
지문에 있는 단어 ______ 를 보아라. 볼드체로 된 부분에서 그 단어가 지칭하는 단어나 구를 클릭해라.

선택지의 형태

사지선다형의 경우는 해당 대명사의 주위에 나온 명사들이 선택지로 제시된다.
지문클릭형의 경우는 지문에서 단어를 클릭하므로 따로 선택지가 제시되지 않는 대신 클릭할 수 있는 범위를 볼드체로 지정해 준다.

오답의 분석

사지선다의 선택지는 대명사 주위의 모든 명사를 동원한다. 모두 그럴듯한 형태 이지만 '지시어' 의 뒤에 위치한 단어들이 제시되었을 때는 거의 오답이며, 해석을 했을 때 문맥상 연결이 되지 않으면 반드시 오답이다.

1. **지시대상(Referent), 즉 답은 지문에서 항상 질문하는 지시어 보다 앞에 온다.**
2. **지시대상(Referent)은 지시어와 항상 수일치, 성일치를 이룬다.**
3. **지시대상 후보가 정해지면 지시어 자리에 직접 대입하여 문장이 자연스러운지 반드시 확인한다. 다른 어떤 문제보다 '해석하는 확인'이 중요하다는 것을 명심하자!**
4. **문장의 구조에서 지시어가 주어(목적어)이면 지시대상 역시 주어(목적어)일 가능성이 높으므로 문장의 구조를 확인하는 것도 지시어 문제풀이에 좋은 전략이 된다.**

음영된 단어가 가리키는 단어를 쓰시오.

01 Joseph Glidden was born in New Hampshire and later moved to New York where he lived until 1842. After marriage, he moved from there to Illinois and bought a farm in DeKalb located in northern Illinois.

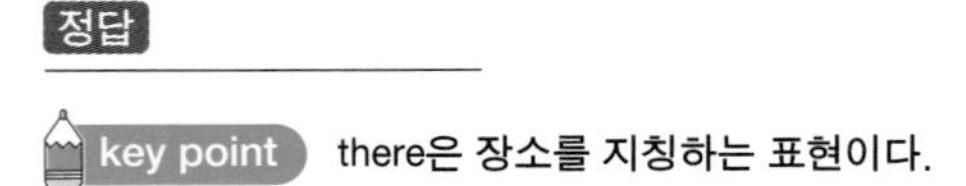

key point there은 장소를 지칭하는 표현이다.

02 Almost half the world's population speaks an Indo-European language. The various languages in this family, which developed largely in areas in Europe and India, share some characteristics in vocabulary and grammar.

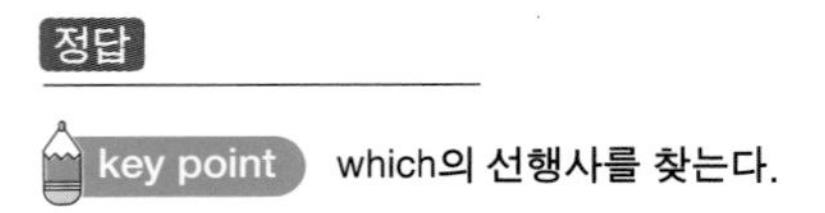

key point which의 선행사를 찾는다.

03 Spiders eat grasshoppers and locusts, which destroy crops. (1)They also eat flies and mosquitoes, which carry diseases. As such, they feed mostly on harmful insects but (2)some capture and eat tadpoles, small frogs, small fish, and even mice. The most interesting thing is that most females are larger and stronger than the males and occasionally (3)they eat males.

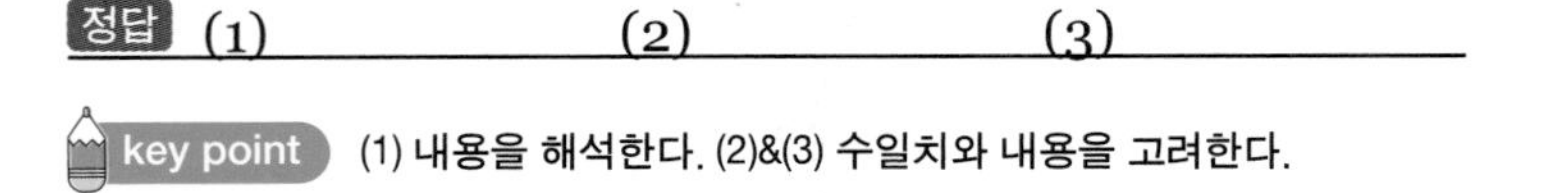

key point (1) 내용을 해석한다. (2)&(3) 수일치와 내용을 고려한다.

04 The ultimate source of energy for life on earth is the Sun. Sunlight is captured by chlorophyll molecules in green plants, (1)which transform a portion of this energy into food energy. Green plants are autotrophic organisms; (2)they require only inorganic compounds absorbed from their surroundings to provide the raw material for synthesis and growth.

정답 (1) ____________ (2) ____________

key point (1) which의 선행사를 찾는다. (2) 수 일치와 내용을 고려한다.

05 The brain is an important organ with many different parts that work together to do lots of essential work. (1)It controls our body's thinking, reasoning, memory, and emotions and regulates our balance, movements, and coordination. The brain is divided into two parts: the left hemisphere and the right hemisphere. (2)The former is the subconscious and the latter is where our memories and dreams come from.

정답 (1) ____________ (2) ____________

key point (1) 앞 문장의 주어를 살핀다. (2) the former는 '전자' 라는 의미를 가진 단어이다.

정답 p.265

VOCABULARY

01 | locate [lóukeit] *v.* 위치하다

02 | half [hæf] *n.* 절반 Indo-European language [indou jùərəpí(:)ən lǽŋgwidʒ] 인도유럽어 vocabulary [voukǽbjəlèri] *n.* 어휘 grammar [grǽmər] *n.* 문법

03 | grasshopper [grǽshɑ̀pər] *n.* 베짱이 locust [lóukəst] *n.* 메뚜기 crop [krɑp] *n.* 농작물 fly [flai] *n.* 파리 mosquito [məskí:tou] *n.* 모기 carry [kǽri] *v.* 나르다 feed [fi:d] *v.* 먹다 insect [ínsekt] *n.* 곤충 capture [kǽptʃər] *v.* 잡다 tadpole [tǽdpòul] *n.* 올챙이 mouse [maus] *n.* 쥐 (pl.mice) female [fí:meil] *n.* 암컷 male [meil] *n.* 수컷 occasionally [əkéiʒənəli] *ad.* 때때로

04 | ultimate [ʌ́ltəmit] *a.* 궁극적인 chlorophyll [klɔ́:rəfil] *n.* 엽록소 transform [trænsfɔ́:rm] *v.* 변형시키다 portion [pɔ́:rʃən] *n.* 일부 autotrophic [ɔ̀:tətrɑ́fik] *a.* 자가 영양의 organism [ɔ́:rgənìzəm] *n.* 유기체 inorganic [ìnɔ:rgǽnik] *a.* 무기의 absorb [əbsɔ́:rb] *v.* 흡수하다 raw material [rɔ: mətí(:)əriəl] 원료 synthesis [sínθisis] *n.* 합성

05 | organ [ɔ́:rgən] *n.* 기관 essential [əsénʃəl] *a.* 필수적인 reasoning [rí:zəniŋ] *n.* 추론 regulate [régjəlèit] *v.* 규제하다 balance [bǽləns] *n.* 균형 coordination [kouɔ̀:rdənéiʃən] *n.* 조정 hemisphere [hémisfìər] *n.* 대뇌반구 subconscious [sʌ̀bkɑ́nʃəs] *a.* 잠재의식적 decipher [disáifər] *v.* 해독하다

음영된 단어가 가리키는 단어를 고르시오.

06

Fish have the ability to taste. They have taste buds on their lips, tongue, and all over their mouths. Some fish such as goatfish or catfish have barbels, which are whiskers that have taste structures. Goatfish can be seen digging through the sand with their barbels looking for invertebrate worms to eat and can taste them before they even reach their mouths.

(A) goatfish
(B) barbels
(C) worms

key point 수 일치와 내용을 고려한다.

07

Glaciers are made up of fallen snow that, over many years, compresses into large, thickened ice masses. Glaciers form when snow remains in one location long enough to transform into ice. What makes glaciers unique is their ability to move. Due to sheer mass, glaciers flow like very slow rivers. Some glaciers are as small as football fields, while others grow to be over a hundred kilometers long.

(A) rivers
(B) fields
(C) glaciers

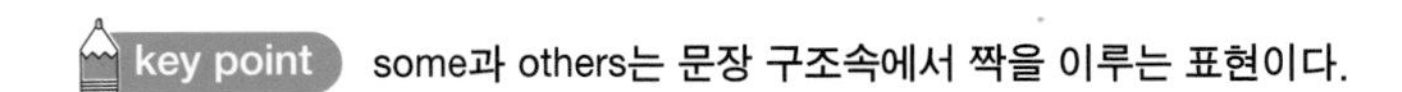
key point some과 others는 문장 구조속에서 짝을 이루는 표현이다.

08

Marine mammals have the same characteristics as all other mammals, but they have adapted or adjusted to life in the ocean. To be able to stay under water for long periods, they store extra oxygen in their muscles and also have more blood than land mammals in proportion to their body sizes. In particular, most of **them** depend more upon a thick layer of blubber or fat than on thick fur to keep warm in the ocean.

(A) land mammals
(B) marine mammals
(C) body sizes

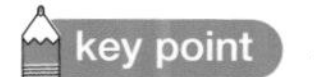

수 일치와 내용을 고려한다.

09

When the United States was born in 1776, there were very few roads. The thirteen original states were on the Atlantic Ocean, and it was very difficult for people to cross the Allegheny Mountains. Those who did move to the western side of the mountains could not easily keep in touch or send and receive items from the east coast. They built a few canals, but (1) **these** were very expensive. Roads were difficult to build, and the weather conditions made travel on (2) **them** impossible during certain times of the year.

(1)	(A) items	(B) canals	(C) mountains
(2)	(A) roads	(B) canals	(C) conditions

key point 수 일치와 내용을 고려한다.

정답 p.266

VOCABULARY

06 | goatfish [goutfiʃ] *n.* 촉수어 catfish [kǽtfìʃ] *n.* 메기 barbel [bɑ́:rbəl] *n.* 수염 whisker [hwískər] *n.* 수염
invertebrate [invə́:rtəbrit] *a.* 무척추의 worm [wə:rm] *n.* 벌레

07 | compress [kəmprés] *v.* 압착하다 thicken [θíkən] *v.* 두껍게하다 sheer [ʃiər] *a.* 순전한 football field [fútbɔ̀:l fi:ld] 축구장

08 | mammal [mǽməl] *n.* 포유류 adjust [ədʒʌ́st] *v.* 적응하다 period [pí(:)əriəd] *n.* 기간 store [stɔ:r] *v.* 저장하다
extra [ékstrə] *a.* 여분의 in proportion [in prəpɔ́:rʃən] ~에 비례하여 blubber [blʌ́bər] *n.* 지방 fur [fə:r] *n.* 털

09 | Atlantic Ocean [ətlǽntik óuʃən] 대서양 keep in touch [ki:p in tʌtʃ] 접촉하다
coast [koust] *n.* 해안 canal [kənǽl] *n.* 운하 expensive [ikspénsiv] *a.* 많은 비용이 드는

 지문을 읽고 물음에 답하시오.

01 A healthy adult sleeps an average of 7.5 hours each night and most people sleep between 6.5 and 8.5 hours. **Tracking brain waves with the aid of electroencephalographs (EEGs), researchers have identified six stages of sleep (including a pre-sleep stage). Each is characterized by distinctive brain-wave frequencies.**

Stage 0 is the prelude to sleep, which is characterized by low amplitude and fast frequency alpha waves in the brain. Here, a person becomes relaxed, drowsy, and closes his eyes. Stages 1 through 4 are sometimes characterized as NREM (non-rapid eye movement) sleep. In Stage 1, the eyes begin to roll and rhythmic alpha waves give way to irregular theta waves that are lower in amplitude and slower in frequency. In Stage 2, electroencephalogram tracings show fast frequency bursts of brain activity called sleep spindles. Stages 3 and 4 normally occur 30 to 45 minutes after falling asleep. In Stage 3, there are fewer sleep spindles, but high amplitude and low frequency delta waves appear. When these begin to occur more than 50 percent of the time, the fourth stage of sleep has been entered into. Altogether, it takes about a half hour to pass through these four stages of sleep.

VOCABULARY

track [træk] v. 추적하다
identify [aidéntəfài] v. 확인하다
prelude [prélju:d] n. 도입부
alpha wave [ǽlfə weiv] 알파파
roll [roul] v. 굴리다
theta wave [θéitə weiv] 세타파
sleep spindle [sli:p spíndl] 수면방추
brain wave [brein weiv] 뇌파
frequency [frí:kwənsi] n. 주파수
amplitude [ǽmplitjù:d] n. 진폭
drowsy [dráuzi] a. 졸리는
rhythmic [ríðmik] a. 주기적인
tracing [tréisiŋ] n. 기록
normally [nɔ́:rməli] ad. 대개
* electroencephalograph [ilèktrouenséfələgrǽf] n. 뇌파 전위 기록 장치
* electroencephalogram tracing [ilèktrouenséfələgrǽm tréisiŋ] 뇌파도 기록

1. Look at the word Each in paragraph 1. Underline the word or phrase in the **BOLD** text that Each refers to.

2. The word Here in the passage refers to

(A) stage 0
(B) stage 1
(C) stage 4
(D) NREM

3. The word that in the passage refers to

(A) eyes
(B) theta waves
(C) alpha waves
(D) tracings

4. Which of the following topics would best follow this passage?

(A) Further comparison of stages 3 and 4 of sleep
(B) Transition from sleep to wakening
(C) Explanation of the final stage of sleep
(D) Reasons for sleeplessness in the healthy adults

정답 p.267

 지문을 읽고 물음에 답하시오.

02 **In the Middle Ages, very few people had books, which were rare and expensive because they had to be copied by hand, page by page, line by line, by people called scribes.** But around 1440 something happened that changed all this. Johannes Gutenberg invented the first printing press. As a result, books could be made faster, cheaper, and in greater numbers. In less than 100 years, more than ten million books were printed and sold.

The first book Gutenberg printed was the Bible. At that time, having the Bible and other books in their homes made a difference in the way people lived. **One major change was that people wanted books printed in their own languages such as English, German, French, or Italian rather than in Latin. Another was that it took away some of the authority of the church.** Before Gutenberg's press, most people could not read the Bible because it was in Latin.

VOCABULARY

middle age [mídl eidʒ] 중세시대
copy [kápi] *v.* 베끼다
cheap [tʃiːp] *a.* 저렴한
Bible [báibl] *n.* 성경
rare [rɛər] *a.* 희귀한
scribe [skraib] *n.* 사본 필경자
printing press [príntiŋ pres] 인쇄 기계

1. What is the main topic of the passage?

(A) Various languages of the printed Bible
(B) Books of the Middle Ages
(C) Gutenberg's printing press
(D) Differences between the church and people

2. Look at the word which in the passage. Underline the word or phrase in the **BOLD** text that which refers to.

3. The word this in the passage refers to

(A) the shortage of paper to copy books
(B) the ample supply of books
(C) the lack of skilled scribes
(D) the scarcity of books

4. Look at the word Another in the passage. Click on the word or phrase in the **BOLD** text that Another refers to.

5. The word it in the passage refers to

(A) Gutenberg's press
(B) Latin
(C) Bible
(D) people

정답 p.267

5th Day 추론 문제 (Inference)

추론 문제 살펴보기

작가가 글을 쓸 때, 항상 자신의 생각을 직접 말하지 않고 때로는 돌려서 말하기도 한다. 이렇게 돌려 말함으로써 오히려 더 강하고 선명하게 생각을 전달하고자 하는 것이다. 따라서 이러한 작가의 숨은 뜻을 정확하게 이해하는 것은 독해에 있어 매우 중요한 일이다.

추론문제는 영어 독해 시험에서 가장 어려운 문제로서 취급된다. 그러나 이러한 추론문제는 깊이 있게 추리해야 하는 문제이기 보다는 '사실(Fact)문제' 에서 한 번만 더 생각하면 풀 수 있는 유형들이 많다. 따라서 지문에 제시된 사실적인 정보를 이해하는 것이 선행되어야 한다.

질문의 형태

It can be inferred from the passage/paragraph# that …
지문/단락 # 에서 …를 추론할 수 있다.
Which of the following can be inferred from the passage?
다음 중 어느 것이 지문에서 추론 가능한가?

The author implies that …
저자는 … 라고 암시하고 있다.
By stating ______, the author implies that …
______ 라고 말함으로써, 저자는 …를 암시한다.

선택지의 형태

지문에 이미 언급되어있는 사실이나 추측이 담긴 내용등을 문장으로 제시한다.

오답의 분석

추론문제에서 오답을 따져보는 것은 논리력 배양에 큰 도움이 된다. 선택지 하나하나를 아래에 비추어 분석해 보는 훈련을 키우도록 한다.

(1) 지문의 내용과 다른 것
(2) 지문에 전혀 언급된 바 없는 것
(3) 지문에 근거하지 않고 비약이 심한 것

1. 하나의 문장을 통해 추론이 가능한 경우도 있고 하나 이상의 단락 또는 전체 지문을 통해 추론을 해야 하는 경우도 있으므로 글 전체의 개괄적인 흐름을 파악한다.
2. 추론은 '말하지 않는 것을' 추리해 내는 것이 아니라, 지문에 근거하여 작가의 의도를 파악하는 것이므로, 일단 지문에서 말하는 사실(fact)을 정확히 이해한다.
3. 추론에 근거가 되는 부분이 지문의 어떤 부분인지를 확실히 찾는다. 근거가 없는 선택지는 위의 '오답의 분석'에 따라 분류하면서 정답의 폭을 줄여나가는 것이 안전하다.
4. 추론 문제를 풀 때에는 다른 문제보다 조금 긴 시간동안 문제 풀이를 한다.
5. 비교구문을 비롯한 문법 구문을 많이 알아 두는 것은 추론 문제 풀이에 도움이 된다.

다음 문장을 읽고 추론할 수 있는 것으로 가장 적절한 것을 고르시오.

01

The Minoans were an ancient civilization on what is now Crete in the Mediterranean. According to Homer, the famous Greek poet, Crete had 90 towns, of which Knossos was the most important. The most remarkable fact is that none of the Minoan cities had city walls, or defensive walls unlike other ancient civilizations.

From the passage it can be inferred that cities of other ancient civilization

(A) were also located in the Mediterranean
(B) were not referred to by Homer
(C) had city or defensive walls

마지막 문장의 unlike가 추론의 열쇠이다.

02

Babies make gurgling sounds or "vocal play" during the four to six months age range. Babbling also occurs in this age range, and babies will sometimes sound as though they are "talking". This speech-like babbling includes the bilabial (two lip) sounds "p", "b,"and "m". After this period they usually learn sounds such as "r", "v," and "th". Even four or five-year olds still have trouble with these sounds.

The passage implies that "r", "v" and "th" sounds

(A) indicate that babies want something
(B) are pronounced with only one lip
(C) are more difficult to pronounce than bilabial sounds

마지막에서 두 번째 문장과 마지막 문장에서 추론을 할 수 있다.

03 Initially the Normans replaced English with their own language, French. It became the official language but never succeeded in becoming the common language because of differences between the Normans and the Anglo-Saxons. Thus, after the society prospered, English spread and in 1362 English was finally declared the official language.

From the passage it can be inferred that
(A) the Anglo-Saxons spoke English
(B) French became the official language through a difficult process
(C) English and French were the only spoken languages during this period

key point 첫 번째와 두 번째 문장에서 추론을 할 수 있다.

04 Like other stars, the sun is made up of very hot gases. At times, some of these hot gases cool a little. The cooler gases look like dark spots on the sun and are called sunspots. But they are not really cool. Even the coolest sunspots are hotter than the hottest fire on Earth. Meanwhile, sunspots change in size and shape. They last about 30 days, but some can last much longer or shorter. Usually small sunspots may last only a few days, while larger ones last longer.

From the passage it can be inferred that
(A) sunspots can be seen throughout the year
(B) duration of sunspots is related to the size of sunspots
(C) the hottest fires on Earth can be hotter than some sunspots

key point 마지막 문장에서 추론을 할 수 있다.

정답 p.268

● VOCABULARY

01 | ancient [éinʃənt] *a.* 고대의 Mediterranean [mèditəréiniən] *n.* 지중해 Greek [gri:k] *a.* 그리스의 remarkable [rimá:rkəbl] *a.* 주목할만한 defensive [difénsiv] *a.* 방어의

02 | gurgling [gə́:rgliŋ] *a.* 꼴깍대는 vocal [vóukəl] *a.* 음성의 range [reindʒ] *n.* 범위 babbling [bǽbliŋ] *n.* 옹알이 include [inklú:d] *v.* 포함하다 bilabial [bailéibiəl] *a.* 양순음의 difficulty [dífəkʌ̀lti] *n.* 어려움

03 | at times [ət taimz] 때때로 initially [iníʃəli] *ad.* 처음에 replace [ripléis] *v.* 대체하다 prosper [prάspər] *v.* 번영하다

04 | spot [spαt] *n.* 반점 sunspot [sʌ́nspὰt] *n.* 태양 흑점 last [læst] *v.* 지속하다 duration [djuəréiʃən] *n.* 지속, 존속

다음 글을 읽고 주어진 문장을 통해 추론이 가능한 문장에는 O표, 지문에 근거를 두지 않은 상상이나 비약 또는 잘못된 추론에는 X표를 하시오.

05

A powerful part of healing, the placebo effect contributes to the success of all treatments. Numerous elements combine to produce the placebo effect, which encompasses much more than the prescription of sugar pills. The benefit of many treatments is derived from the placebo effect. In particular, alternative types of therapy – medicines whose medical value have yet to be proved – are derived from the placebo effect.

From the passage, which of the following can be inferred about the "placebo effect"?

_______ (A) There are no actual drugs in placebos.
_______ (B) A placebo consists of many drug ingredients.
_______ (C) Most alternative types of therapy utilize the placebo effect.

key point 두 번째 문장에서 추론을 할 수 있다.

06

Aaron, the first robot artist, is the brainchild of Professor Harold Cohen, the British abstract painter. With the results of 23 years of research and $150,000, Professor Cohen has opened the realm of artificial intelligence in the development of this unique computer-driven robot. Aaron "creates" several images in his memory each night. Then Cohen selects one and for 5 to 6 hours the next day, Aaron makes line drawings, mixes colors, and executes painting strokes. Once Aaron begins to paint, there is no way for Cohen to modify the drawing as it emerges. Recently Aaron's original paintings have been displayed at the Computer Museum in Boston.

From the passage, which of the following can be inferred about the computer driven robot?

_______ (A) Aaron is Professor Harold Cohen's bright son who is skillful at painting.
_______ (B) Aaron makes all the decisions when painting.
_______ (C) Aaron's paintings have generated interest in museums.
_______ (D) Aaron has taught Harold how to create abstract paintings.

key point 마지막 문장에서 추론을 할 수 있다.

07 | In observational studies, the researcher systematically observes and records behavior without interfering in any way with the people being observed. Unlike case studies, observational studies usually involve many different subjects. Often an observational study is the first step in a program of research. The primary purpose of naturalistic observation is to describe behavior as it occurs in the natural environment. Ethologists such as Jane Goodall and the late Dian Fossey used this method to study apes and other animals in the wild. Psychologists use naturalistic observation wherever people happen to be: at home, on playgrounds, and in schoolrooms and offices.

From the passage, which of the following can be inferred about observational and case studies?

_______ (A) Case studies usually deal with one subject.
_______ (B) Ethologists are scientists who study animals under natural conditions.
_______ (C) Most studies use the observation method.
_______ (D) Observational studies are more effective than case studies.

key point 두 번째와 다섯 번째 문장에서 추론을 할 수 있다.

정답 p.269

● VOCABULARY ●

05 | healing [híːliŋ] *n.* 치료 placebo effect [pləsíːbou ifékt] *n.* 플라시보 효과(가약효과) contribute [kəntríbjuːt] *v.* 기여하다 treatment [tríːtmənt] *n.* 치료 combine [kəmbáin] *v.* 결합하다 encompass [inkʌ́mpəs] *v.* (일 등을) 완전히 처리하다 prescription [priskrípʃən] *n.* 처방 pill [pil] *n.* 알약 alternative [ɔːltə́ːrnətiv] *a.* 대체의 therapy [θérəpi] *n.* 치료 medicine [médisin] *n.* 약

06 | artist [áːrtist] *n.* 예술가 brainchild [bréintʃàild] *n.* 발명품 abstract painter [ǽbstrækt péintər] 추상화가 realm [relm] *n.* 분야, 영역 computer-driven [kəmpjúːtər drívən] *a.* 컴퓨터에 의해 작동되는 execute [éksəkjùːt] *v.* 수행하다, 제작하다 painting stroke [péintiŋ strouk] 붓놀림 recently [ríːsəntli] *ad.* 최근에

07 | observational study [àbzəːrvéiʃənəl stʌ́di] 관찰연구 systematically [sìstəmǽtikəli] *ad.* 조직적으로 interfere [ìntərfíər] *v.* 방해하다 case study [keis stʌ́di] 사례연구 subject [sʌ́bdʒikt] *n.* 주제 primary [práimeri] *a.* 주된 purpose [pə́ːrpəs] *n.* 목적 naturalistic [nætʃərəlístik] *a.* 사실적인 ethologist [eθálədʒist] *n.* 동물행동학자 late [leit] *a.* 고(故)~ method [méθəd] *n.* 방법 ape [eip] *n.* 유인원 wild [waild] *a.* 야생의 *n.* 대자연 (the ~) playground [pléigràund] *n.* 운동장 schoolroom [skúːlrù(ː)m] *n.* 교실

Daily Test

지문을 읽고 물음에 답하시오.

01 After years of arguing about whether San Francisco, California needed a new suspension bridge (Golden Gate Bridge), which the opposition considered impractical and too expensive, it was left to the people of San Francisco to vote on whether or not to build the new bridge. On November 4, 1930 the public voted for the project to go ahead, and on January 5, 1933, construction began. The main span of the bridge is an amazing 4,200 feet, with distinctive stepped-back towers that climb to 746 feet in the air.

The original design plans submitted by Chief Engineer Joseph B. Strauss called for a hybrid cantilever and suspension structure across the Golden Gate. This plan was generally regarded as unsightly, and some doubted that the design was worthy of a bridge that was to have the world's longest span. After Strauss submitted his first design, Consulting Engineer Leon S. Moisseiff theorized that a long span suspension bridge could cross the gate, in spite of 60-mile per hour winds. A suspension structure of this length had never been tried before. Finally, on May 28, 1938 the Golden Gate Bridge opened to vehicular traffic at twelve o'clock noon when President Franklin D. Roosevelt pressed a telegraph key in the White House and announced the event to the world. The Golden Gate Bridge opened ahead of schedule and under budget.

VOCABULARY

suspension bridge [səspénʃən bridʒ] *n.* 현수교
span [spæn] *n.* 경간, 구간
submit [səbmít] *v.* 제출하다
suspension [səspénʃən] *n.* 현수 구조물
doubt [daut] *v.* 의심하다
vehicular [vihíkjələr] *a.* 탈것의
budget [bʌ́dʒit] *n.* 예산
exceed [iksí:d] *v.* 넘다

the public [ðə pʌ́blik] *n.* 대중들
stepped-back [stept-bæk] *a.* 거리가 떨어져 있는
chief [tʃi:f] *a.* 수석의
unsightly [ʌnsáitli] *a.* 볼품없는
theorize [θí(:)əràiz] *v.* 이론을 세우다
telegraph key [téləgræ̀f ki:] 신호키
dispute [dispjú:t] *n.* 논쟁
attempt [ətémpt] *n.* 시도

1. What is the main topic of the passage?

(A) Strauss's first design of the Golden Gate Bridge
(B) Famous American landmarks
(C) The dispute over the construction of the Golden Gate Bridge
(D) Construction of the Golden Gate Bridge

2. Which of the following can be inferred about the decision to build the Golden Gate Bridge?

(A) The public voted unanimously to build the bridge.
(B) The decision was controversial.
(C) Most opposed building the bridge.
(D) Planners wanted to build the largest bridge in the world.

3. The passage implies that Consulting Engineer Leon S. Moisseiff was concerned about

(A) strong winds
(B) construction period
(C) President Roosevelt's disapproval of the bridge
(D) the gate being too small

4. It can be inferred from the passage that a suspension structure as long as the Golden Gate Bridge

(A) might exceed the budget
(B) could collapse due to strong winds
(C) was the first of its kind
(D) was originally designed by Consulting Engineer Leon S. Moisseiff

정답 p.271

지문을 읽고 물음에 답하시오.

02 There is always one queen in a hive. She is half as large as a worker and longer than a drone, the non-working male bee. Her wings are much shorter than her body and cannot cover the whole of her abdomen. Her long, tapering abdomen makes her resemble a wasp. She has sparkling gold hairs on her shiny body. The queen has a sting but does not use it to fight hive intruders unlike the aggressive workers. Her sting is only used to fight rival queens. She does not go out to collect pollen, nectar, or water, and therefore she has no collecting apparatus like pollen baskets for drawing nectar or wax glands to secrete wax to build comb cells. Finally, as a queen, she usually does not feed herself.

Young virgin queens have their own pheromones in addition to the smell they produce when ready to mate. The queen also maintains behavioral control of the colony by this pheromone known as the "queen substance." This acts as a mating attractant for the drones and suppresses the reproductive systems of the workers. This ensures that the queen is the only reproductive female in the hive. The queen substance also acts to keep the swarm together when the queen leaves the hive with the swarm.

VOCABULARY

hive [haiv] *n.* 꿀벌통
tapering [téipəriŋ] *a.* 끝이 뾰족해진(가늘어진)
sparkling [spɑ́:rkliŋ] *a.* 빛나는
intruder [intrú:dər] *n.* 침입자
pollen [pɑ́lən] *n.* 화분
apparatus [æ̀pərǽtəs] *n.* 기관, 기구
gland [glænd] *n.* (분비하는) 선, 샘
comb [koum] *n.* 벌집
attractant [ətrǽktənt] *n.* 유인물질
drone [droun] *n.* 수펄
wasp [wɑsp] *n.* 말벌
sting [stiŋ] *n.* 침
aggressive [əgrésiv] *a.* 공격적인
nectar [néktər] *n.* 화즙(花蜜)
wax [wæks] *n.* 밀랍
secrete [sikrí:t] *v.* 분비하다
pheromone [férəmòun] *n.* 페로몬
hierarchy [háiərɑ̀:rki] *n.* 계급제

1. What is the main topic of the passage?

(A) Defense mechanism of bee hives
(B) Queen bee and her pheromone
(C) Hierarchy of bee colonies
(D) Queen substance used to attract mates

2. It can be inferred from the passage that the largest bees are

(A) queens
(B) young queens
(C) workers
(D) drones

3. Which of the following can be inferred about worker bees from the passage?

(A) They are effective collectors of pollen and nectar.
(B) Their sting is more potent than the queen.
(C) They defend against invaders.
(D) Their bodies are longer than drones.

4. The author implies that

(A) a bee sting indicates danger and the desire to mate
(B) bees use the sense of smell to primarily defend their hives
(C) young virgin queens are better at mating than the queen bee
(D) all worker bees are female

정답 p272

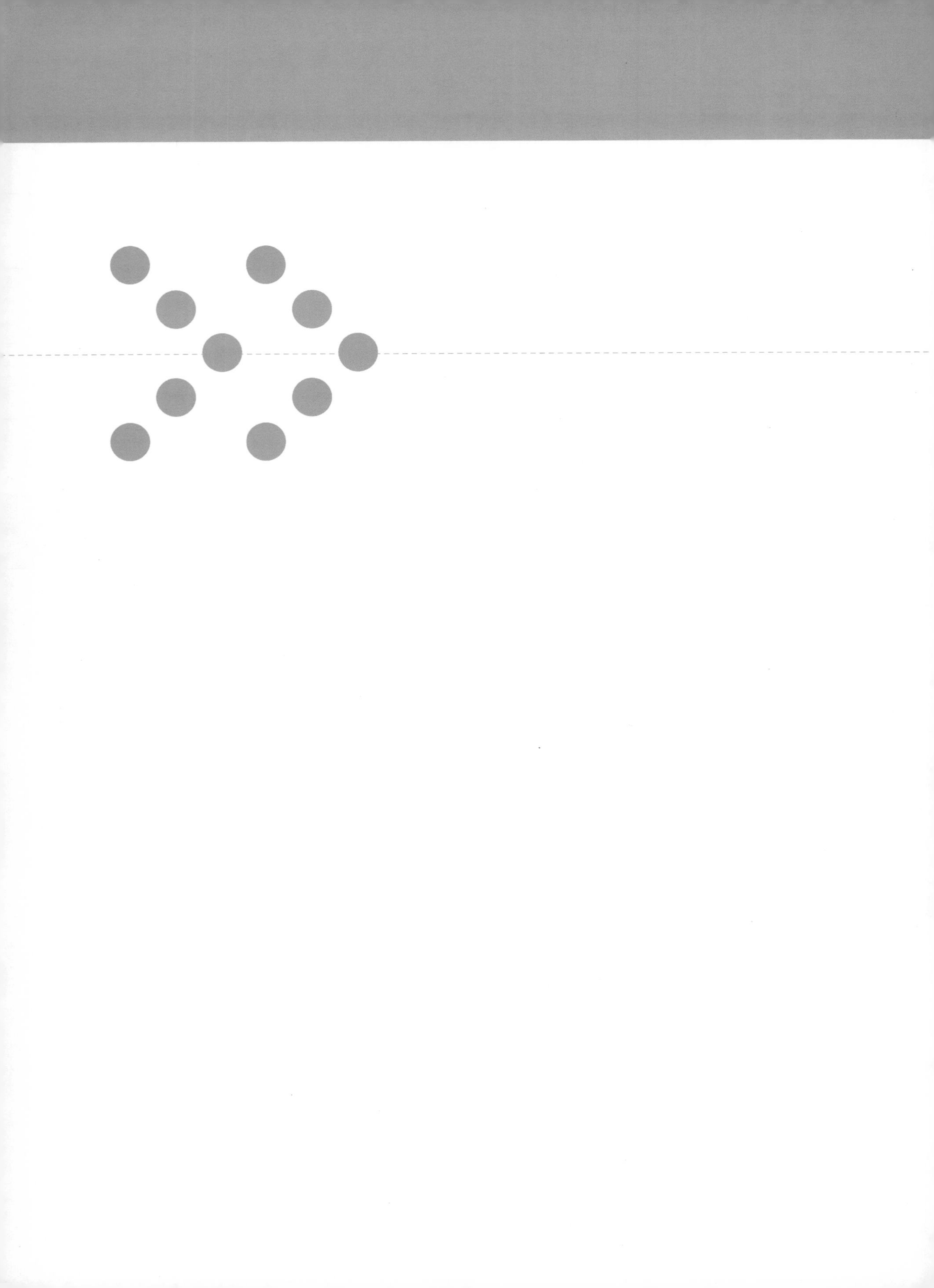

4th Week

4주에서는 1, 2, 3주에서 배운 내용을 토대로 실전에 대비하기 위한 다양한 독해 문제들을 풀어본다.

1st Day | **Progressive Test 1**

2nd Day | **Progressive Test 2**

3rd Day | **Progressive Test 3**

4th Day | **Progressive Test 4**

5th Day | **Progressive Test 5**

6th Day | **Actual Test**

 지문을 읽고 물음에 답하시오.

01 In old times, it was normal for women in the U.S. to make dresses on their own. Occasionally some men learned the rudiments of sewing and mending. However, women were usually responsible for making dresses. Because ready-made dresses cost too much, ordinary women had no choice but to make their dresses at home. Yet this job was so time-consuming that sometimes just one dress was in use at a time. Only when the old one was worn-out would a new one be made. Thus, a woman would own just one dress at any given time in her life. Unlike the fancy dresses captured in portraits, women commonly wore loose dresses around the house. These clothes could not be handed down because they were recycled in scraps as dust cloths or quilts.

VOCABULARY

occasionally [əkéiʒənəli] ad. 때때로
sew [sou] v. 바느질하다
ready-made [rédi meid] a. 기성복의
time-consuming [taim kənsjú:miŋ] a. 시간 소모의
given [gívən] a. 특정한
capture [kǽptʃər] v. 포획하다
commonly [kámənli] ad. 대개
hand down [hænd daun] 물려주다
scrap [skræp] n. 조각
quilt [kwilt] n. 퀼트
rudiment [rú:dəmənt] n. 기초
mend [mend] v. 수선하다
responsible [rispánsəbl] a. 책임이 있는
worn-out [wɔ:rn aut] a. 닳아 해진
fancy [fǽnsi] a. 고급스러운, 화려한
portrait [pɔ́:rtrit] n. 초상화
loose [lu:s] a. 헐렁한
recycle [ri:sáikl] v. 재활용하다
dust cloth [dʌst klɔ:θ] 걸레

1st day 2nd day 3rd day 4th day 5th day 6th day

1. The word rudiments in the passage is closest in meaning to

(A) crafts

(B) basics

(C) skills

(D) occupations

2. According to the passage, why couldn't women own multiple dresses?

(A) The fabric was too expensive.

(B) They were too busy to make dresses.

(C) Their money was often spent on a single fancy dress.

(D) The time to make clothes was too lengthy.

3. The word given in the passage is closest in meaning to

(A) gloomy

(B) miserable

(C) particular

(D) monotonous

4. According to the passage, why couldn't people pass down clothes to younger generations?

(A) Children preferred new clothing bought in stores.

(B) Pieces of the old clothes were reused in other ways.

(C) Old garments were used to teach women how to make dresses.

(D) Old clothes were thrown into the garbage.

정답 p.273

지문을 읽고 물음에 답하시오.

02

➡ The leaders of the American colonies found it difficult to find support for their fight for independence. **One major problem was that the farmers or middle class did not want to participate in the army during harvest seasons. As a result, in the late 1770s, the government pledged to give land to soldiers who fought in the war. In spite of what the government promised, only a few enlisted.** Only the slaves who had no economic power were interested in such compensation, so they served in the army instead of farmers or other middle class citizens.

Another concern was that the leaders did not have the full support of the public. Twenty percent of the colonists were still loyal to Britain and fifty percent were neutral to the war. As the war continued to be fought, public support dwindled. However, after a major victory against the British with the help of France, support for Britain was quickly abandoned. Despite Britain's military might, the American colonists won their independence in 1781.

VOCABULARY

support [səpɔ́:rt] ***n.*** 지원
participate [pɑ:rtísəpèit] ***v.*** 참여하다, 가담하다
pledge [pledʒ] ***v.*** 약속하다
economic power [ì:kənɑ́mik páuər] 경제력
serve [sə:rv] ***v.*** 일하다
citizen [sítizən] ***n.*** 시민
Britain [brítən] ***n.*** 영국
dwindle [dwíndl] ***v.*** 점차 감소하다
against [əgénst] ***prep.*** ~에 반하여
despite [dispáit] ***prep.*** ~에도 불구하고
might [mait] ***n.*** 힘, 세력
independence [indipéndəns] ***n.*** 독립
harvest [hɑ́:rvist] ***n.*** 수확
enlist [inlíst] ***v.*** 입대하다
compensation [kɑ̀mpənséiʃən] ***n.*** 배상, 보상
instead of [instéd əv] ~대신에
loyal [lɔ́iəl] ***a.*** 충성스러운
neutral [njú:trəl] ***a.*** 중립적
victory [víktəri] ***n.*** 승리
abandon [əbǽndən] ***v.*** 단념하다, 포기하다
military [mílitèri] ***a.*** 군사의

1. What does the passage mainly discuss?
(A) Enlisted soldiers in the fight for independence
(B) Colonists loyal to Great Britain
(C) Lack of support for American Revolutionary War
(D) Successful battles in the Revolutionary War

2. Look at the word pledged in paragraph 1. Click on the word in the **bold** text that has the same meaning.

3. Click on the sentence in paragraph 1 that mentions how effective the government's efforts for the participation was.

Paragraph 1 is marked with an arrow [➡].

4. The word concern in paragraph 2 is closest in meaning to
(A) news
(B) encouragement
(C) perception
(D) matter

5. It can be inferred from the passage the remaining thirty percent of Americans
(A) wanted the slaves to fight the war
(B) did not approve of the war
(C) were still loyal to the England
(D) were proponents of the war

정답 p.273

 지문을 읽고 물음에 답하시오.

03

Like Europe, there was a change in working relationships in the United States after the Industrial Revolution. Before the Industrial Revolution, employers typically lived near their employees, forming a close-knit community. Because of this close relationship, employers even shared their homes with them. As a result, the employees also had an opportunity to learn new job skills. This situation changed with the introduction of the factory system.

The factory system was an important part of the Industrial Revolution. However, it created friction between the employer and the employees. The factory became more important than the employees. Workers in factories worked long, hard working hours. Often they fought bitterly with their companies over low pay, long hours, and unsafe conditions. Moreover, in factories, workers did simpler jobs, over and over. Each worker made only a small part of the finished product, and the work was often boring. It was harder for workers to be proud of their work. At times, in fact, they felt like machines themselves.

VOCABULARY

the Industrial Revolution [ðə indʌ́striəl rèvəljúːʃən] 산업혁명
typically [típikəli] *ad.* 일반적으로
employer [implɔ́iər] *n.* 고용인
close-knit [klóusnít] *a.* 밀집하게 조직된
opportunity [ɑ̀pərtjúːnəti] *n.* 기회
introduction [ìntrədʌ́kʃən] *n.* 도입, 창시
employee [implɔiíː] *n.* 피고용인
share [ʃɛər] *v.* 공유하다
job skill [dʒɑb skil] 직업기술
perform [pərfɔ́ːrm] *v.* 수행하다

1. What is the main topic of this passage?

(A) Increase in the number of American workers

(B) How the Industrial Revolution began

(C) Changes in the working environment in the United States

(D) Harsh working conditions during the Industrial Revolution

2. Look at the word them in paragraph 1. Click on the word that them refers to.

3. According to the passage, which of the following is true about employees after the Industrial Revolution?

(A) They became satisfied with their working conditions.

(B) They became increasingly critical of the workplace.

(C) They had more opportunities for advancement in their jobs.

(D) They began moving to rural areas.

4. According to the passage, all of the following were complaints of factory workers EXCEPT

(A) insufficient salaries

(B) health risks

(C) long working day

(D) new job skills

정답 p.275

 지문을 읽고 물음에 답하시오.

04

⇨ **When raw materials ran short in England, many Englishmen continued their glass business in the New World. They moved to New Jersey where raw materials were abundant. In particular, South Jersey had silica or fine white sand that was needed for making glass. In addition, there was an ample supply of limestone, which was added to improve the glass.** However, initially the glass industry in the U.S. did not develop due to a lack of technology and poor economic conditions.

➡ ■ Although several glasshouses were operated in the colonies, a German-born manufacturer named Caspar Wistar, in Salem County, New Jersey in 1739, set up the first successful glasshouse. Production began with distinctive table and glassware. By 1760, the company, known as Wistar Glass Works, was producing flasks, glass bottle, and spice jars. ■ Wistar's company was important as the cradle of the American glass known today as South Jersey type. ■ That glass is the work of individual glassblowers using refined glass to make objects of their own design. ■ Wistar was also successful with applied glass and pattern molding. ■

VOCABULARY

run short [rʌn ʃɔːrt] 부족하다
silica [síləkə] *n.* 규토
ample [ǽmpl] *a.* 충분한
improve [imprúːv] *v.* 향상시키다
operate [ápərèit] *v.* 운영하다
distinctive [distíŋktiv] *a.* 특색있는
cradle [kréidl] *n.* 요람지
refine [rifáin] *v.* 정제하다
abundant [əbʌ́ndənt] *a.* 풍부한
fine [fáin] *a.* 고운
limestone [láimstòun] *n.* 석회암
glasshouse [glǽshàus] *n.* 유리공장
manufacturer [mæ̀njəfǽktʃər] *n.* 제조업자
glassware [glǽswὲər] *n.* 유리제품
glassblower *n.* 유리세공기술자
apply [əplái] *v.* 응용하다

1. The passage is primarily concerned with
(A) a successful colonial glass work company
(B) availability of raw materials in the New World
(C) trade between the colonies and Europe
(D) the history of the glass industry in the U.S.

2. According to the passage, why did glass workers in England move to the U.S.?
(A) To pursue economic freedom
(B) To seek better working conditions
(C) To improve glass-making technology
(D) To acquire materials for glass

3. Look at the word ample in paragraph 1. Click on the word in the **BOLD** text that has the same meaning.

Paragraph 1 is marked with an arrow [⇨].

4. The following sentence can be added to paragraph 2.

Their creativity made Wistar a success with refined glass designs.

Where would it best fit in the paragraph?
Click on the square (■) to add the sentence to the paragraph.

Paragraph 2 is marked with an arrow [➡].

정답 p276

지문을 읽고 물음에 답하시오.

01

During the 1800s, the start of the industrial revolution in America caused a flood of unskilled workers to go to the cities. Before long, factory workers outnumbered farmers by three to one. But their working hours were long and demanding. An average worker at a Pittsburgh steel mill, for example, worked 363 days a year and was not allowed any time for resting or meal breaks. Many people experienced severe digestive problems from a constantly poor diet. After a long day at the mill, factory workers would walk home to eat and sleep for only a few hours before starting the whole process over again the next day. Working conditions were so terrible that their lungs and hearing deteriorated in just a few years.

As technology developed and automated machines began to replace humans, working hours eventually decreased. However, the increase in technology did not improve working conditions. Rather, wages dropped and people were demoted to positions that required low skill or no specialized training.

VOCABULARY

flood [flʌd] ***n.*** 물결
before long [bifɔ́:r lɔ(:)ŋ] 얼마 지나지 않아
demanding [dimǽndiŋ] ***a.*** 큰 노력을 요하는
steel mill [sti:l-mil] 제철소
digestive problem [didʒéstiv prɑ́bləm] 소화장애
diet [dáiət] ***n.*** 식단
deteriorate [dití(:)əriərèit] ***v.*** 나빠지다
demote [dimóut] ***v.*** 강등시키다
unskilled [ʌnskíld] ***a.*** 비숙련의
outnumber [àutnʌ́mbər] ***v.*** ~의 수를 앞지르다
average [ǽvəridʒ] ***a.*** 보통의
experience [ikspí(:)əriəns] ***v.*** 겪다
constantly [kɑ́nstəntli] ***ad.*** 계속적으로
lung [lʌŋ] ***n.*** 폐
wage [weidʒ] ***n.*** 임금
eyesight [áisàit] ***n.*** 시력

1. What does the passage mainly discuss?

(A) Urban migration during the industrial revolution
(B) The growth in unskilled labor
(C) Awful labor conditions of early factory workers
(D) The development of steel mill industry

2. According to the passage, at the outset of the industrial revolution in the United States

(A) jobs were difficult to find
(B) factories preferred skilled workers
(C) farming was more profitable than factories
(D) many flocked to cities in search of jobs

3. All of the following are mentioned as health problems experienced by factory workers EXCEPT

(A) trouble with hearing
(B) vision problems
(C) stomach illnesses
(D) breathing problems

4. According to the passage, the onset of automated machines resulted in

(A) lower pay and lower status at work
(B) improved working conditions
(C) the loss of many jobs
(D) additional training programs

정답 p.277

지문을 읽고 물음에 답하시오.

02

The eastern coast of the United States is primarily composed of a long span of gently sloping beach. The west coast of the continent, however, is more rugged and generally consists of steeper coastlines. Moreover, the effects of erosion are felt to a greater degree on the west coast than the east coast. This is partly because people in the west often rely on hydroelectric power and build dams that prevent sand and soil in the river from reaching the sea. In many places, this has actually caused the beach to shrink.

The other reason for the erosion of western coastlines is that people build their homes and roads directly on the rocky slopes. The constructions weaken the cliff face and can even lead to rockslides or other geologic damage. When ocean storms hit the weakened cliff, the waves damage the coastline, and entire homes fall into the sea during hurricanes. However, the role people play in this destruction is not widely recognized, and usually only the storms are blamed for the damage.

VOCABULARY

span [spæn] *n.* 폭, 구간
rugged [rʌ́gid] *a.* 울퉁불퉁한
coastline [kóustlàin] *n.* 해안선
degree [digríː] *n.* 정도
shrink [ʃriŋk] *v.* 줄다, 작아지다
rocky [rάki] *a.* 바위가 많은
face [feis] *n.* 표면
entire [intáiər] *a.* 모든
blame [bleim] *v.* ~의 탓으로 돌리다
gently [dʒéntli] *ad.* 완만하게
steep [stiːp] *a.* 가파른
erosion [iróuʒən] *n.* 침식, 풍식
prevent [privént] *v.* 막다
directly [diréktli] *ad.* 바로
weaken [wíːkən] *v.* 약화시키다
rockslide [rαkslaid] *n.* 암석 미끄럼 사태
play [plei] *v.* 수행하다

1. What does the passage mainly discuss?
(A) Comparison of eastern and western U.S. coasts
(B) Causes of corrosion to western coastal areas in U.S.
(C) The damage caused by storms
(D) Warnings against building houses on the beach

2. The word rugged in the passage is closest in meaning to
(A) unstable
(B) dangerous
(C) spread out
(D) uneven

3. According to the passage, dams are responsible for which of the following?
(A) Allowing important minerals to reach the ocean
(B) Decreaseing the size of beaches
(C) Creating smooth, sandy beaches
(D) Elevating the sea level

4. According to the passage, which of the following is **NOT** an effect of coastal erosion?
(A) rockslides
(B) damaged coastlines
(C) hurricanes
(D) destruction of property

정답 p.278

지문을 읽고 물음에 답하시오.

03

The first official academic publication in the United States was produced by Harvard University in Cambridge. Before then, textbooks had no standard and were often not very educational. In 1780, the state of Massachusetts began dealing with this problem. Harvard was recognized as a university, improving the school publication industry. This industry took a long time to develop because agriculture dominated the workplace and the illiteracy rate was very high. But as this industry developed, more literate workers were needed in banks and factories.

As the publication industry grew, the desire for education also rose. As a result, the idea of public education supported by tax dollars flourished in Massachusetts. However, some property owners opposed the tax because they were afraid of losing their exclusive privileges. Despite the resistance, public education that developed in Massachusetts became the root of all U.S. public education.

VOCABULARY

academic [ækədémik] ***a.*** 교육의
textbook [tékstbùk] ***n.*** 교과서
deal with [diːl wið] 해결하다, 다루다
dominate [dάmənèit] ***v.*** 지배하다
literate [lítərit] ***a.*** 글을 읽고 쓸줄 아는
flourish [flə́ːriʃ] ***v.*** 활기를 띠다
exclusive [iksklúːsiv] ***a.*** 독점적인, 한정된
publication [pʌ̀bləkéiʃən] ***n.*** 출판물, 출판
standard [stǽndərd] ***n.*** 표준
agriculture [ǽgrəkʌ̀ltʃər] ***n.*** 농업
illiteracy rate [ilítərəsi rεər] 문맹률
tax [tæks] ***n.*** 세금
oppose [əpóuz] ***v.*** 반대하다
privilege [prívəlidʒ] ***n.*** 특권

1. What is the main topic of this passage?

(A) How industrialization changed the workplace

(B) The beginning of public education in the U.S.

(C) Improvements in the U.S. literacy rate

(D) The fight for public education in America

2. The word literate in the passage is closest in meaning to

(A) hard-working

(B) clever

(C) able to read

(D) skillful

3. The word flourished in the passage is closest in meaning to

(A) thrived

(B) subsided

(C) endured

(D) emerged

4. According to the passage, why did the owners of property oppose tax for public education?

(A) They didn't want the government to build schools on their land.

(B) They didn't want to decrease in their elite status.

(C) They were worried about excessive taxes.

(D) They didn't want the public to be able to vote.

정답 p.279

 지문을 읽고 물음에 답하시오.

04

➪ ■ In the past, zoos were managed in a dangerous way. Zookeepers were only concerned with keeping animals in their cages. If an animal was unable to produce offspring, the zookeepers would simply capture new animals rather than breed the existing animals. ■ Furthermore, the animals were given food that was unwholesome instead of nourishing food that would keep them healthy. ■

Present standards and methods at zoos comply with laws made on exhibiting animals. Only persons who have a certificate in the capture, handling, and care of animals are hired as zookeepers. ■ Courses offered at universities for prospective zookeepers include such subjects as species management, animal behavior, and zoo workplace environment and safety. With these efforts, zoo animals are now receiving balanced meals and also have a landscape that suits their needs for play just like in the wild. ■

● VOCABULARY ●

zookeeper [zú:kì:pər] *n.* 동물원 관리자
unwholesome [ʌnhóulsəm] *a.* 건강에 나쁜
certificate [sərtífəkit] *n.* 자격증
handling [hǽndiŋ] *n.* 취급
prospective [prəspéktiv] *a.* 장래의
suit [sju:t] *v.* 충족시키다
offspring [ɔ́(:)fsprìŋ] *n.* 새끼, 자손
comply [kəmplái] *v.* (규칙에) 따르다
capture [kǽptʃər] *n.* 생포
course [kɔ:rs] *n.* 과정
landscape [lǽndskèip] *n.* 경치
legislation [lèdʒisléiʃən] *n.* 법률

1. What is the main topic of the passage?

(A) Zookeeping subjects offered at universities

(B) The animals of the wild

(C) The improvement of animal care in zoos

(D) Legislation on zookeeping

2. The word unwholesome in paragraph 1 is closest in meaning to

(A) sickly

(B) corrupt

(C) fresh

(D) nutritious

3. The following sentence can be added to the passage.

However, as zoo animals began to die off, it became necessary to give the animals proper care.

Where would it best fit in the passage?

Click on the square (■) to add the sentence to the passage.

4. Why did the author mention courses offered at universities ?

(A) To explain how difficult it is to become a zookeeper

(B) To emphasize the improvement in the care of animals

(C) To provide a list of classes required to become a zookeeper

(D) To cite a reason why there are only a few zookeepers

5. Which of the following can be inferred about animals that had difficulty in reproducing?

(A) They were killed.

(B) They were returned to the wild.

(C) They were provided with special care.

(D) They were replaced by different animals.

정답 p.280

지문을 읽고 물음에 답하시오.

01

The general store sprang up in the United States throughout the 19th century. It was a retail store in a small town or rural community that carried a wide variety of goods, including groceries. Items commonly sold there included flour and white-bread. At times, a general store carried special items such as silk, clothing, and tableware from other countries. Food was not commonly sold at a general store because the pioneering colonies cultivated their own food.

Because the general store usually was located at a crossroads or in a village, it served as a meeting place for members of the community. The storekeeper was an important member not only because he supplied material goods but because he was also the source of news and gossip. Meanwhile, due to its ideal location, a general store had a monopoly on local trade. As such, it was able to keep prices high.

VOCABULARY

general store [dʒénərəl stɔːr] 잡화점
retail [ríːtèil] *a.* 소매의
flour [fláuər] *n.* 밀가루
pioneer [pàiəníər] *v.* 개척하다
crossroad [krɔ́(ː)sròud] *n.* 교차로
monopoly [mənápəli] *n.* 독점(권)
barter [báːrtər] *n.* 물물교환
spring up [spriŋ ʌp] 단번에 ~하다, 도약하다
grocery [gróusəri] *n.* 식료품
tableware [téiblwɛ̀ər] *n.* 식기류
cultivate [kʌ́ltəvèit] *v.* 경작하다
gossip [gásəp] *n.* 가십
scarce [skɛərs] *a.* 부족한

1. What does the passage mainly discuss?
(A) Rural communities in the 19th century
(B) Local barter and trade in colonial times in the U. S.
(C) American general stores in the 1800s
(D) Problems of general stores in the United States

2. The phrase sprang up in paragraph 1 is closest in meaning to
(A) decreased
(B) emerged
(C) dwindled
(D) languished

3. Why did the author mention silk, clothing, and tableware?
(A) To cite items commonly sold in general stores
(B) To give an example of rare goods sold in general stores
(C) To mention hand-made goods
(D) To show how storekeepers kept prices high

4. According to the passage, why was food not usually sold at a general store?
(A) There were no refrigerators at that time.
(B) People could not afford the high prices of food.
(C) Most people produced their own food.
(D) Foreign dishes were more popular.

정답 p.281

지문을 읽고 물음에 답하시오.

02

There are a number of reasons why desert snakes are ideal desert dwellers. Many desert snakes have jaws that are supported from above. This physical characteristic keeps sand out as they move. Moreover, their scales are ridged, allowing them to move and dig into the sand easily. Snakes also adapt to the heat of the desert by estivating during hot, dry periods.

■ The most striking characteristic of the desert snake, however, is its ability to conserve water. **Snakes take in valuable water both directly and indirectly. They drink water directly. Indirectly, they can get water from the food. ■ However, in the desert area, it is not easy to get water. As a result, snakes devise their own strategy to live in extremely dry areas. ■ They try to keep the loss of water to a minimum by making solid rather than liquid waste. But there is a special time when a desert snake must make use of the precious water in its body.** ■ When it casts off its skin, it has to soak it into the water to moisturize the skin. This procedure permits the skin to cast off easily to protect the outer layer from becoming dry. ■

VOCABULARY

dweller [dwélər] *n.* 거주자
ridge [ridʒ] *v.* 이랑 모양으로 융기하다
estivate [éstəvèit] *v.* 여름잠을 자다(=aestivate)
devise [diváiz] *v.* 만들다
cast off [kæst ɔ:f] 벗다
moisturize [mɔ́istʃəràiz] *v.* 습기를 공급하다
scale [skeil] *n.* 비늘
striking [stráikiŋ] *a.* 두드러진
conserve [kənsə́:rv] *v.* 보존하다
precious [préʃəs] *a.* 귀중한
soak [souk] *v.* 적시다
procedure [prəsí:dʒər] *n.* 과정

1. What is the main purpose of the passage?
(A) To cite reasons why living in a desert is difficult
(B) To explain how snakes physically adapt to the desert
(C) To prove that snakes need help to survive in deserts
(D) To illustrate how snakes conserve water

2. Which of the following does **NOT** help desert snakes live in the desert?
(A) Ridged scales and supported jaws
(B) Elongated bodies or dry skin
(C) Sleep during the hot season
(D) Resourcefulness in saving water

3. Look at the word precious in the passage. Click on the word in the **bold** text that has the same meaning.

4. The following sentence may be added to the passage.

However, some desert snakes can cast off their skin without soaking it in water.

Where would it best fit in the passage?
Click on the square (■) to add the sentence

정답 p.282

지문을 읽고 물음에 답하시오.

03

At the turn of the 20th century in the United States, the General Land Office was responsible for maintaining the country's forest reserves. However, it was known for its incompetence and fraud. The Bureau of Forestry warned the government that if it did not provide protection, national forests would dwindle in fifty years. It took time before the government finally enacted a bill. In 1905, with strong encouragement from President Theodore Roosevelt, an act of Congress transferred the Bureau of Forestry from the Department of the Interior to the Department of Agriculture. The Bureau of Forestry later became known as the Forest Service.

The Forest Service was established to protect and manage natural resources. ■ This research would provide valuable information to manage national forests. ■ The Forest Service also regulated logging operations of the lumber industry. It ordered that only fifteen percent of the national forests could be cut for the lumber industry. ■ The institution's role was to provide quality water and timber for the nation's benefit. ■ However, it could control only the national forests and had no control over forested areas belonging to the state or on private land.

VOCABULARY

reserve [rizə́:rv] **n.** 지정보호지역
incompetence [inkɑ́mpitəns] **n.** 무능력
fraud [frɔ:d] **n.** 부정
enact [inǽkt] **v.** 제정하다
bill [bil] **n.** 법안
log [lɔ(:)g] **v.** 벌목하다
operation [ɑ̀pəréiʃən] **n.** 작업
lumber [lʌ́mbər] **n.** 목재
* the General Land [ðə dʒénərəl lænd] 국유지 관리국
* the Bureau of Forestry [ðə bjú(:)ərou əv fɔ́(:)ristri] 산림국
* the Department of the Interior [ðə dipɑ́:rtmənt əv ðə intí(:)əriər] 내무부
* the Department of Agriculture [ðə dipɑ́:rtmənt əv ǽgrəkʌ̀ltʃər] 농무부
* the Forest Service [ðə fɔ́(:)rist sə́:rvis] 미국 산림청

1. What is the main topic of the passage?

(A) The establishment and role of the Forest Service
(B) Congressional acts in the early 19th century
(C) Statistics on forest reserves in the United States
(D) The U.S. lumber industry in the 19th century

2. The word dwindle in paragraph 1 is closest in meaning to

(A) grow
(B) decrease
(C) multiply
(D) burn

3. Click on the sentence in paragraph 1 that mentions when the Bureau of Forestry moved departments

4. The following sentence can be added to the passage.

In addition, it was authorized to conduct research on all aspects of forestry, rangeland management, and forest resource utilization.

Where would it best fit in the passage?
Click on the square (■) to add the sentence to the passage.

5. Which of the following is **NOT** a function of the Forest Service?

(A) To research to manage national forests
(B) To administer logging operations
(C) To manage existing forest reserves
(D) To control private and state forests

정답 p.283

지문을 읽고 물음에 답하시오.

04

Back in the early 1800s, vast herds of buffalo stretched as far as the eye could see. By 1850, there were about twelve million buffalo. By the mid-1870s, however, the buffalo had been hunted almost to extinction. The number of buffalo being killed for sport and for profit was astronomical. Some compared the boom in the buffalo hunt to the gold rush. The use of guns, a market for buffalo hide, the development of tanning buffalo hide, and the expansion of the railroad system all contributed to the sharp increase in buffalo hunting. In particular, in the 1870s, clothes made from buffalo skin became fashionable, and industrialists discovered that buffalo hides could be used for other purposes.

In the 1870s, homestead workers who suffered from difficult economic situation also rushed to hunt for buffalo in hopes of making money. Ironically, only a few succeeded because these people did not know how to properly peel off the buffalo's skin and how to use tanning methods. Despite these failures, the killing of buffalo continued. One ramification of this situation was that the supply of buffalo exceeded demand and the price of buffalo hide fell.

VOCABULARY

herd [həːrd] *n.* 가축의 떼, 무리
profit [prάfit] *n.* 이윤, 이익, 돈벌이
boom [buːm] *n.* 급격한 증가, 붐
hide [haid] *n.* 짐승의 가죽
homestead [hóumstèd] *n.* 농장
peel off [piːl ɔːf] 벗겨내다
buffalo [bʌ́fəlòu] *n.* 물소
astronomical [æ̀strənάmikəl] *a.* 천문학적인
the gold rush [ðə gould rʌʃ] 골드러시
tanning [tǽniŋ] *n.* 무두질, 제혁법
ironically [airάnikəli] *ad.* 이상하게도
ramification [ræ̀məfəkéiʃən] *n.* 결과

1. What does the passage mainly discuss?
(A) American colonies in the 1800s
(B) Buffalo hunting boom in the United States
(C) Comparison of the gold rush to buffalo hunting
(D) Popular buffalo products

2. All of the following were factors that contributed to an increase in buffalo hunting **EXCEPT**
(A) rise in the use of guns
(B) development of railroad system
(C) growth in buffalo market
(D) push toward the West

3. According to the passage, why did few succeed at buffalo hunting?
(A) People didn't have the proper weapons to hunt.
(B) They didn't know where to find buffalo.
(C) People didn't know how to correctly treat buffalo skin.
(D) They fought with the Indians.

4. The word ramification in paragraph 2 is closest in meaning to
(A) cause
(B) source
(C) precedence
(D) consequence

정답 p.284

 지문을 읽고 물음에 답하시오.

01 The development of air mail service in the United States began due to a demand for faster mail service. The first planes, the JL-6s bought by the Post Office, were slow and had serious fuel leakage problems. These planes were replaced by the faster planes, the DH-4s. The initial coast to coast mail service was provided by a combination of train and air mail. Planes delivered mail during the day while trains transported mail in the evening. This system was time-consuming and inefficient. Consequently, the Post Office wanted to develop an entire air mail system. To make this development possible they needed night flying.

On February 22, 1921, two DH-4s each took off from New York and San Francisco. However, only one plane reached its final destination, Chicago. It was Jack Knight who flew the last two stages of the plane that originated from San Francisco. He flew from North Platte, Nebraska to Omaha to Chicago. Despite flying in the night without the aid of fires, he found Chicago after seven hours in the air, arriving at 8:40 A.M. Jack Knight became a national hero who contributed to the development of air mail service.

VOCABULARY

fuel [fjú(:)əl] *n.* 연료
replace [ripléis] *v.* 교체하다
inefficient [ìnifíʃənt] *a.* 비효율적인
route [ru:t] *n.* 루트, 길
leakage [lí:kidʒ] *n.* 누출
initial [iníʃəl] *a.* 처음의, 시초의
night flying [nait fláiiŋ] 야간비행
destination [dèstənéiʃən] *n.* 목적지, 행선지

1. What does the passage mainly discuss?

(A) The beginning of the United States air mail system
(B) Old and new planes used by the U.S. Postal Service
(C) Inefficiencies of the U.S. Post Office
(D) The first coast to coast flight in the United States

2. The word initial in paragraph 1 is closest in meaning to

(A) significant
(B) first
(C) final
(D) secondary

3. According to the passage, Jack Knight became a national hero because

(A) he was first to fly the DH-4
(B) he played an important role in the advancement of air mail service
(C) his plane flew non-stop
(D) he flew blind on the last stage of the journey

4. The paragraph following the passage will likely discuss

(A) the life of Jack Knight
(B) growth of the U.S. air mail system
(C) coast to coast flying in the U.S.
(D) problems of the U.S. air mail system

정답 p.285

지문을 읽고 물음에 답하시오.

02

With greater emphasis placed on education by the United States government, public schools became more prevalent in the late 18th century. As public education became more readily available, funding for public schools was generous and a free textbook system was implemented. In spite of these efforts, children rarely attended school beyond elementary school. Only two percent of the school-age population attended intermediate or middle school, and only one percent attended high school. Many school-age children in intermediate and secondary schools left school to work.

The development of cities, however, changed the public's perception on secondary education. It made schools more accessible to children. In the middle of the 19th century, for example, elementary schools became more widespread. Technological advancements such as the development of the telephone reduced the number of youngsters working as messengers. Consequently, more children were able to attend schools. Children seeking jobs that required less physical labor needed more education. As these educated children reached adulthood in the latter part of the 19th century, they wanted their children to have the opportunity to receive better education. These conditions became an impetus for a change in the curriculum, which had remained the same since the early 19th century.

VOCABULARY

public school [pʌ́blik skuːl] 공립학교
fund [fʌnd] *v.* 자금 지원하다
implement [ímpləmènt] *v.* 실행하다
intermediate school [ìntərmíːdiit skuːl] 중학교
accessible [əksésəbl] *a.* 접근하기 쉬운
messenger [mésəndʒər] *n.* 심부름꾼
curriculum [kəríkjələm] *n.* 교육과정

prevalent [prévələnt] *a.* 널리퍼진
generous [dʒénərəs] *a.* 관대한
school-age [skuːl eidʒ] *a.* 취학연령의
secondary school [sékəndèri skuːl] 중등학교
youngster [jʌ́ŋstər] *n.* 아이
impetus [ímpitəs] *n.* 자극

1. What is the main topic of the passage?
(A) Growth of public education
(B) Technological developments
(C) Changes in the curriculum
(D) Development of cities

2. It can be inferred from the passage that initially Americans considered education to be
(A) too expensive
(B) less important than work
(C) inadequate
(D) discouraging

3. It can be inferred from the passage that the amount of education adults received
(A) did not have any impact on their children's education
(B) increased the likelihood that their children would go to school
(C) determined whether or not a child would enter the work force
(D) affected the supervision of public schools

4. The word impetus in paragraph 2 is closest in meaning to
(A) stimulus
(B) transformation
(C) depressant
(D) contraction

5. What will the paragraph after the passage likely discuss?
(A) Curriculum in public schools
(B) Private education
(C) Development of cities
(D) Advancements made in technology

정답 p.286

지문을 읽고 물음에 답하시오.

03

The cornea is a transparent coating that covers the outside of the lens of the eye. If light comes into the eye, the cornea scatters the ray. Although the cornea appears to be clear and lacking in substance, it is actually a complex group of cells and proteins. As people grow older, its function degrades. The cornea may become less transparent with age, causing images to appear distorted or blurred. There may also be a loss of sensitivity to different shades of colors.

Another part of the eye that is easily affected by old age is the iris. The iris, a muscle that controls the amount of light coming into the eyes, acts much like a camera lens. The iris controls the contraction of the pupils. As a person grows older, the iris loses its ability to control and cannot respond directly to changes in light. Especially the lens and ciliary change more profoundly than any other part of the body when people become old. The ciliary alters the shape of the lens, which focuses light on the retina, a layer at the back of the eyeball. As all the parts age, the debris accumulating on the back of the lens become like paintings on buildings. Consequently, the lens is thickened three times as much as the lens of a youngster. When the lens is thick, a person has difficulty in seeing things that are near.

VOCABULARY

cornea [kɔ́:rniə] *n.* 각막
scatter [skǽtər] *v.* 확산시키다
distort [distɔ́:rt] *v.* 뒤틀다
iris [áiəris] *n.* 홍채
pupil [pjú:pəl] *n.* 동공
profoundly [prəfáundli] *ad.* 심오하게
eyeball [áibɔ̀:l] *n.* 안구
debris [dəbrí:] *n.* 잔해
coating [kóutiŋ] *n.* 막
ray [rei] *n.* 광선
blur [blə:r] *v.* 흐리게 하다
contraction [kəntrǽkʃən] *n.* 수축
ciliary [sílièri] *n.* 모양체
retina [rétənə] *n.* 망막
age [eidʒ] *v.* 노화하다 *n.* 노년
accumulate [əkjú:mjəlèit] *v.* 축적되다, 축적하다

1. What is the main topic of the passage?

(A) The parts of the eye
(B) How old age affects the parts of the eye
(C) How the eye sees
(D) Protecting the eyes from dirt

2. According to the passage, which parts of the body change most as one ages?

(A) the lens and ciliary
(B) the iris
(C) the cornea
(D) the blood vessels

3. Look at the terms cornea, iris, ciliary, and retina in the passage, which of these terms is **NOT** defined in the passage?

(A) cornea
(B) iris
(C) ciliary
(D) retina

4. The word alters in paragraph 2 is closest in meaning to

(A) weakens
(B) changes
(C) adds
(D) strengthens

정답 p.287

지문을 읽고 물음에 답하시오.

04

Animals have their own way of surviving in harsh winter weather. Birds usually spend the spring and summer in northern breeding grounds, then migrate to warmer climates in the south. **Penguins accumulate fat in their body when food is abundant. This fat helps the penguins' bodies stay warm, so they can survive when food is not plentiful during the winter season. Ground animals, such as groundhogs, chipmunks and some local bats, are capable of lowering their body temperatures.** Insects sometimes spend the winter as larvae.

A more complex strategy for surviving the winter is freeze tolerance, the ability to endure actual ice formation within the body. **The wood frog is one excellent example of how an animal can tolerate freezing. Because its skin is not a barrier to ice, the frog simply freezes. Its blood stops flowing and as much as sixty-five percent of its body becomes ice.** However, rather than waiting for spontaneous ice formation, a wood frog controls the freezing by using special bacteria found in the skin. This allows the frog to make adjustments in their bodies to ensure survival.

VOCABULARY

harsh [hɑːrʃ] *a.* 혹독한
groundhog [gráundhɔ̀g] *n.* 마못
larva [láːrvə] *n.* 애벌레, 유충 (pl. larvae)
endure [indjúər] *v.* 견디다
tolerate [tálərèit] *v.* 견디다
spontaneous [spɑntéiniəs] *a.* 자연적인
breeding ground [bríːdiŋ graund] 번식지
chipmunk [tʃípmʌŋk] *n.* 다람쥐의 일종
freeze tolerance [friːz tálərəns] 내한성
wood frog [wud frɔ(ː)g] 송장 개구리
barrier [bǽriər] *n.* 장애, 장벽
adjustment [ədʒʌ́stmənt] *n.* 조절

1. What is the best title for this passage?

(A) How frogs survive freezing weather

(B) Various ways in which animals survive the winter

(C) Hibernation during the winter season

(D) Freeze tolerance

2. Look at the word abundant in the passage. Click on the word or phrase in the bold text that has the same meaning.

3. Why does the author mention wood frog in the passage?

(A) To describe a hibernating animal

(B) To demonstrate how animals moves to warmer climates

(C) To give an example of an animal that uses freeze tolerence during the winter

(D) To discuss animals that use fur to keep warm

4. Look at the word Its in paragraph 2. Click on the word or phrase in the **BOLD** text that Its refers to.

정답 p.288

지문을 읽고 물음에 답하시오.

01

There were only fifteen periodicals, periodic publications such as magazines, before the American Revolution, and each had a life span of only ten months. After the war, more magazines appeared in larger numbers. Before the year 1800, there were seventy that were being published. Most were literary magazines. The golden age of magazine was made possible through the construction of continental railroads, improved printing methods, lower production costs, and the legislation of the Postal Act. In particular, the Postal Act discounted the postal charge for magazines. The improvement and popularization of secondary education also made the magazine industry flourish.

■ Advertising was a minor factor when it was introduced in 1741 but later became a backbone of the magazine industry. ■ The publishers of such magazines as *General Magazine* and *Historical Chronicle* lowered their magazine prices and production costs by allowing advertisements to be posted. Newspaper companies adopted this method as well. ■ As time went by, due to the lure of robust advertisement revenue, many magazine companies entered the industry in pursuit of only profits. This caused the overall quality of magazines to deteriorate. ■

VOCABULARY

periodical [pìəriádikəl] *n.* 정기 간행물
periodic [pìəriádik] *a.* 정기적인
life span [laif spæn] 수명
literary [lítərèri] *a.* 문학의
continental railroad [kàntənéntəl réilròud] 대륙횡단 철도
the Postal Act [ðə póustəl ækt] 우편법
discount [dískaunt] *v.* 하락시키다
postal [póustəl] *a.* 우편의
charge [ʃɑːrʒéi] *n.* 요금
flourish [fləːriʃ] *v.* 번창하다
secondary education [sékəndèri èdʒukéiʃən] 중등교육
minor [máinər] *a.* 중요치 않은, 둘째 가는
backbone [bǽkbòun] *n.* 등뼈, 중추
adhere to [ædhíər tu] 고수하다, 고집하다
overall [óuvərɔ̀ːl] *a.* 전반적인
deteriorate [dití(ː)əriərèit] *v.* (가치를) 저하시키다

1. What is the main idea of the passage?
(A) Several factors including advertisement contributed to the growth of the magazine industry.
(B) Periodical in the U.S. came in many forms.
(C) Newspaper companies competed directly with magazines.
(D) Magazine quality fell as companies became more interested in profits.

2. The phrase golden age in the passage is closest in meaning to
(A) anticlimax
(B) heyday
(C) gold rush
(D) boredom

3. The author implies that the popularity of secondary education helped
(A) increase the population of magazine readers
(B) improve the American workforce
(C) raise public school funding
(D) create greater interest in education

4. Why does the author mention newspaper companies?
(A) To clarify how newspapers competed with magazines
(B) To distinguish different methods used by magazines and newspapers
(C) To cite a case of plagiarism
(D) To demonstrate the expansion of advertisement

5. The following sentence may be added to the passage.
Soon after, most modern magazine companies, especially woman's magazines, copied these tactics.

Where does the sentence best fit in the passage?
Click on the square (■) to add the sentence to the passage.

정답 p.289

지문을 읽고 물음에 답하시오.

02

The French geographer Andre Aubreville first used the word, 'desertification' in 1949 to describe land in Africa that had changed from a productive forest and grassland to a desert. Many countries in the world are affected by desertification especially in North America. The desert area in the West was not as vast as it is today. In fact, seventy-four percent of North America's drylands or arid regions are quickly becoming desert lands today. Much of the area was formerly grassland.

There are many reasons why America's drylands are affected by desertification. ■ For one, movement toward the West resulted in large populations settling in the grasslands and raising buffaloes. Because the temperature was so dry, settlers couldn't engage in farming. ■ The cattle ate only grass but did not touch the woody plants. The result was that in a short time, only the woody plants remained. ■ Although some believe that the grazing habits of the cattle were the primary reason for desertification, there was one other reason that the lands became a desert. ■ Forest fires were natural and frequent occurrences. Contrary to some people's belief, forest fires are instrumental in providing nutrition to plants. Moreover, the incidence of fire served to balance the ecological system. However, as more and more people settled in the grasslands, there were fewer forest fires. The settlers were skilled in putting out fires in the 19th century. ■ This, however, broke the balance of the ecological system, which accelerated desertification.

VOCABULARY

geographer [dʒiágrəfər] *n.* 지리학자
productive [prədʌ́ktiv] *a.* 풍부한
woody plant [wúdi plænt] 목본 식물
instrumental [ìnstrəméntəl] *a.* 도움이 되는, 수단이 되는
balance [bǽləns] *n.* 균형
ecological system [èkəládʒikəl sístəm] 생태계
grassland [grǽslæ̀nd] *n.* 목초지
graze [greiz] *v.* 풀을먹다, 방목하다
occurrence [əkə́:rəns] *n.* 발생
incidence [ínsidəns] *n.* 발생, 발생률
desertification [dèzə:rtəfəkéiʃən] *n.* 사막화
accelerate [əksélərèit] *v.* 가속화 하다

1. What is the main topic of the passage?
(A) Desertification around the world
(B) Causes of desertification in North America
(C) Changes in North America's ecosystem
(D) Raising buffaloes on grasslands

2. Click on the sentence in paragraph 1 that mentions when desertification was first given its name.

3. The following sentence may be added to paragraph 2.
Decrease in forest fires was another contributor to the desertification process.

Where would it best fit in the paragraph?
Click on the square (■) to add the sentence to the paragraph.

4. The author suggests that the main reason for desertification in North America was
(A) lack of rain
(B) soil erosion
(C) cattle grazing
(D) forest fires

5. Which of the following is best describes the organization of paragraph2?
(A) The results of desertification are discussed.
(B) The reasons why people moved to the West are provided.
(C) The causes of desertification in North America are listed.
(D) The stages of desertification are described.

정답 p.290

지문을 읽고 물음에 답하시오.

03

Cotton farming became the main industry in the southern part of the United States after the introduction of Eli Whitney's cotton gin to the South in 1793. Although the soil in the South was ideal for growing cotton, there was one drawback. It took a long time to make a single thread. Until the cotton gin, a device for removing the seeds from cotton fiber, was developed by Eli Whitney, it took one day to make a pound of thread. The cotton gin dramatically increased the amount of thread produced each day to fifty pounds. Whitney demonstrated his cotton gin to a few friends. When they saw how efficient the machine was, they planted their fields with green seed cotton. Soon, there was a great demand for the machine.

A number of other factors contributed to the explosive growth of the cotton industry. Ample supply of cheap labor allowed for year-round production. In addition, workers in the cotton industry needed only minimal skills. This growth of the U.S. cotton industry had a large impact on Britain. *The London Economist*, in fact, mentioned that millions of people in Britain would be adversely affected should a disaster to the U.S. cotton industry occur.

VOCABULARY

ideal [aidí(:)əl] *a.* 이상적인
cotton gin [kátən dʒin] 조면기
remove [rimú:v] *v.* 제거하다
demonstrate [démənstrèit] *v.* 논증하다
spur [spə:r] *v.* 활발하게 하다
year-round [jí(:)əráund] *a.* 연중 내내
adversely [ædvə́:rsli] *ad.* 불리하게
thread [θred] *n.* 실
device [diváis] *n.* 장치
fiber [fáibər] *n.* 섬유
explosive [iksplóusiv] *a.* 폭발적인
labor [léibər] *n.* 노동력
minimal [mínəməl] *a.* 최소한의
exporter [ekspɔ́:rtər] *n.* 수출국

1. What is the best title of the passage?
(A) Eli Whitney's famous cotton gin
(B) How the cotton industry grew in the United States
(C) Various cotton exports around the world
(D) How the cotton gin works

2. The word drawback in the passage is closest in meaning to
(A) disadvantage
(B) painting
(C) profit
(D) machine

3. Which of the following is **NOT** mentioned as a factor for the boom in U.S. cotton production?
(A) inexpensive labor
(B) Whitney's machine
(C) good weather
(D) year-round production

4. The word minimal in paragraph 2 is **OPPOSITE** in meaning to
(A) least
(B) cheapest
(C) largest
(D) advanced

5. What can be inferred from the comment made in *The London Economist*?
(A) London was critical of the U.S. cotton industry
(B) The United States was doing business with London
(C) Britain was highly dependent on the U.S. cotton industry
(D) American cotton was cheaper than in London

정답 p.291

지문을 읽고 물음에 답하시오.

04

Sir Isaac Newton was only a student when his interest in optics began. His interest was aroused in 1664 after reading the works of English physicists Robert Boyle and Robert Hooke on optics and light. Over the next two years, Newton would come into what he called the prime of his age for invention. During this time, he not only wrote *Mathematical Principles of Natural Philosophy* also known as *Principia* but also conducted experiments on light as refracted by a glass prism.

Scientists of early times believed that the colors produced by passing light through a prism came from the glass and not the light itself. Isaac Newton conducted very elaborate experiments on light. The experiments were to challenge earlier notions about light. Puncturing a sheet of black paper, Newton passed a light through this hole, and then allowed the light to pass through a prism. Thus he found that white light was actually a mixture of varied colored rays in a rainbow or spectrum. Newton went one step further by passing the divided light into another prism. This time, the light converged into its original form. Newton discussed the results of his experiments in a book titled *Optics*. This book is still being used in university physics classes today.

VOCABULARY

- Sir [sər] *n.* 선생, 경
- physicist [fízisist] *n.* 물리학자
- principle [prínsəpl] *n.* 원리
- conduct [kəndʌ́kt] *v.* 수행하다
- refract [rifrǽkt] *v.* 굴절시키다
- challenge [tʃǽlindʒ] *v.* 도전하다
- puncture [pʌ́ŋktʃər] *v.* 구멍을 내다
- spectrum [spéktrəm] *n.* 스펙트럼
- title [táitl] *v.* 표제를 붙이다 *n.* 제목
- optics [ɑ́ptiks] *n.* 광학
- prime [praim] *n.* 전성기, 한창 때
- philosophy [filɑ́səfi] *n.* 철학
- experiment [ikspérəmənt] *n.* 실험
- elaborate [ilǽbərit] *a.* 정교한
- notion [nóuʃən] *n.* 개념
- ray [rei] *n.* 광선
- converge [kənvə́ːrdʒ] *v.* 한점에 모이다

1. What does the passage mainly discuss?
(A) The book that Newton wrote
(B) Scientific experiments on light
(C) Newton's experiments on light
(D) Successful scientific experiments

2. According to the passage, Newton's experiments on light
(A) questioned previous theories
(B) led to the discovery of radioactivity
(C) defined the colors of the rainbow
(D) agreed with the findings of other scientists

3. The word conducted in the passage is closest in meaning to
(A) removed
(B) executed
(C) sought
(D) transmitted

4. The word converged in the passage is closest in meaning to
(A) crossed
(B) aligned
(C) met
(D) separated

정답 p.293

beginning

01 During the American colonial period, lawyers were generally not regarded as important people. As such, they were few in number. Citizens of that era regarded lawyers as neither terribly professional nor profoundly equipped with knowledge. Some were even insulted or vilified. However, as society became increasingly complicated and the dangers of social evil became ever more apparent, people needed lawyers who could handle civil conflict. Soon even their critics began to acknowledge their necessity.

At that time, in the southern region of the United States, there were no law schools so a number of people who were interested in studying law went to England. Most of them went to an institute called the 'Inns of Court,' which was not a formal school but was a practical part of the English law system. **Americans who paid their tuition to this institute were largely satisfied and considered their training fruitful, even though they later helped with work of little or no value such as the implementation of clerkship, or became an apprentice to an established lawyer.**

■ Meanwhile, in America, it had become the policy to appoint lawyers for each state and oblige them to handle cases in regional courts. Lawyers were being given respect and power, and most were accorded a position in the Association of American Lawyers. ■ This association was already shaping up to have a

1. What does the passage mainly discuss?

Ⓐ Educational options for lawyers in the U.S. during the colonial period
Ⓑ Changes in the role of American lawyers in the colonial era
Ⓒ Original dominance of British law over the American system
Ⓓ How the U.S. legal system contributed to founding a new nation

2. The word some in the passage refers to

Ⓐ lawyers
Ⓑ people
Ⓒ critics
Ⓓ citizens

3. Click on the sentence in paragraph 1 that describes why lawyers eventually became required in America.

4. It can be inferred from the passage that

Ⓐ there was less need for lawyers in the North
Ⓑ people in the North preferred American schools
Ⓒ there were probably several law schools in the North
Ⓓ the cost of living was more expensive in England

5. According to the passage, what were the 'Inns of Court'?

Ⓐ Practical legal institutions
Ⓑ Formal law schools
Ⓒ Residences for lawyers
Ⓓ Hotels for legal apprentices

6. Look at the phrase of little or no value in the passage. Click on the word or phrase in the **BOLD** text that has the **OPPOSITE** meaning.

end

very hierarchical system, and the ranking of lawyers eventually ascended from those operating on a civic level to those who practiced in federal jurisdictions. ■ Major lawyers of the era were soon a powerful voice in their communities. ■ For example, when the new American nation was founded, many lawyers contributed to enacting the Declaration of Independence and writing the Constitution. ■

Test Quit | ? Help | ← Prev | → Next

7. According to the passage, American lawyers studying law at the 'Inns of Court' largely

Ⓐ assisted in major legal cases
Ⓑ spent many hours in research
Ⓒ carried out small tasks or apprentice work
Ⓓ performed difficult duties on behalf of their instructors

8. The word **established** in the passage is closest in meaning to

Ⓐ educated
Ⓑ qualified
Ⓒ set up
Ⓓ determined

9. The word **oblige** in the passage is closest in meaning to

Ⓐ assist
Ⓑ compel
Ⓒ trouble
Ⓓ profit

10. The word **accorded** in the passage is closest in meaning to

Ⓐ freshened
Ⓑ donated
Ⓒ granted
Ⓓ registered

11. The following sentence can be added to the passage.

There were a number of eminent lawyers among these American founders, including Thomas Jefferson and Samuel Adams.

Where would it best fit in the passage?
Click on the correct square (■) to add the sentence to the passage.

정답 p.294

beginning

02

Stained glass was first used by wealthy Romans in their villas and palaces in the first century A.D. At this time stained glass was considered a luxury rather than an artistic medium. By the ninth and tenth centuries, as the demand for churches increased, so did the production of decorative stained glass windows. Stained glass as it is known today was first used in European religious panels in the 12th century. Stained glass witnessed its greatest diversity in design, style, and palette during this Gothic period. The use of stained glass expanded during the Renaissance period of art revival and began to be used in some non-church construction. This diversity in approach combined with the skilled artistry that developed with the formation of regulated guilds and a wide array of technological advances elevated the medium to a position of unsurpassed preeminence.

The process of making stained glass has changed little in the past thousand years. Stained glass artisans first make a full scale working drawing called a cartoon. The glass is then cut, guided by a pattern made from the cartoon. To give the glass different color effects, details such as hands and faces are painted. It is then further exposed to high temperatures to seal the paint. **The complicated job of leading, an elaborate procedure combining the glass with strips of bendable metal, comes next. The lead is then sealed or 'cemented' with a special mixture and the window can be installed into a space in the**

12. What does paragraph 3 mainly discuss?

Ⓐ How to make stained glass
Ⓑ Advancements in the glass-making industry
Ⓒ The use of stained glass in cathedrals
Ⓓ Different types of stained glass

13. According to the passage, what caused the increase in the production of stained glass?

Ⓐ A greater diversity in design and style
Ⓑ The increased use of stained glass windows in the home
Ⓒ Technological advancements in stained glass
Ⓓ A rise in the number of churches

14. The word unsurpassed in the passage is closest in meaning to

Ⓐ unique
Ⓑ unrivaled
Ⓒ unprecedented
Ⓓ extended

15. What can be inferred about stained glass from paragraph 1?

Ⓐ Stained glass demand fell after the 10th century.
Ⓑ Stained glass was commonly found in early Rome.
Ⓒ The Gothic Era was the height of stained glass innovation.
Ⓓ Opalescent glass was used to decorate European churches.

16. The word It in paragraph 2 refers to

Ⓐ glass
Ⓑ color
Ⓒ paint
Ⓓ cartoon

end

wall. The end result is a magnificent blend of color and light.

➡ ■ The colored 'see through' type of stained glass is known today as cathedral stained glass. ■ **The stained glass was soon developed into a glass which had the stain incorporated into the actual glass by adding metals and minerals to the molten glass resulting in a tinted glass.** ■ **Stained glass made a major advancement in the late 1800's and early 1900's when American glassmakers expanded upon the European cathedral glass by making a translucent 'milky' glass known as opalescent glass.** ■ **The addition of opalescent glass has significantly expanded the variety of glass available.** ■ **While other sub-types of stained glass have been developed in recent years, the two basic types of stained glass used today are still the cathedral and opalescent glass.**

Test Quit | ? Help | ← Prev | → Next

17. Look at the word complicated in the passage. Click on the word in the **BOLD** text in paragraph 2 that is SIMILAR in meaning.

18. All of the following are steps in the process of making stained glass EXCEPT

Ⓐ cutting glass
Ⓑ leading
Ⓒ mixing
Ⓓ drawing

19. The word mixture in the passage is closest in meaning to

Ⓐ collection
Ⓑ bulk
Ⓒ disposition
Ⓓ compound

20. The following sentence can be added to the passage.

This was originally clear glass that had a colored stain applied to it.

Where would it best fit in the passage? Click on the square (■) to add the sentence to the passage.
glass

21. Look at the sentences in the **BOLD** text in paragraph 3. Click on the sentence that explains why opalescent glass was a major advancement.

Paragraph 3 is marked with an arrow [➡].

22. In paragraph 3, the word translucent is closest in meaning to
Ⓐ opaque
Ⓑ bright
Ⓒ fluid
Ⓓ clear

정답 p.295

beginning

03 Around the 20th century, modern dance appeared as part of the avant-garde movement. Avant-garde dance was an experimental expression. It did not require dancers to perform in conventional ballet costume, but rather allowed them to wear casual clothes such as T-shirts and jeans in order to express the feeling of everyday life. Most importantly, avant-garde dance was often performed in the park, the church, or the street, unlike traditional dance which is highly structured and only performed in official places such as concert halls.

Indeed, the basic formats of traditional and modern dance were remarkably different. The traditional approach required a systematic form and story to the dance, which was almost always produced by choreographers. **Modern dance, on the other hand, needed only music and relied for the most part on improvised material. Occasionally, it did not even require that, and could at times take on the form of a mime or interpretive dance.** Avant-garde dance appealed to various kinds of audiences, including those who were not knowledgeable or refined patrons of the arts. Thus, whoever was interested in art and had an open mind could enjoy avante-garde dance.

■An important stylistic difference in avant-garde dance is the way dancers choose to express themselves. ■They could talk during the dance performance or even sweep the place clean. ■Dance companies and individual

23. What is the main topic of this passage?

Ⓐ Triumph of avant-garde dance over traditional ballet
Ⓑ Characteristics of avant-garde dance
Ⓒ Cultural movements behind avant-garde dance
Ⓓ Avant-garde art forms in the 20th century

24. Click the sentence which refers to the clothing worn by performers in the Avant-garde dance.

25. Avant-garde dance was LEAST likely to be performed in

Ⓐ concert halls
Ⓑ parks
Ⓒ churches
Ⓓ warehouses

26. According to the passage, which of the following was a characteristic of dance prior to the avant-garde movement?

Ⓐ It was not reliant upon music.
Ⓑ It followed well-structured forms.
Ⓒ Dance troupes were named freely.
Ⓓ Costumes included casual street wear.

27. The word improvised in paragraph 2 is closest in meaning to

Ⓐ new
Ⓑ unique
Ⓒ interesting
Ⓓ unplanned

28. Look at the word that in paragraph 2. Click on the word in the **BOLD** text that that refers to.

end

performers found new ways to incorporate their art in a broader performing context. One way in which this was reflected was in their choice of company names. ■ Before the avant-garde movement, troupes were largely named after their resident choreographer. ■ However, after the development of the movement, they took on their own titles, such as 'Acme.' With this step, emphasis on the role of the choreographers was minimized. ■

Test Quit | ? Help | ← Prev | → Next

29. According to the passage, people who enjoyed avant-garde dance

Ⓐ hated traditional art forms
Ⓑ loitered around the streets
Ⓒ were not necessarily experts in art
Ⓓ had a fairly closed mind

30. The word incorporate in paragraph 3 is closest in meaning to

Ⓐ integrate
Ⓑ change
Ⓒ enter
Ⓓ reduce

31. The following sentence can be added to the passage.

Traveling shows commonly bore names like 'Zeferelli's Dance Company' or 'The Radoyanov Ballet Troupe.'

Where would it best fit in the passage? Click on the correct square (■) to add the sentence to the passage.

32. It can be inferred from the passage that the choreographer prior to the avant-garde movement was

Ⓐ important
Ⓑ insignificant
Ⓒ prosperous
Ⓓ rare

33. The word minimized in paragraph 3 is closest in meaning to

Ⓐ reduced
Ⓑ eliminated
Ⓒ destroyed
Ⓓ enhanced

정답 p.297

beginning

04

The first world fair was held in London in 1851, introducing the era of world fairs to the United States. World fairs were held to show a country's technological and scientific progress, and allowed its citizens to feel a kind of collective faith in the merit of their national innovations. This era of enthusiasm began in America with the 1853-54 Crystal Palace Exhibition in New York City, marking America's first such world fair, which, unfortunately, failed to draw many spectators.

The New York fair was followed by the Centennial International Exhibition in Philadelphia in 1876, which launched the tradition of hosting a world fair to commemorate the anniversary of American independence. Fairs continued to be held all over the country right up until the outbreak of World War II. The New York World Fair held from 1939-40 proved to be another disappointment for the city, as its timing coincided with that of the onset of war.

The next world fair held in Brussels in 1958 was rife with Cold War symbolism. ■ The United States followed suit in 1962 with the Century 21 Exposition in Seattle, Washington. ■ This fair was an enormous success and inspired a number of smaller exhibitions all over the country. Fairs became focused on thematic concepts rather than universal concepts. ■ However, the Knoxville Fair of 1982 was a blow to fairs all over the nation

34. What does the passage mainly discuss?

Ⓐ The world fairs' legacy across the world
Ⓑ The rise in popularity of world fairs
Ⓒ The history of world fairs in the United States
Ⓓ The profits made from world fairs

35. The word faith is closest in meaning to

Ⓐ confidence
Ⓑ credit
Ⓒ persuasion
Ⓓ advance

36. The word spectators in the passage is closest in meaning to

Ⓐ janitors
Ⓑ exhibitors
Ⓒ viewers
Ⓓ purchasers

37. The word commemorate in the passage is closest in meaning to

Ⓐ remind
Ⓑ decorate
Ⓒ celebrate
Ⓓ award

38. It can be inferred from the passage that World War II had what influence on world fairs?

Ⓐ It generated disinterest in world fairs for 20 years.
Ⓑ It increased the amount of funding available.
Ⓒ It attracted larger crowds to the exhibitions.
Ⓓ It put an end to world fairs.

39. The phrase rife with in the passage is closest in meaning to

Ⓐ lacking in
Ⓑ coupled with
Ⓒ without
Ⓓ full of

end

because of its corrupt management. When the New Orleans Fair two years later ended in financial disaster, the legacy of world fairs was permanently damaged. ■ In time, the increasing popularity of family theme parks, such as Disney World in 1971, took the place of the world fair as a platform for technological marvels and innovation. ■ However, it could be argued that this transition was inevitable as attention was focused on entertainment for children, which brought in huge profits and led to the development of theme parks all across the nation. ■

Test Quit | ? Help | ← Prev | → Next

40. According to the passage, which of the following fairs was the most successful?

Ⓐ The Philadelphia Fair held in 1876
Ⓑ The New York City Fair of 1853-54
Ⓒ The Knoxville Fair of 1982
Ⓓ The Seattle Fair of 1962

41. Why was the fair held in Seattle important?

Ⓐ It made the most profit.
Ⓑ It started a trend for local fairs.
Ⓒ It attracted the largest number of people.
Ⓓ It was plagued by corruption.

42. It can be inferred from the passage that the New Orleans World Fair

Ⓐ was the last world fair held in the United States
Ⓑ earned a substantial profit
Ⓒ had its fair grounds completely demolished
Ⓓ influenced the trend toward theme parks

43. According to the passage, why were American fairs replaced by theme parks?

Ⓐ Lack of public interest
Ⓑ Post-war isolationist sentiment
Ⓒ Corrupt management and financial deficiency
Ⓓ Increased focus on thematic concepts

44. The following sentence can be added to the passage.

In step with this new focus, the fairs also aimed to bring underused neighborhoods into service in the host city.

Where would it best fit into the passage? Click on the square (■) to add the sentence to the passage.

정답 p.298

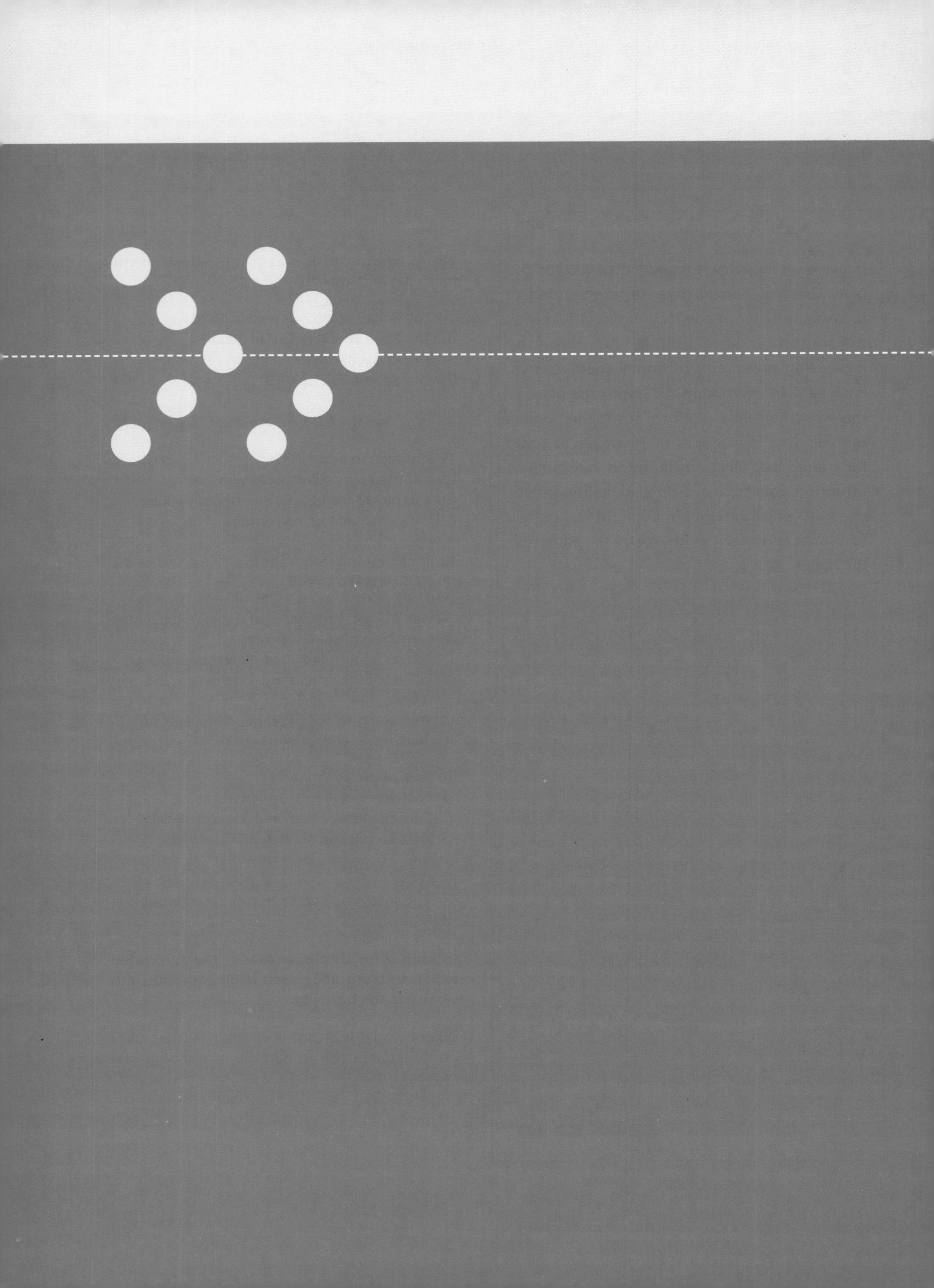

정답 · 해석 · 해설

[해커스리딩 스타트 에서는 본문내용의 정확한 해석과 함께 문제를 상세하게 해설해준다.]

정답 · 해석 · 해설

1st Week | 1st Day
먼저 "무엇"에 관한 글인지 확인한다

① 핵심어를 통해 주제 예상하기 p.19
01 (C) **02** (A) **03** (C)

01

해석 고릴라와 인간, 영장류, 비슷한, 두 팔과 다리, 열개의 손가락과 발가락, 32개의 이, 얼굴, 새끼를 돌보다, 복잡한 사회구조

해설 나열된 핵심어들은 크게 [고릴라와 인간, 비슷한]으로 나누어 볼 수 있으므로, 이 핵심어들을 포함한 글은 '고릴라와 인간의 유사점'에 관한 내용을 다루고 있을 것이라 생각할 수 있다.
(A)의 '고릴라의 복잡한 사회구조'는 유사점 중 일부이므로 주제가 되기에 모자란다.
(B)의 '영장류의 특징들'은 주제가 되기에 넘친다.

02

해석 황소개구리, 크기, 6인치, 등의, 우중충한 녹색, 갈색의, 짙은 회색, 검은색, 배 표면, 흰색, 노란색, 서식지, 중부와 동부 미국

해설 나열된 핵심어들은 크게 [황소개구리, 크기, 색, 서식지]로 나누어 볼 수 있으므로, 이 핵심어들을 포함한 글은 '황소개구리의 특징'에 관한 내용을 다루고 있을 것이라 생각할 수 있다.
(B)는 황소개구리의 특징 중 색만을 언급했으므로 주제가 되기에 모자란다.
(C)는 황소개구리가 아닌 '개구리'의 특징이라고 했으므로 주제가 되기에 넘친다.

03

해석 중세, 단순한 해시계, 14 세기, 공공 시계, 조절의 어려움, 스프링 시계, 정확한 기계식 시계, 개선된 정확성, 오늘날, 디지털 시계

해설 나열된 핵심어들은 크게 [시계들, 시간표현, 정확성]으로 나누어 볼 수 있으므로, 이 핵심어들을 포함한 글은 '시계의 발달'에 관한 내용을 다루고 있을 것이라 생각할 수 있다.
(A)의 '시계의 정확성'은 주제가 되기에 모자란다.
(B)의 '다양한 시계들'은 시간의 흐름에 따라 발전하고 있는 시계에 대한 글의 주제가 되기에 넘친다.

② 주제문의 위치 확인과 주제 찾기 p.21
01 (C) **02** (B) **03** (A) **04** (A) **05** (B)

01

주제문 **Although a tornado covers only a small area, it can destroy everything in its narrow path.** (글의 첫 문장)

해석 비록 토네이도가 작은 지역에 걸쳐 있더라도, 토네이도는 그것의 좁은 경로에 있는 모든 것을 파괴할 수 있다. 토네이도는 빠른 속도로 움직인다. 왜냐하면 토네이도의 바람이 빨리 움직이기 때문이다. 토네이도가 땅을 따라 돌진할 때, 토네이도는 그 길에 있는 모든 것을 빨아들인다. 때때로, 토네이도는 전 도시를 파괴하고, 많은 사람을 죽일 수도 있다.

해설 글의 첫 문장인 주제문(Topic Sentence)을 통해, 토네이도의 파괴력에 관해 이야기 한 후, 뒤에서 파괴력에 관한 내용을 상술해 주고 있다. 따라서 이 글은 '토네이도의 위험성'에 관한 것이다.
(A)의 '토네이도의 바람 속도'는 내용의 일부에 불과하므로 주제가 되기에 모자란다.
(B)의 '위험한 자연 재해'는 내용에 비해 너무 포괄적이므로 글의 주제가 되기에 넘친다.

02

주제문 **Hot spots beneath the earth's surface form geysers and hot springs.** (글의 첫 문장)

해석 지표면의 뜨거운 부분은 간헐천과 온천을 만든다. 때때로 이 뜨거운 부분으로 들어간 물은 데워지고, 증기로 변한다. 그러면, 증기와 뜨거운 물 일부가 지표면의 틈 사이로 솟아오르고, 간헐천을 형성한다. 다른 때에는, 물과 증기는 천천히 흘러나와 온천을 형성한다.

해설 글의 첫 문장인 주제문(Topic Sentence)을 통해, '지표면 아래의 뜨거운 부분이 간헐천과 온천을 형성한다' 는 말을 한 후, 간헐천과 온천의 형성 방법에 대해 이야기 해주고 있다.
(A)의 '간헐천들과 뜨거운 지역들' 은 너무 포괄적이므로 주제가 되기에 넘친다.
(C)의 '지표면 아래의 열 에너지' 는 주제가 되기에 모자란다.

03

주제문 **In the 1930's, the Dust Bowl cause big damage to the southern Great Plains of the United States.** (글의 첫 문장)

해석 1930년대에 Dust Bowl은 미국의 대평원에 엄청난 손해를 끼쳤다. 이것은 그 지역을 휩쓰는 끔찍한 흙먼지 폭풍이었다. 그 당시 긴 가뭄 때문에, 땅은 매우 건조했다. 그래서 거의 모든 표층이 바람에 의해서 쓸려가 땅이 망가졌다. 수천 가구들은 일자리를 구하기 위해 Dust Bowl을 피해 도망갔다.

해설 글의 첫 문장인 주제문(Topic Sentence)을 통해, Dust Bowl이 끼친 손해에 대해서 이야기할 것임이 드러난다. 따라서 주제는 'Dust Bowl의 해로운 결과' 가 된다.
(B)의 '위험한 바람들' 은 Dust Bowl이라는 특정한 바람을 다루기에는 너무 광범위하므로 주제가 되기에 넘친다.
(C)의 '건조한 표토' 은 내용의 일부에 불과하므로 주제가 되기에 모자란다.

04

주제문 **Some deserts are formed by human activity rather than natural phenomena.** (글의 첫 문장)

해석 어떤 사막은 자연적인 현상에 의해서가 아니라 인간에 의해 형성되었다. 예를 들자면, 서부인도의 Thar 사막은 인간에 의해 형성되었는데 그 곳은 이전에 사막이 없었던 곳이다. 2,000년 전 그 곳은 숲이었다. 또한 아프리카의 Sahara 사막은 좋지 못한 경작 관습의 결과로 상당 부분이 넓어졌다. 로마 제국 시대 동안, 북부 Sahara 지역은 경작하기에 알맞은 온화한 곳 이었다. 로마인들은 땔감과 경작지를 만들기 위해 산허리 숲을 벌목했다.

해설 글의 첫 문장인 주제문(Topic Sentence)을 통해, 자연 현상이 아닌 인간 활동에 의해 사막이 형성될 수 있다고 하였다. 뒷부분에서는 두 개의 사막을 예로 들며, 위의 내용을 뒷받침해주고 있다. 따라서 주제는 '인간에 의해 형성된 사막' 이 된다.
(B)의 'Sahara 사막의 형성' 은 내용의 일부에 불과하므로 주제가 되기에 모자란다.
(C)의 '사막의 형성' 은 인간에 의해 형성된 사막이라는 내용을 담기에 포괄적이므로 주제로서는 넘친다.

05

주제문 **The Great Lakes were formed about twelve thousand years ago when North America experienced an ice age.** (글의 첫 문장)

해석 오대호는 12,000년 전에 형성되었고, 이 때는 북미가 빙하기를 겪고 있을 때이다. 기온은 오늘날보다 훨씬 더 낮았고, 얼음과 내린 눈은 녹지 않았다. 이것들은 함께 뭉쳐져서 캐나다로부터 내려와 남부 일리노이까지 이르는 지역을 뒤덮었던 빙하를 형성하였다. 온도가 다시 높아졌을 때, 빙하는 녹았고, 빙하가 돌과 흙을 쓸고 간 자리는 거대한 구멍을 남겼다. 이런 구멍들은 녹은 물과 빗물로 찼고, 호수가 되었다.

해설 글의 첫 문장인 주제문(Topic Sentence)를 통해, 5대호가 12000년 전에 형성되었다는 언급을 한 후, 뒤에서 '오대호의 형성' 에 대해 설명 하고 있다. 따라서 주제는 '오대호의 형성' 이다.
(A)의 '온도와 오대호의 관계' 는 내용의 일부에 불과하므로, 주제가 되기에 모자란다.
(C)의 '기후 변화의 결과' 는 오대호의 형성에 관한 내용의 주제가 되기에는 넘친다.

③ 요지를 담은 주제문 고르기 p.24

01(A) 02(A) 03(C) 04(B) 05(A)

01

해석 ______ 예를 들자면, 시리얼 한 박스의 값은 3~4 달러이다. 그러나, 곡물 값은 약 10 센트에 불과하고, 포장비는 90센트이다. 결국, 광고비는 2~3 달러에 달하게 된다.

해설 글의 내용에서는 시리얼을 만드는데 드는 가격이 나오고, 이로 미루어 결국 광고비가 제작비보다 많이 든다는 사실을 알 수 있다.이야기 하고 있다. 이러한 요지(Main Idea)를 잘 담은 것은 (A)로서 이 글의 주제문(Topic Sentence)이 될 수 있다.
(B)의 '광고비는 시리얼 한 박스에 2달러 이상 든다' 는 것은 내용에 이미 언급되어 있는 부분으로 요지가 되기에 모자란다.
(C)의 '시리얼 한 박스는 아주 비싸지는 않다' 는 것은 내용에서 벗어난다.

02

해석 ______그것들은 어린 나무로서 번식을 한다. 그것은 부모 나무에 붙어서 영양분을 얻고는 떨어져서 흩어진다. 이 어린 나무는 결국에는 부모 나무의 주변의 땅에 뿌리를 내리거나, 멀리 떨어진 해안가까지 옮겨진다. 이 망그로브 나무들은 넓은 지역에 흩어질 수 있다.

해설 글의 전반에 망그로브 나무의 특이한 번식 방법에 대해서 이야기 하고 있다. 이러한 요지(Main Idea)를 잘 담은 것은 (A)로서 이 글의 주제문(Topic Sentence)이 될 수 있다.
(B) '망그로브 나무가 캘리포니아 해안지역을 따라 주로 번성한다' 는 내용은 언급되지 않았으므로 주어진 내용에서 벗어난다.
(C) '망그로브 나무에는 두 가지 주요 종류가 있다' 는 위의 글에서는 종류를 다루고 있지 않기 때문에 주어진 내용에서 벗어난다.

03

해석 ______일전에 송골매라 불리는 새들이 많이 있었다. 문제는 DDT라고 불리는 살충제가 해충들을 죽이기 위해 곡물들에게 뿌려지면서 시작되었다. 송골매는 DDT가 뿌려진 곡물 위의 해충들을 잡아 먹었다. 그 새들이 알을 낳았을 때, 알의 껍질은 너무 얇았다. 그래서, 새끼 새가 깨기도 전에, 껍질은 부숴지고, 새끼들은 죽었다.

해설 위의 글은 살충제를 뿌린 후 송골매라 불리는 새들의 수가 어떻게 감소하였는가에 관해 이야기 하고 있다. 이러한 요지(Main Idea)를 잘 담은 것은 (C)로서 이 글의 주제문(Topic Sentence)이 될 수 있다.
(A)의 '송골매는 전 세계에서 찾아볼 수 있다' 는 내용에서 벗어난다.
(B)의 '살충제는 곡물 생산을 증가 시키기 위해 사용되었다' 는 내용을 담기에 모자란다.

04

해석 ______사람들이 요새 매우 바빠졌기 때문에, 그들은 더욱 선조리된 음식들을 찾는다. 시장에는 밥과 파스타와 같은 선조리된 음식들이 다양하게 나와있다. 이러한 제품들은 인기가 높아지고 있고, 식품 관련 업체들은 선조리된 음식들을 홍보하고, 메뉴를 늘리기 위해서 노력하고 있다.

해설 위의 내용은 선조리 제품들이 인기를 끌고 있다는 사실과 그 배경에 대해 다루고 있다.이러한 요지(Main Idea)를 잘 담은 것은 (B)로서 이 글의 주제문(Topic Sentence)이 될 수 있다.
(A)의 '선조리 음식의 시장은 식품 관련 업체들에 의해 결정된다' 는 주제에서 벗어난다.
(C)의 '선조리 음식은 오늘날 가장 인기를 끌고 있다' 라는 언급은 지나치게 과장된 것으로 내용에서 벗어난다. (C)가 정답이 되려면, 다른 음식들 보다 선조리 음식이 인기를 끌고 있다는 사실을 입증 할 수 있는 비교대상이 나와야 한다.

05

해석 ______이것은 지진이나 화산 분출과 같은 해저 지각변동 후에 일어난다. 그리고 나서 그 파도는 돌을 던졌을 때 일어나는 파동처럼 그 지각변동의 지점부터 모든 방향으로 움직인다. 그 큰 파도가 해안 주변의 얕은 물로 다가오면서, 그것은 높이가 높아져 해안을 때린다. 그것은 100 feet 만큼 높은 것도 있다. 하와이는 특히 tsunami의 위험이 큰 곳이다.

해설 위의 글은 tsunami의 형성과정과 그 파괴력에 관해 쓰고 있다. 그러므로 맨 앞에 올 글은 tsunami의 정의가 나와야 할 것이다. 이러한 요지(Main Idea)를 잘 담은 것은 (A)로서 이 글의 주제문(Topic Sentence)이 될 수 있다.
(B)의 '모든 파도는 바다 멀리서 시작된다' 는 위의 글의 내용에서 벗어난다.
(C)의 'tsunami는 해안가에 큰 파손을 가져온다' 는 내용을 담기에 모자란다.

1st Week | 2nd Day
글의 구조와 흐름을 파악한다

① 문장과 문장을 자연스럽게 연결하기 p.27

01 Afterwards 02 In addition 03 Nevertheless
04 Thus 05 Consequently 06 For this reason
07 As a result 08 however

01

해석 1945년 8월 6일, 한 미국 폭격기가 남서쪽의 일본 항구인 Hiroshima에 원자 폭탄을 떨어뜨렸다. **그 후에** 미국은 1945년 8월 9일 Nagasaki에 두 번째 원자 폭탄을 떨어뜨렸다.

해설 두 문장의 관계는 선후관계이므로, 순서를 나타낼 수 있는 Afterwards가 적합하다. However는 "그러나"라는 의미의 역접관계에 있는 문장을 연결할 때 쓰이므로 적합하지 않다.

02

해석 사카린은 치약이나, 구강 청정제, 무설탕 껌에 사용되는 인공 감미료이다. **게다가** 이것은 많은 다이어트 음식에도 사용된다.

해설 두 문장의 관계는 정의와 부연이므로, 부연관계를 드러낼 수 있는 In addition이 적합하다. Finally는 "마침내" 라는 시간의 선후나 결과를 드러내는 연결어이므로 적합하지 않다.

03

해석 급속한 산업 성장은 개발 도상 국가들에게 긍정적인 경제적 사회적 이익을 가져왔다. **그럼에도 불구하고**, 이 급속한 산업 성장은 방대한 산업 폐기물도 유발했다.

해설 두 문장의 관계는 역접이므로, 역접관계를 드러낼 수 있는 Nevertheless가 적합하다. For instance는 "예를 들면"이라는 의미를 가진 부연 설명의 연결어로 적합하지 않다.

04

해석 문명의 초기에, 이미 도시가 있었다. **그러므로**, 문명의 역사를 공부하는 것은 도시의 역사를 공부하는 것이다.

해설 두 문장의 관계는 인과이므로, "그러므로"의 의미를 지닌 Thus가 적합하다. Furthermore는 "게다가"의 의미의 부연 설명에 쓰이는 연결어로서 적합하지 않다.

05

해석 미국의 사슴들은 작은 동물들의 서식지를 파괴하고, 숲을 훼손시킨다. **따라서** 정부는 사슴 수를 억제하기 위한 방책을 찾아야만 한다.

해설 두 문장의 관계는 인과이므로, "결과적으로" 혹은 "따라서"의 의미를 지닌 Consequently가 적합하다. Similarly는 "유사하게"의 의미를 지닌 부연 설명의 연결어로 적합하지 않다.

06

해석 Anasazi는 그들의 집을 절벽 쪽에 지었다. **이러한 이유로** 그들은 절벽 거주자라고 불린다.

해설 두 문장의 관계는 인과이므로, "이러한 이유로" 혹은 "따라서"의 의미를 지닌 For this reason이 적합하다. On the contrary는 "반대로"의 의미를 지닌 역접 관계를 나타내는 연결어로 적합하지 않다.

07

해석 Thomas Edison은 많은 것을 읽었지만 그는 그가 읽은 많은 책들이 지루하다는 것을 깨달았다. **그 결과** 그는 그가 좋아하는 책들만 읽었다.

해설 두 문장의 관계는 인과이므로, "결과"를 나타내는 As a result가 적합하다. In contrast는 "대조적으로"의 의미를 지닌 역접 관계를 나타내는 연결어로 적합하지 않다.

08

해석 미국 너구리와 곰은 연관된 동물이다. **하지만**, 미국 너구리는 훨씬 작다.

해설 두 문장은 역접관계이므로, "그러나" 의미를 가진 However가 적합하다. For example은 "예를 들면"이라는 의미를 가진 부연 설명의 연결어로 적합하지 않다.

정답 · 해석 · 해설

② 문장간 구조 파악하기 p.29
01 인과 02 순서 03 부연설명
04 인과 05 비교&대조

01

해석 (A) 가솔린 차는 너무 많은 공해를 유발시킨다.
(B) 결과적으로 과학자와 공학도들은 전기 차를 발명하려 하고 있다.

해설 consequently는 원인과 결과를 드러내는 연결어이다. 앞 문장은 원인, 뒷 문장은 결과를 나타내는 구조이다.

02

해석 (A) 새로운 식물의 뿌리는 식물이 자라기 위해 사용하는 물이나 미네랄을 섭취한다.
(B) 다음으로 줄기가 자라고, 잎이 나타난다.

해설 next는 열거나 순서를 나타내는 연결어이다. 내용상 식물이 자라는 순서를 다루고 있으므로 앞 문장과 뒷 문장은 선후 관계, 즉 순서의 관계를 보여준다.

03

해석 (A) 여성의 참정권 즉 투표할 권리는 많은 정치인들에 의해 반대되었다.
(B) 게다가 종교 단체와 심지어 몇몇 여성들도 이 움직임에 반대했다.

해설 in addition은 moreover와 함께 부연 설명 중 further definition에 자주 쓰이는 연결어이다. 앞 문장의 내용을 뒷 문장에서 추가 보충하고 있으므로, 부연 설명의 구조를 가지고 있다.

04

해석 (A) 1900년대 초반 공화당은 긴 산업 성장 기간 동안 권력을 쥐고 있었다.
(B) 결과적으로 그들은 산업과 부의 정당으로 간주되어 왔다.

해설 as a result는 인과 관계를 드러내는 연결어이다. 앞 문장과 뒷 문장은 원인과 결과의 구조이다.

05

해석 (A) 어떤 교육자들은 영어를 제 2언어로 사용하는 학생들이 그들의 모국어로도 교육을 받아야 한다고 생각한다.
(B) 반면에, 어떤 사람은 그들이 영어만 공부해야만 한다고 말한다.

해설 on the other hand는 비교와 대조 중 대조관계를 이어주는 연결어이다. 앞 문장과 뒷 문장은 하나의 사안에 대한 대치된 의견을 드러내므로 대조관계라 해야겠다.

③ 문장의 순서 바로잡기 p.31
01 A→B 02 B→A 03 A→B

01

해석 (A) 1700년 대에, 키와 몸무게는 미의 중요한 부분이 되었다. 프랑스 혁명 시대에 많은 여성들은 허리를 날씬하게 보이게 하는 코르셋이나 불편한 벨트를 입었다.
(B) 하지만, 요즘 그들의 몸의 모습을 바꾸길 원하는 여성이나 남성들은 그런 불편한 옷들을 입을 필요가 없다.

해설 'but' 과 같은 접속사는 앞에 연관된 문장이 있어야 한다. 또한 'such' 는 앞에 나온 것을 지칭하는 지시형용사이므로 (B)의 such uncomfortable clothing은 (A)의 corsets를 받는다.

02

해석 (A) 그는 성 페테르부르크에서 음악을 공부했고, 그가 음악가가 되기로 결심한지 3년 후에 첫 교향곡을 지었다.
(B) Peter Ilich Tchaikovsky는 1840년에 러시아에서 태어났다. 처음에 그는 법학을 공부하려고 대학에 갔다. 하지만, 23살에 그는 음악에 관심을 집중하기로 결정했다.

해설 시간의 흐름으로 보아 글의 선후 관계를 유추할 수 있으며, (A)의 he가 (B)의 Peter Ilich Tchaikovsky를 받는다.

03

해석 (A) 1800년대 초반에 프랑스 군대는 밤에 급한 메시지를 주고받기 위해 볼록점 시스템을 사용했다.
(B) Louis Braille이 이 시스템을 보았을 때, 그는 이것을 다른 관

점으로 바라보았다. 그는 볼록 튀어나온 점들이 밤에 읽기 위한 수단 이상이 될 수 있을 것이라고 생각했다. 그래서 그는 그 점자를 맹인들을 위해서 개조했다.

해설 대개 '정관사(the)+명사'는 앞에 나온 '부정관사(a)+명사'를 받으므로, (B)의 the system은 (A)의 a system of raised dots를 받고 있다.

④ 구조와 흐름 최종 점검하기 p.33

01(A) 02(C) 03(A) 04(A) 05(C)

01

해석 오늘날, 미국에서는 직장에 가는 사람들의 수가 감소하고 있다. (A) 그들은 대중 교통 수단을 사용한다. (B) 그것은 그들이 직업을 잃었기 때문이 아니라, 새로운 고용 형태인 재택 근무자가 생겼기 때문이다. (C) 이러한 현상은 컴퓨터의 보급과 인터넷의 상용화에 기인한다.

해설 첫 문장인 주제문(Topic Sentence)에서 통근자의 수가 감소하고 있다는 언급을 하고, (B)와 (C)에서 그 이유와 배경에 대해서 설명을 하고 있다. (A)에서는 주제문(Topic Sentence)을 벗어난 통근 방법에 대해서 이야기하고 있다.

02

해석 인간의 뇌는 컴퓨터보다 더 많은 능력을 가지고 있다. (A) 그것은 창조하고, 시작을 하고, 연역하고, 결론에 도달하고, 의심하고, 논리적으로 추론하는 능력을 가졌다. (B) 반대로 컴퓨터는 연산할 수만 있다. 그것은 곱하고, 나누고, 더하고, 빼고, 아마도 루트를 끌어내는 정도이다. (C) 사실상 인간의 뇌는 억만 조의 신경세포로 이루어져있다.

해설 첫 문장인 주제문(Topic Sentence)에서 인간의 뇌의 우월함을 이야기하고, (A)와 (B)에서 각각 인간의 뇌와 컴퓨터의 능력에 대해 상술하고 있다. (C)는 주제문(Topic Sentence)을 벗어난 인간의 뇌의 구성성분인 신경세포에 대해서 이야기하고 있다.

03

해석 많은 버섯들은 먹을 수 있지만, 몇몇은 먹으면 치명적이다. (A) 사람들은 그들이 먹고자 하는 버섯의 종류를 선별할 수 있어야만 한다. (B) Amanita라는 버섯은 먹을 수 있는 버섯처럼 보인다. (C) 하지만, 그것의 독은 먹으면 거의 죽음을 가져올 수 있다.

해설 첫 문장인 주제문(Topic Sentence)에서 버섯 중 독성이 있는 것을 얘기하고, (B)와 (C)에서 Amanita라는 버섯을 예로 들어 설명하고 있다. (A)는 주제문(Topic Sentence)을 벗어난 버섯의 종류의 선별을 얘기하고 있다.

04

해석 중국인들은 지진을 예측하기 위해, 자연을 관찰하는 방법을 사용했다. (A) 중국 과학자들은 후에 현대적인 과학적 방법과 장비를 사용했다. (B) 시골의 중국인들은 지진 전에 동물들이 이상한 행동을 하는 것을 보고, 뭔가가 잘못되었다는 것을 알았다고 한다. (C) 그들은 또한 우물의 수위나 냄새의 변화로 알아차리기도 했다.

해설 첫문장인 주제문(Topic Sentence)에서 중국인들의 자연관찰을 통한 지진 예측 방법에 대해서 얘기하고 있다. (B)와 (C)는 자연관찰의 예이다. (A)는 주제문(Topic Sentence)을 벗어난 현재의 과학적 지진 예측 법을 얘기하고 있다.

05

해석 수천 개의 다른 단어들은 영어의 26개의 알파벳을 다르게 정렬하는 것으로 만들어진다. (A) 예를 들자면, house(집)에서 한 글자만 바꿔도 완전히 다른 것이 만들어진다: mouse(쥐). (B) 글자의 순서를 바꾸는 것도 다른 단어를 만든다: pin (핀)을 nip(꼬집다)로, last(마지막)을 salt(소금)이나 slat(널빤지, 강타하다)로 (C) 게다가 글자의 순서를 바꾸는 것은 많은 철자 실수를 가져올 수 있다.

해설 첫 문장인 주제문(Topic Sentence)에서 단어를 다르게 정렬하는 것으로 새로운 단어가 만들어진다는 얘기를 하고, (A)와 (B)에서는 그 방법과 예가 나오고 있다. (C)는 주제문(Topic Sentence)을 벗어난 철자 실수에 관해 이야기 하고 있다.

1st Week | 3rd Day

정확한 정보를 머릿속에 정리한다

① 정보 재확인하기 p.35

01(B) 02(A) 03(B) 04(A) 05(A)

01

해석 미국인 지질학자인 John Wesley Powell은 록키 산맥 일대의 조사를 수행했다.
(A) 록키 산맥 일대는 미국인 지질학자 John Wesley Powell이 이 일대를 조사하기 전까지는 발견되지 않았다.
(B) 미국인 지질학자 John Wesley Powell은 록키 산맥 일대의 조사에 참가했다.

해설 (A)는 conducted surveys를 researched로 재진술 하였다. 하지만, 이 지역이 그전에는 발견되지 않았다는 내용은 언급되어 있지 않다.
(B) conducted surveys를 was involved in surveys로 올바르게 재진술 하였다.

02

해석 지구의 천연 자원의 감소는 주로 인구의 증가 때문이다.
(A) 인구의 증가는 지구의 천연 자원의 감소에 기인해왔다.
(B) 인구의 증가 때문에, 미래에는 천연 자원이 없을 것이다.

해설 (A) be due to를 사용했던 원래 문장을 result in을 사용해서 올바르게 재진술 하였다.
(B) 원래의 문장을 because of를 사용해서 재진술 하였으나, 전혀 자원이 남아있지 않을 것이라는 내용은 과장된 진술이다.

03

해석 세계 2차 대전 동안에 원자 폭탄을 개발하려는 미국 계획의 코드명은 맨하탄 프로젝트였다.
(A) 원자 폭탄을 개발한 후에, 미국은 코드명 맨하탄 프로젝트를 결정했다.
(B) 2차 대전 동안 원자 폭탄을 개발하려는 미국의 계획은 맨하탄 프로젝트라고 불렸다.

해설 (A) 미국은 2차 대전 동안 원자 폭탄을 개발했으므로, 선후관계가 잘못된 진술이다.
(B) Code name ~ was라는 문장을 was referred to as로 올바르게 재진술 하였다.

04

해석 카네기 전당은 역사적인 콘서트 홀로 1891년 5월 5일 러시아 작곡가 Peter Ilich Tchaikovsky가 야간 개장 공연을 한 후, 많은 유명 음악가들을 유치해왔다.
(A) 카네기 홀에서 공연을 한 많은 유명한 음악가들 중에 러시아 음악가 Peter Ilich Tchaikovsky는 여기서 공연을 처음으로 한 사람이다.
(B) 러시아 작곡가 Peter Ilich Tchaikovsky의 공연을 필두로, 모든 중요한 음악가들은 역사적인 콘서트 홀인 카네기 홀에서 콘서트를 공연해왔다.

해설 (A)는 원래 공연장을 주어로 has hosted를 사용했던 것을 사람을 주어로 have performed를 사용해 올바르게 재진술 하였다. 또한 opening을 the first to로 재진술 하였다.
(B) 역시 원래 문장을 has performed와 beginning with를 사용해서 만들었으나, 모든 음악가라는 언급은 과장된 것이다.

05

해석 대통령 Harry Truman은 1945년 모든 미국인을 위해 정부가 운영하는 건강보험 체계를 제안했으나, 의회에서 이 제안은 통과되지 못했다.
(A) 의회는 대통령 Harry Truman의 1945년 모든 미국인을 위한 정부가 운영하는 건강 보험 체계에 대한 계획을 통과시키지 않았다.
(B) 대통령 Harry Truman과 의회는 1945년 제안된 모든 미국인을 위한 정부가 운영하는 건강보험 체계를 거부하는 것에 동의했다.

해설 (A) proposed나 proposal과 같은 표현을 plan으로 바꾸었고, 원래 문장의 died를 did not pass로 바꾸어 올바르게 재진술했다 .
(B) 의회는 대통령의 제안을 거절했으므로, 대통령과 의회가 제안을 거부하는 것에 동의했다는 진술은 잘못된 것이다.

② 질문 속에 들어 있는 답 찾기 p.38
01(B) **02**(C) **03**(C) **04**(C)

01
해석 지역 사회에 대한 연구는 몇몇 건물의 위치 분포에 유형이 있다는 것을 보여준다. 예를 들자면, 공장은 일반적으로 철로와 일반적으로 연관된다. 그리고, 값 비싼 집들은 더 높고 건조한 지역에 생긴다. 게다가, 쇼핑 지구는 도로가 만나는 곳에 위치하고, 큰 아파트 단지는 보통 상업지구에 가까이 위치한다.
▶ 어떠한 형태의 건물이 철로 근처에 위치하는가?
(A) 쇼핑센터 (B) 공장 (C) 아파트

해설 문제에 언급된 railroads가 지문에서 나온 곳을 찾아가면, 이 문장에서 near의 의미를 are associated with를 이용해 재진술 했다는 사실을 알 수 있다. 답은 이 문장에 나온 대로 공장이다.

02
해석 동물들은 방향에 대한 탁월한 감각을 가지고 있다. 고양이와 개는 그들의 집으로 가는 길을 찾는 방법을 배울 필요가 없다. 새들은 겨울 서식지부터 여름 서식지까지 수천 마일을 여행하지만, 길을 잃지 않는다. 몇몇은 심지어 그들이 작년에 둥지를 틀었던 바로 그 나무나 목초지에 돌아온다. 태평양 연어는 그들이 태어났던 바로 그 계곡에 알을 낳기 위해 바다를 가로질러 헤엄친다.
▶ 어떤 동물이 여름 서식처를 찾기 위해 수천 마일을 여행하는가?
(A) 개와 고양이 (B) 태평양 연어 (C) 새

해설 문제에 언급된 journey a great distance to find their summer dwellings과 관련된 문장을 지문에서 찾아 주어를 살펴보면 답이 새라는 것을 알 수 있다.

03
해석 초기 일본인 작가들은 중국어에 의해 많은 영향을 받았다. 그들의 글자 체계가 없었던 일본인들은 한자를 그들의 필요에 맞추어 채택하고, 적용했다. 이것은 가장 고대의 완성된 작품인 "Kojiki"(고대사의 기록)와 이보다 8년 후에 완성된 "Nihon shoki"(일본 연대기)에서 명백히 나타난다.
▶ 언제 'Nihon shoki'가 완성되었는가?
(A) 704 (B) 712 (C) 720

해설 Nihon shoki가 언급된 문장은 맨 마지막 문장으로, 위의 문장에서 Kojiki가 완성된 지 8년 후에 완성되었다고 한다. Kojiki는 712년에 완성되었다고 했으므로, 712+8이 답이된다.

04
해석 1차 세계대전 이후, 미국경제는 빠른 성장을 보였다. 그러나 1929년의 월스트리트 CRASH는 이러한 성장에 급작스런 종료를 가져왔고, 전세계적인 불황을 이끌었다. 1930년대의 불황 동안 수천 명의 매우 가난한 미국인 가족들이 동부해안과 시골 농업지역을 떠나 직업을 찾기 위해 서부로 특히 캘리포니아로 피난했다.
▶ 공황 동안 가난한 미국인들은 직장을 찾기 위해 어디로 갔는가?
(A) 시골 농업지역 (B) 동부 해안 (C) 캘리포니아

해설 문제에 언급된 during the Depression이 지문에 나온 부분을 찾아가면 글의 마지막 문장임을 알 수 있다. 여기서 poverty-stricken이 poor로 restate되었음을 알 수 있다. 따라서 해당부분을 잘 읽어보면 답이 나온다. the East Coaster rural farming을 떠나 서부 특히 캘리포니아 지역으로 갔다는 것에서 (C)가 답이라는 것을 알 수 있다.

③ 정보의 그림화하기 p.41
01(C) **02**(B) **03**(A)

01
해석 독사는 독을 가진 뱀이다. 독사는 길고 뾰족한 이빨인 한 쌍의 독니를 가진 것으로 특징지어 진다. 이 독니는 위의 턱의 앞에 붙어있다. 독니가 공격할 때, 그것은 독니를 통해 그것의 희생자에게 독을 내보낸다.

해설 fangs에 대한 관계절 설명을 통해 송곳니가 두 개 달린 독사를 선택하면 된다.

02

해석 사람이나 동물들을 특정지역으로부터 경계짓는 울타리는 많은 모양과 크기와 형태를 취한다. 예를 들자면, 19세기 북미와 같은 수목이 울창한 지역에서는 많은 형태의 목재 울타리들이 발달되었다(split rail fence, post and rail fence, hurdle fence) split rail fence는 움직일 수 있는 울타리이고, 나무나 다른 장애물들 주변에 지그재그 형태로 놓일 수 있다.

해설 (A)와 (C)는 지그재그 모양이 나와 있지 않으므로, 답이 될 수 없다. 답은 (B)로 지그재그로 놓여진 울타리이다.

03

해석 기하학은 공간에 있는 물체를 연구하는 것이다. 하나의 재미있는 모양은 "Reuleaux Triangle"이다. 그것은 3면이 있는 모양으로 각 면은 원의 일부(호)이며, 원의 중심은 마주한 면(대변)의 모서리이다. 이와 같은 맥락에서, "Reuleaux Heptangle"은 3면 대신에 7면을 가진 비슷한 모양이다.

해설 (B)는 "Reuleaux Heptangle"의 모양이다. (C)는 직각 삼각형 (right-angled triangle)이다. 따라서 (A)가 위에 제시된 설명과 일치하는 그림이다.

1st Week | 4th Day
단어와 대명사를 꼼꼼히 확인한다

① 아는 뜻으로만 쓰이지 않는 단어의 뜻 확인하기 p.43

01 3 02 3 03 2 04 2

01

해석 부시맨들은 그들이 선택한 곳이면 어디에서든지 샘을 점령했고 피그미들이 음식으로 의존하는 동물을 쐈다.

1. 놀이 2. 술책 3. 동물

해설 game에는 중요한 3가지의 뜻이 있다. 그 중 첫 번째는 우리가 일반적으로 많이 알고 있던 것이다. 지금 내용상 음식으로 먹는 것이므로 여기서 쓰인 뜻은 동물이다.

02

해석 인터넷에서 음악을 다운받는 사람들은 모든 저작권법을 준수해야 한다.

1. 주의깊게 관찰하다 2. 기념하다 3. 준수하다

해설 observe의 앞서 말한 3가지 뜻 중에, 원래 기본적으로 쓰이는 뜻은 첫 번째 것으로 흔히 관찰하다라는 의미로 많이 쓰인다. 그러나 이 문장에서는 법령 등을 지키고 준수한다는 의미가 적당하다.

03

해석 미국의 헌법과 권리 장전은 기본 인간의 권리와 3가지의 정부 부서를 만들었다. 이 부문은 입법, 사법, 행정부이다.

1. 식물 줄기의 자연적인 일부(가지)
2. 기관의 한 부분(부문, 지부)
3. 물의 자연적인 지류

해설 branch의 앞서 말한 3가지의 뜻 중에 첫 번째 것이 가장 기본적인 뜻이다. 여기서는 그 중 정부조직의 3부라는 뜻이 가장 적합하다.

04

해석 카리브해에서는 일부 인구가 혼합된 미국 인디언과 아프리카 혈통이다.

1 하강; 낙하 2 혈통; 가계 3 갑작스런 공격

해설 descent는 앞서 말한 3가지의 뜻 중에 첫 번째 것이 가장 기본적인 것이다. 여기서는 그 중 혈통, 가계라는 뜻이 3가지 중 가장 적합하다.

② 문맥속의 단어 뜻 찾아내기 p.45

01(A) 02(B) 03(B) 04(B) 05(A)

01

해석 피아제는 아이들은 자라나면서, 생각과 개념의 집합체인 schema를 형성한다고 결론 지었다.

해설 삽입된 관계절의 설명을 통해 a schema=a collection of ideas and concepts임을 알 수 있다.

02

해석 바람의 방향을 나타내는데 쓰이는 기구인 weather vane은 화살이나 닭과 같은 다양한 모양을 한 물체들로 이루어져 있다.

해설 컴마(,)를 이용한 동격설명을 통해 weather vane=an instrument used to indicate wind direction임을 알 수 있다.

03

해석 링 달린 행성인 토성은 태양계에서 가장 흥미로운 천체 중 하나이다.

해설 대쉬(–)를 통한 설명을 통해 Saturn=the ringed planet임을 알 수 있다. 대쉬(–) 이외에, 괄호나 따옴표(" ", ' ')등을 이용하기도 한다.

04

해석 herbivorous 즉 식물을 먹는, 공룡들이 북미에 살았었다.

해설 or 뒤에 따라온 동격표현을 통해 herbivorous =plant-eating임을 알 수 있다. and도 비슷하게 사용된다.

05

해석 생물학자들은 전 세계적으로 랍스타, 새우, 게와 같은 crustaceans의 새로운 종을 계속해서 발견해 내고 있다.

해설 such as 뒤에 나열된 예시인 랍스타, 새우, 게를 통해 알 수 있다.

③ 문장 완성하기 p.47

01(A) **02**(B) **03**(C) **04** 1.(B) 2.(A)

01

해석 우표 수집은 몇몇에게는 ( )한 취미일 수도 있지만 다른 사람에게는 돈을 낭비하는 일일 수도 있다.

해설 문장의 역접관계를 고려하여, 빈칸에 들어갈 말은 '돈을 낭비하는 일' 의 반대가 되는 단어가 들어올 것이다. 따라서 '이익이 되는 (수익이 되는)' 이라는 뜻을 가진 profitable이 가장 적합하다.

02

해석 어떠한 상황에서는 불쾌한 감정을 드러내는 것보다는 ( )것이 현명한 것일지도 모른다 .

해설 '드러내는 것' 보다 '( )하는 것' 이 더 현명하다라고 했으므로 '드러내다' 의 의미와 다른 단어가 적합하다. 그러므로 ' 숨다' 라는 뜻을 가진 hide이라는 단어가 가장 적합하다.

03

해석 홍보에 관해서라면, 현직의 대통령은 명백히 다른 후보들보다 언론과 좀 더 접촉할 수 있다. ( ) 관직에 오른 사람으로서, 대통령은 어디에 있든지 자동적으로 언론이 따라다닌다.

해설 As이하는 현직 대통령(incumbent president)에 관한 설명이다. 그러므로 "이미" 관직을 차지하고 있다는 뜻을 갖기 위해서 already라는 뜻이 필요하다.

04

해석 많은 사람들이 예상하는 것과는 달리, 진짜 부자들은 그들의 옷을 ( )하게 입지 않는다; 그들은 다른 사람들에게 인상을 주기 위해 화려한 옷을 입을 필요가 없다. 부가 보장되어 있는 그들은 ( )하고 인상적이지 않게 보이는 것에 대해 여유가 있다.

해설 세미 콜론(;)이하에 앞 문장을 다시 한 번 풀어주고 있다. showy(화려한) 옷을 입을 필요가 없다는 언급을 했으므로, 이와 비슷한 의미를 가진 단어가 들어가야 한다. 따라서 화려한 이라는 뜻의 flashy라는 단어가 들어가야 알맞을 것이다. 두 번째 빈칸에는 and로 연결된 것들은 형태 뿐만 아니라 의미도 병치된다는 것을 알아야 한다. 그러므로 unimpressive와 의미상 유사한 humble(소박한)이라는 단어가 가장 적합하다.

④ 지칭하는 것 찾기 p.49

01(A) 02(C) 03(A) 04(C)

01

해석 Reagan은 Gorbachev를 1986년에 다시 만났는데, 이번에는 아일랜드의 Reykjavik에서 만났다. 후자(the latter)는 1987년 12월에 워싱턴에 갔고, 1973년 이후 미국을 방문한 첫 번째 소련 지도자였다.

해설 the latter의 지칭이 될 수 있는 것은 Reagan, Gorbachev, Reykjavik가 있다. the latter는 항상 전자, the former의 대상이 될 수 있는 것과 동반되는데, 전자와 후자는 항상 동일한 위치에 있다. 예컨대, 사람이면 사람, 동물이면 동물과 같은 식이다. 그러므로, 첫 번째 문장에서는 Reagan과 Gorbachev가 그 대상이 된다.

02

해석 유럽에서는 소련과 서방 동맹국들 사이의 분쟁이 심화되어 냉전이 되었다. 1949년 7월 미국은 북대서양 조약을 승인했다. 그것은(it) 20년 동안 공격에 대항하기 위한 공동의 방어를 약속하며 캐나다와 서유럽의 10개국과 손을 잡았다.

해설 대명사 it은 바로 앞 문장에 있는 것이나, 혹은 한 문장 내 it 앞에 있는 명사를 지칭하기 위해 쓰인다. 여기서는 it이 문두에 왔으므로, 앞 문장에서 it의 지칭이 될 수 있는 것은 the United States와 북대서양 조약이다. 내용상 국가들끼리 동맹을 약속한 것이므로 답은 미국 (the United States)이다.

03

해석 시베리아의 바이칼 호는 일반적인 호수처럼 보인다. 아이들은 그것의(its) 얼어붙은 표면 위에서 아이스하키를 하며 웃는다.

해설 it은 보통 특정한 것을 가리키는데 쓰인다. 여기에서는 그것의 얼어붙은 표면이라고 했으므로, 내용상 (B)와 (C)는 적합하지 않다.

04

해석 화학 물질을 내보내는 것은 많은 일반적인 식물들이 자신들을(them) 먹고자 하는 곤충이나 동물들에 대항해 싸우는 하나의 방법이다.

해설 곤충이나 동물들이 먹고자 하는 것이므로 내용상 식물이 답이된다.

1st Week | 5th Day
직접 말하지 않아도 알아야 한다

① 함축된 의미 추론하기 p.51

01 O 02 X 03 X 04 O 05 O
06 X 07 O

01

해석 디젤 엔진 차는 가장 효율적이다. 하지만, 대부분의 사람들은 가솔린 엔진 차를 구입한다
⇨ 효율성은 차를 선택하는데 가장 중요한 기준이 아닐지도 모른다.

해설 가장 효율적인 차임에도 불구하고, 가장 많이 팔리는 차가 아닌 것을 보면, 다른 기준이 차 구매에 더 중요하게 작용한다는 것을 추론할 수 있다.

02

해석 6세기가 되어서야 기독교가 귀족사회에 퍼졌다.
⇨ 6세기 전에, 기독교는 귀족들 사이에 퍼졌다.

해설 not until 구문의 용법을 잘 숙지하고 있다면, 주어진 문장이 추론될 수 없음을 쉽게 파악할 수 있다.

03

해석 생물학자 Ludwig von Bertalanffy의 이론 중에, General Systems 이론이 가장 널리 받아들여졌다.
⇨ Ludwig은 오직 하나의 이론인 General System이론을 발전시켰다.

해설 among ~ theories를 통해 Ludwig의 이론이 적어도 2개 이상임을 알 수 있으므로 주어진 문장은 올바른 추론이 아니다.

04

해석 오래 전에 그림은 보통 초상화를 의미했다.
⇨ 오래 전에 초상화는 가장 지배적인 화풍이었다.

해설 일반적으로 그림의 종류에는 초상화, 풍경화, 정물화 등 등 많으나 당시에 초상화만을 의미했다는 것은 초상화가 가장 대표적이 었다는 것을 추론할 수 있다.

05

해석 북부 평원의 원주민들은 겨울에 따뜻하게 하기 위해서 그들의 텐트에 건초를 넣는다.
⇨ 원주민의 텐트의 건초는 따뜻한 계절에는 필요하지 않을 것이라는 것을 추론할 수 있다.

해설 건초의 목적은 따뜻하게 만드는 것이다. 그러므로 따뜻한 계절에는 필요하지 않을 것이다.

06

해석 Child-resistant container는 우발적인 독극물 사고를 눈에 띄게 줄여왔다.
⇨ Child-resistant container는 아픈 아이들을 치료한다.

해설 Child-resistant container는 아이들이 위험한 물질이 든 캔이나 병을 따지 못하도록 고안된 장치이다. 그러므로 이것은 아이들을 치료할 수는 없다.

07

해석 심지어 '무성영화' 도 진짜로 소리가 없는 것은 아니었다. 극장에 작은 오케스트라가 있었다.
⇨ 무성 영화는 때때로 음악연주가 동반되었다.

해설 원래의 두 문장에서 오케스트라가 있었고, 진짜로 소리가 없었던 것은 아니라고 하였으므로, 때때로 음악이 동반되었다는 것을 추론할 수 있다.

② 새로운 사물이나 개념에 대한 추론하기 p.53

01 (A) **02** (C) **03** (B)

01

해석 Poison은 사용하는 사람들을 매우 매력적으로 만든다. 그것은 호박, 꿀, 딸기, 그리고 다른 향료들을 함유하고 있다. 많은 전문가들은 그것을 풍부하고, 동양적이며, 꽃 향기를 지닌 것으로 분류한다. 그러므로 Poison은 특별히 로맨틱한 착용(향수사용)에 추천된다.

해설 일반적으로 Poison은 독물이나 독을 나타내는데 이 지문에서는 여러 가지 함유물과 향기를 지녔다고 하는 것으로 보아, 향수라는 것을 알 수 있다.

02

해석 2003년 1월 worm이 세계적으로 120,000개의 시스템을 감염시켰다. 이것은 모든 사람들의 삶을 어렵게 만들었다. 한국에서는 worm은 특별히 문제를 일으켰는데, 국가의 높은 인터넷 보급률 때문이었다. 이처럼 worm은 더 빨리 퍼져서 많은 컴퓨터 사용자들에게 영향을 미쳤다. 그러므로 재발의 경우에 더 잘 대비하기 위해서, 사람들은 필요한 보안 프로그램을 설치해야 한다.

해설 일반적으로 worm은 벌레라는 의미를 가졌으나 내용상 컴퓨터나 인터넷과 연관되어 있으므로 답은 컴퓨터 바이러스 이다.

03

해석 Tube는 도시 계발 계획의 일환으로 한 시 공무원인 Charles Pearson가 처음으로 제안했다. 그것은 도시나 교외내의 많은 수의 승객들을 운송하기 위해 사용되었다. 10년의 논의 후에, 의회는 3.75 마일(6 km)의 지하철 공사를 승인했다. Tube 공사는 1860년 길을 따라 굴을 파고, 지하에 땅을 파고, 위에 다시 길을 복구하는 일로 시작되었다. 1863년 1월 10일 선로는 개장되었다.

해설 일반적으로 tube는 통로, 관 같은 것을 나타내지만, 지문의 underground railway나 '땅을 팠다' 와 같은 내용에서 tube가 지하철임을 유추할 수 있다.

③ 지문에 근거한 정확한 사실 추론하기 p.55
01 (A)O(B)X **02** (A)X(B)O **03** (A)X(B)O

01

해석 미국의 지역 음식은 사람들이 한 지역에서 다른 지역으로 이동함에 따라 섞이고 있다. 예를 들면, 뉴 잉글랜드의 유명한 구운 콩은 켄터키나 아이다호에서도 제공된다. 또한 칠리의 인기는 멕시코 국경지대로부터 나라 전체로 퍼졌다. 게다가, 메인(지역의) 바다 가재와 다른 동부 해안 지역의 해산물 특별요리는 남부와 서부 지역에도 제공되고 있다.

해설 원래는 지역의 음식이 바로 그 지역에서만 제공되었다는 사실은 첫 번째 문장에서 유추할 수 있다. 사람이 지역을 이동하면서 음식이 섞인다고 했으므로, 예전에 사람들이 이동을 거의 하지 않던 시절에는 원래 지역 음식이 그 지역에서만 제공되었음이 추론 가능하다. (B)의 미국 음식의 인기가 다른 국가까지 퍼지고 있다는 것은 내용에 나와있지 않고 과장(overstatement)된 것이다.

02

해석 소화 동안에, 음식 속의 당분은 위나 소장으로부터 혈액 속으로 흡수된다. 혈액 속의 당분의 양은 항상 일정범위 내에서 유지되어야 건강할 수 있다. 인슐린이라는 호르몬은 당분의 일부를 혈액 밖으로 나오게 하여, 개별 세포로 들어가게 이끌어 혈당량을 건강한 범주내에 유지하도록 돕는다.

해설 인슐린이 당분을 만드는 성분이라는 것은 잘못된 추론이다. 인슐린은 혈당량을 조절하는 호르몬이다. 인슐린의 부족은 사람을 건강하지 못하게 만들 수도 있다는 사실은 건강하게 하기 위해 인슐린이 혈당을 조절한다는 사실에서 추론될 수 있다.

03

해석 태양을 도는 모든 행성들은 원에 가까운 타원형의 궤도로 움직인다. 게다가, 그들은 태양 주변을 한 방향으로 움직이고, 태양이 그러는 것처럼 같은 방향으로 회전한다. 태양계의 9개의 행성 중에, 수성과 명왕성은 약간 다르다. 그것들은 가장 탈중심적이고, 가장 기울어진 궤도를 가졌다.

해설 글의 전체 흐름을 통해 모든 행성이 태양주위를 태양과 같은 방향으로 타원궤도로 도는데, 그 중 수성과 명왕성이 가장 중심에서 벗어나고 경사진 궤도를 가졌다는 정보를 얻을 수 있다. 이를 바탕으로, 수성과 명왕성이 가장 왜곡된 타원궤도를 가졌다는 것을 추론할 수 있다.

1st Week | 6th Day
글의 분위기와 작가의 태도를 확인한다

① 글의 분위기를 심증이 아닌 물증으로 알아내기 p.57
01 wrong direction **02** more harm
03 the easiest and least expensive ways
04 safest/ improved **05** wasteful
06 positive **07** too much sexual and violent

* 이 문제에서 답은 사람마다 그 범위의 차이가 있을 수 있다. 정확하게 해답과 일치시키기 보다, 위에 제시된 핵심 어휘만 가려낼 수 있으면 된다.

01

해석 의료의 목적으로 마리화나를 피우는 것을 합법화한 샌프란시스코의 결정은 명백히 잘못된 길로 접어들고 있는 것이다.

02

해석 많은 부모들은 그들이 집에서 아이들을 가르치는 것으로 아이들을 돕는다고 믿는다. 하지만, 가정 교육은 장점보다 단점이 많다.

03

해석 운동이나 즐거움을 위해 장거리를 걷는 것은 하이킹이라고 불린다. 하이킹은 운동하고 육체적인 건강 상태를 증진시키는 가장 쉽고도 가장 돈이 덜 드는 방법이다.

04

해석 SUV는 길에서 가장 안전한 도구 중 하나이고, 환경 효율이나 연료 효율 면에서 대단히 발전되어 왔다.

05

해석 오늘날 더 나아 보이고, 더 좋은 냄새를 풍기고, 그래서 더 좋은 느낌을 주고 싶다는 욕구는 소비자들이 쓸모 없는 650억이라는 돈을 해마다 화장품에 쓰게 만들고 있다.

06

해석 동물학, 즉 동물을 연구하는 학문의 한 가지 긍정적인 결과는 동물원이나 수족관의 개장이다. 이러한 장소는 사람들이 모든 종류의 동물들을 보면서 즐기고, 즐거움을 느끼게 하고 있다.

07

해석 1940년대 이래로, 텔레비전은 산업화된 국가에서 많은 사람들에게 매우 인기를 끌었다. 그러나 몇몇 텔레비전 프로그램들은 그러나 항상 모든 사람들을 즐겁게 하는 것은 아니다. 오늘날 프로그램들은 너무나 많은 성적이고 폭력적인 내용들로 가득 차 있다.

② 작가의 태도를 긍정/중립/부정으로 나누기 p.59

01 (A)neutral (B)positive (C)negative
02 (A)positive (B)neutral (C)negative
03 (A)positive (B)negative (C)neutral

01

해석 (A) 국제 무역은 국가 간에 행해지는 모든 경제 거래를 포함한다.
(B) 국제 무역은 상대 국가가 물건을 효과적으로 교환하게 하고, 경계적으로 양국을 이롭게 한다.
(C) 국제 무역은 빈국들에 있는 사람들을 매우 낮은 임금에 일하게 하기 때문에 보통 빈국들을 강탈한다.

해설 (A) 작가의 태도가 나타나 있지 않으므로 중립적이다.
(B) efficiently나 benefits에서 작가의 긍정적인 태도를 볼 수 있다.
(C) extorts에서 작가의 부정적인 태도를 볼 수 있다.

02

해석 (A) 광고는 기업들과 소비자에게 모두 이익이 된다. 그것들은 정보를 주고, 소비자들이 회사와 그것의 생산품에 대해 더 잘 알도록 한다.
(B) 인터넷의 광고는 배너형 광고나 온라인 광고게시판, 온라인 회보와 같은 다양한 방식으로 된다.
(C) 광고는 악영향을 가질 수 있다. 예를 들면, 담배 광고는 아이들이 어린 나이에 흡연을 시작하도록 만들 수도 있다.

해설 (A) 여러 긍정적인 측면이 언급되어 있지만, advantageous에서 가장 명백한 열쇠를 찾을 수 있다.
(B) 작가의 감정을 드러내는 단어가 없다.
(C) harmful과 같은 단어에서, 작가의 부정적인 입장을 볼 수 있다.

03

해석 (A) 운동은 정말로 주요한 병의 위험을 낮출 수 있고, 스트레스를 낮추고, 스테미나를 증진시키고, 그래서 건강을 증진시킨다.
(B) 운동의 단점은 척추 손상이나 다른 곳의 손상을 가져올 수 있다는 것이다.
(C) 사람들은 그들의 스케쥴이 점점 더 바빠짐에 따라 집에서 운동을 점점 더 많이 한다.

해설 (A)여러 이점이 나오고 있으며, 이것은 곧 improving the health에서 정확히 드러난다.
(B) drawback에서 작가의 부정적인 태도를 엿볼 수 있다.
(C) 작가의 감정을 드러내는 단어가 없다.

③ 작가의 태도 파악하기 p.61

01(C) 02(B) 03(A)

01

해석 아동 비만 발달의 두 가지 요인은 유전과 나이이다. 첫째로, 마르거나 뚱뚱한 것은 유전이다. 과체중인 아이들은 과체중인 부모를 갖는 경향이 있고, 저체중인 부모들은 저체중인 아이들을 갖는 경향이 있다. 둘째로, 대부분의 사람들은 나이가 들어감에 따라 살이 찌는 것을 피할 수 없다.

해설 대다수의 토플의 글들은 설명문으로 작가의 감정이 드러나지 않는다. 위 글은 비만의 요인에 대해 객관적으로 기술하고 있다.

02

해석 1960년대에 동안 발전된 여성 운동은 동일 노동에 동일 임금이라는 경제적 권리에 집중해왔다. 이러한 운동의 주요 목적은 여성들이 그들에게 주어진 한정된 역할로부터 해방되는 것이었다. 이것은 직업이나 가정 중에서 그들이 선택할 수 있게 하거나 또는 두 가지 모두를 조화할 수 있게 하였다.

해설 어떠한 작가의 감정을 나타내는 수식어구가 없으므로 중립적인 관점을 가지고 글을 썼다고 봐야 한다.

03

해석 인도에서는 total theater 형식의 무용극의 한 종류가 있었다. 주인공은 복잡한 동작을 통해 이야기를 아름답게 춤으로 펼쳤다. 이 대단한 극은 누구에게나 감동을 주었는데, 왜냐하면 그것이 다양한 언어의 장벽을 뛰어 넘을 수 있었기 때문이다. 어떤 고전적인 무용극 형태는 힌두 신화로부터 나온 유명한 이야기들을 공연했다. 마침내, 인도의 수백만의 사람들은 이러한 무용극을 즐겼다.

해설 gloriously나 wonderful 같은 단어에서 작가의 긍정적인 태도가 나타난다.

2nd Week | 1st Day
Daily Check-up

p.66

01(A)TS (B)답 (C)TG **02**(A)TG (B)TS (C)답
03(A)TS (B)TG(C)답 **04**(A)답 (B)TG (C)TS

01

해석 동물종이 멸종되고 있는 주된 이유는 인간 활동 때문이다. 멸종이 자연스러운 과정이기는 하지만, 20분 마다 약 하나의 종이 멸종된다. 그 비율은 일반적인 멸종 비율의 100배에서 1000배에 이른다. 예를 들어, 태평양 섬에 서식하는 조류 가운데 2000종(전세계의 15%)이 인간들이 이 섬을 개척한 이래 유감스럽게도 멸종되었다.
▶ 이 글의 주제는 무엇인가?
(A) 조류 수의 감소
(B) 인간들로 인해 야기된 동물의 멸종
(C) 멸종의 이유들

해설 첫 문장인 주제문(Topic Sentence: The main reason for extinction of animal species is human activity)에서 말하듯 이 글에서는 인간에 의해 동물 멸종이 야기된다는 것을 다루고 있으며 그를 뒷받침하기 위하여 예를 들고 있다.
(A)는 글의 요지(Main Idea)를 뒷받침하기 위한 예시만을 담으므로 주제가 되기에 모자란다.
(C)는 멸종의 이유들 이라고 하였으므로 주제를 담기에 넘친다.

02

해석 거짓말 탐지기의 유용성은 오늘날 여전히 논란이 되고 있다. 거짓말 탐지기는 사람의 생리적인 반응을 체크하는 기계이다. 사람들은 이것을 '거짓말 탐지기'라고 부르지만, 이 기계는 거짓말을 탐지하는 것이 아니다. 그것들은 단지 오도하는 행동이 나타나고 있는지 탐지해낼 수 있을 뿐이다. 일부 경우에는, 검사하는 동안 긴장하거나 당황하여 진실된 사람이 거짓말쟁이로 간주될 수도 있다. 더욱이, 그 기계는 습관적인 거짓말쟁이들의 경우 생리적인 변화를 감지할 수 없을지도 모른다.
▶이 글은 주로 무엇을 논하고 있는가?

(A) 거짓말 탐지기의 사용
(B) 습관성 거짓말쟁이에게서 나타나는 생리적인 변화
(C) 거짓말 탐지기의 유용성에 대한 논란

해설 첫 문장인 주제문(Topic sentence: The usefulness of polygraphs is still being debated today.)에서 말하듯이 이 글에서는 거짓말 탐지기의 유용성에 대한 논란에 대해서 다루고 있으며, 주제문을 뒷받침할 근거들을 제시하고 있다.
(A)는 거짓말 탐지기의 사용이므로 주제를 담기에 넘친다.
(B)는 습관적인 거짓말쟁이의 심리적 변화는 내용의 일부이므로 주제를 담기에 모자란다.

03

해석 곤충의 일상생활에 있어 다리가 몸에서 가장 중요한 부분이다. 도약, 파기, 수영, 뛰기와 같은 기본적인 기능뿐만 아니라 다리는 다른 특별한 목적을 위해서도 사용된다. 예를 들어, 사마귀는 앞다리가 먹이를 잡도록 변형되어 있기 때문에 훌륭한 포획자가 되는 것이다. 같은 선상에서, 나비는 그들의 안테나를 청소하기 위해 앞다리를 진화시켰다.
▶ 이 글의 주제는 무엇인가?
(A) 사마귀의 다리의 유용한 사용
(B) 동물 다리의 발달된 특징
(C) 곤충 다리의 중요성

해설 첫 문장인 주제문(Topic sentence: The legs are the most essential part of the body in insect' s daily life.)을 중심으로 곤충에 있어서 다리가 가장 중요하다고 말한 후, 뒷받침 되는 예들을 보여주고 있다.
(A) 사마귀는 곤충 다리의 중요성 중 일부를 설명하기 위해 나온 것이므로 주제가 되기에 모자란다.
(B) 동물은 곤충이라는 특정 주제가 되기에 넘친다.

04

해석 Carl Fisher는 미국의 해안과 해안을 잇는 최초의 고속도로를 설계했다. 그는 1912년에 있던 2.5 백만 마일의 도로가 여행에 그다지 적절하지 않다고 생각했다. 사실 대부분의 도로가 진흙이었다. 처음에 Fisher의 계획은 천만 달러가 들 것으로 추산되었다. 그래서 Fisher는 자동차 제조업자들의 후원을 요청했다. 그 뒤 그는 Goodyear의 Frank Sieberling과 Packard 자동차 회사의 Henry Joy로부터 도움을 구했다. 완공 후, 그 고속도로는 Abraham Lincoln의 이름을 따서 'Lincoln Highway'라고 이름 지어 졌다. 그 이름은 Henry Joy에 의해 만들어졌다.
▶ 이 글은 대체로 -에 관한 것이다.
(A) Lincoln highway프로젝트의 기원
(B) 20세기 초의 미국 도로들
(C) Lincoln highway의 명명

해설 첫 문장인 주제문(Topic sentence: Carl Fisher designed the first highway from coast to coast in the United States.)을 통해 Lincoln Highway project가 어떻게 시작되었는가(기원)를 보여 준 후, 해당 내용을 process 중심으로 상세히 다루고 있다. 전체적인 글의 구조를 함께 보는 것이 중요하다.
(B) 20세기 초 미국의 길은 주제가 되기에 넘친다.
(C) the Lincoln Highway의 이름 짓기는 내용의 일부이므로 주제를 담기에 모자란다.

p.68

05(C) 06(C)

05

해석 모든 과학자들이 조류와 공룡 사이의 연관성에 대해 동의하는 것은 아니지만, 많은 과학자들은 조류가 공룡에서 진화했다고 확신한다. 최근 많은 발견들은 조류가 '수각류' 라 불리는 두 발을 가진 달리는 공룡의 후손이라는 주장을 뒷받침해 주는 것 같다. 예를 들어, 중국에서의 화석 발견 역시 수각류가 오늘날의 조류와 같이 깃털로 덮여있었다는 뚜렷한 흔적을 보여주었다.
▶ 이 글의 요지는 무엇인가?
(A) 화석의 발견은 공룡이 날개를 가졌었다는 것을 증명한다.
(B) 모든 조류는 공룡의 후손이다.
(C) 조류는 공룡에서 진화했을 것이다.

해설 첫 문장인 주제문(Topic sentence: Though not all scientists agree with the link between birds and dinosaurs, many scientists are convinced that birds evolved from dinosaurs.)에서, 반대되는 의견에도 불구하고, 새가 공룡으로부터 진화 되었을 것이라는 이야기를 하고, 그 근거와 예시를 통해 주제문을 뒷받침하고 있다.

(A) 화석 발견은 공룡이 날개를 가졌었다는 것을 지지한다는 내용은 일부에 불과하므로 주제가 되기에 모자란다.

(B) 모든 새들은 공룡의 후손이다라는 내용은 위 글에서 제시하는 사실이 아니므로 주제가 되기에 넘친다.

06

해석 많은 사람들은 사막에 대해 잘못된 견해들을 가지고 있다. 대개 사람들이 '사막' 이라는 단어들'에 대해 생각할 때, 그들은 단지 뜨겁고 메마른 장소를 떠올린다. 그러나 추운 사막이 Utah와 Nevada의 분지와 산맥 지역, 그리고 서아시아의 일부 지역에 존재한다. 사막에 대한 또 다른 오해는 그것들이 다양한 식물이나 동물이 존재하지 않는 불모의 땅이라는 것이다. 그러나 사막은 식물과 동물 종의 다양성에 있어서 열대 우림에 이어 두 번째이다.

▶ 다음 중 이 글의 요지는 –이다.

(A) 지구상에는 두 가지 종류의 사막이 있다.

(B) 사막은 다양한 식물과 동물 종을 갖고 있다.

(C) 사람들은 사막에 대해 오해를 갖고 있다.

해설 첫 문장인 주제문(Topic sentence: Many people have an incorrect views of deserts.)에서 사람들이 사막에 관해 잘못된 인식들을 가지고 있다는 것을 말한 후, 첫 번째 오해와 두 번째 오해를 각각 제시하고, 이것을 반박할 사실을 제시하는 구조로 되어있다.

(A) 지구에 2가지 종류의 사막이 있다는 것은 주제가 되기에 너무 넘친다.

(B) 사막은 다양한 식물과 동물을 가지고 있다는 것은 두 번째 오해를 반박하는 근거에 불과하므로 주제가 되기에 모자란다.

p.69

07(C) **08**(B)

07

해석 1825년에 완공된 Erie 운하는 Hudson 강과 5대호를 연결하는 거대한 수로이다. 그 운하는 미국 북부 중서부 지방과 New York시의 성장에 막대한 영향을 미쳤다. 많은 사람들이 그 운하를 이용해서 서부의 Michigan, Ohio, Indiana, Illinois와 같은 주로 옮겨왔다. 그리고 나서 사람들은 Erie 운하를 경유해서 농작물을 동부로 수송했다. 그 대신 제조된 상품과 공급품이 서부로 운반되었다.

▶ 이 글에 대한 가장 적절한 제목은 무엇인가?

(A) 미국에서 주요한 수로들이 미친 영향

(B) Erie 운하와 New York시의 발전

(C) 미국 중서부 윗부분에 Erie 운하가 미친 큰 영향

해설 첫 문장 에서 Erie Canal에 대한 간략한 소개를 한 후, 두 번째 문장인 주제문(Topic sentence: The canal had an enormous impact on the growth of both upper Midwest and New York city)에서 그것이 미국 중서부 윗부분에 미친 영향에 대해서 언급하고 있다.

(A) Erie Canal은 수로 중의 하나이므로 '주요한 수로들' 이라고 하면 주제로서 넘친다.

(B) Erie Canal과 뉴욕의 발전은 영향의 일부이므로 주제를 담기에 모자란다.

08

해석 1998년에 NASA의 한 연구원이 온실 가스와 그것이 지구 온난화에 미치는 영향에 대한 보고서를 제출했다. 그는 대기 중에 이산화탄소와 같은 온실 가스가 많이 존재하면 지구 표면을 뜨겁게 만든다고 믿었다. 그러나 다른 사람들은 동의하지 않았다. 그들은 이산화탄소 배출이 증가하고 있긴 하지만 너무나 느리게 증가하고 있어서 기온에 영향을 주지 못한다고 주장했다. 게다가 이산화탄소 배출의 영향에 대한 자료는 확정적이지 않다.

▶ 이 글에 대한 가장 적절한 제목은 무엇인가?

(A) 이산화탄소 배출이 지구 온난화에 어떻게 영향을 미치는가?

(B) 온실 가스는 지구 온난화에 영향을 미치는가?
(C) 지구 온난화의 주된 원인은 무엇인가?

해설 첫 문장인 주제문(Topic sentence: In 1998 a researcher at NASA submitted a paper about greenhouse gases and their effect on global warming.)에서 나사가 온실가스가 지구 온난화에 영향을 끼치는 것에 관한 보고서를 제출했다는 언급을 한 후, 그것에 관한 반대 의견을 보여주고 있다.
(A) 어떻게 이산화탄소가 지구 온난화에 영향을 미치는가는 내용의 일부에 불과하므로 주제가 되기에 모자란다.
(C) 의 무엇이 지구 온난화의 주요 요인인가라는 내용은 위 글에서는 온실 가스에 대해서만 언급하고 있으므로 주제가 되기에 넘친다.

Daily Test

p.70

01 1.(C) 2.(C) 3.(D)

해석 떼지어 다니는 것은 하나의 사회 단위를 이루어 이동하는 물고기의 '무리 짓기'이다. 대개 그것은 크기와 나이가 비슷하고, 집단의 구성원들 사이에 거의 같은 공간을 유지한다. 하나의 떼에서 물고기들의 가까운 정도는 계절과 하루 중 시간에 따라 다양할 수 있고, 구성원들 사이의 사회적 결속에 달려있다.

떼를 지어 이동하는 것의 이점으로 포식동물로부터의 보호와, 보다 강화된 먹이 확보력을 들 수 있다. 다수의 물고기가 포식 동물들을 혼란 시키거나, 물고기 떼가 큰 물고기 한 마리와 비슷해 보일 수 있기 때문에 포식 동물들이 큰 무리의 물고기를 공격할 가능성이 더 낮다. 많은 수의 물고기는 그 구성원들이 흩어질 때, 혼란을 줄 수 있고, 그 결과 공격하는 포식동물이 개개 물고기를 잡는 것을 어렵게 만든다. 게다가, 음식을 찾는 개개인이 더 많고, 덜 성공적인 개별 물고기는 더 성공적인 물고기를 따라갈 수 있어서 물고기의 떼지어 다니는 것은 먹이를 발견하는 것을 용이하게 해준다.

1.

해석 첫 번째 단락의 주제는 무엇인가?
(A) '무리 짓기' 하는 물고기들간의 가까움
(B) 물고기가 '무리 짓기' 하는 계절과 하루 중 시간
(C) 물고기 '무리 짓기' 의 특징
(D) '무리 짓기' 하는 물고기 크기의 다양성

해설 첫 번째 단락의 핵심어가 schooling, the grouping of fish, size, space 등으로서 '무리 짓기' 의 특성을 설명하고 있다. 그리고 첫 문장에서 schooling에 대한 정의를 내린 후, schooling의 특징들에 대해서 말하고 있다. 따라서 첫 번째 단락의 주제는 (C) 의 '물고기 무리짓기의 특징' 이다.
(A) '무리 짓기 하는 물고기간의 가까움' 은 주제가 되기에 모자란다.
(B) '물고기가 무리 짓는 계절과 하루 중 시간' 은 내용의 일부이므로 주제가 되기에 모자란다.
(D) '무리 짓는 물고기들의 크기의 다양성' 은 내용에서 잠깐 언급되므로 주제가 되기에 모자란다.

2.

해석 두 번째 단락의 주제는 무엇인가?
(A) 포식동물의 공격 피하기
(B) 물고기를 위한 먹이를 찾는 방법
(C) '무리 짓기' 의 이점
(D) '무리 짓기' 에 대한 설명

해설 두 번째 단락의 첫 문장인 두 번째 단락의 주제문(Topic sentence: The advantages of traveling in schools include protection from predators and enhanced foraging.)에 언급된 두 가지 장점에 대해, 뒷 부분에서 자세히 설명해주고 있다.
(A) 장점 중 일부이므로 주제가 되기에 모자란다.
(B) 장점 중 일부이므로 주제가 되기에 모자란다.
(D) '무리 짓기에 대한 설명' 은 글 전체의 주제이므로 오답이다.

3.

해석 이 글에 대한 가장 적절한 제목은 무엇인가?
(A) 물고기들은 어떻게 결속을 맺는가?
(B) 왜 '무리 짓기' 가 발달하게 되었나?
(C) 물고기들은 자신을 포식 동물로부터 방어하기 위해 무엇을 하는가?
(D) 물고기 '무리 짓기' 란 무엇인가?

해설 첫 번째 단락에서는 무리 짓기의 정의와 특징을 다루고, 두 번째 단락에서는 장점을 다루고 있으므로, (D)의 '무리 짓기는 무엇인가' 라는 내용을 모두 포괄할 수 있는 것이 제목이다.

(A) '어떻게 물고기들이 서로 결합하는가' 는 특징에서 일부 내용이 나와있으나, 제목이 되기에 모자란다.

(B) '왜 무리 짓기가 발달했는가' 는 두 번째 문단의 이점에 관한 것이므로, 역시 제목이 되기에 모자란다.

(C) '물고기들은 그들의 적들로부터 그들 자신을 보호하기 위해 무엇을 하는가' 는 두 번째 단락에 나온 무리 짓기의 이점의 일부에 불과하므로 제목이 되기에 모자란다.

p.72

02 1.(C) 2.(D) 3.(C)

해석 미국은 이민자들의 나라이다. 전세계 여러 국가들의 사람들이 다양한 이유로 미국으로 이주해왔다. 그들 중, 필그림 파더즈와 청교도들은 종교적인 자유를 위해 미국에 왔다. 영국에서 그들은 그들이 옳다고 믿는 대로 숭배하도록 허락 받지 못했고, 그들은 그들의 종교를 수행하고 그들이 원하는 대로 살 수 있는 곳을 찾았다. 퀘이커 교도와 기독교도, 그리고 유대인들 또한 그들 자신의 믿음을 지키기 위해 모국을 떠나서 미국으로 왔다.

다른 이민자들은 모국에서의 가난으로부터 벗어나기 위해 미국에 왔다. 아일랜드에서는 치명적인 병이 가장 중요한 곡물 중 하나인 감자를 거의 피폐화 시켰다. 감자를 먹지 못하게 되자 아일랜드의 많은 가난한 가족들이 배고픔에 허덕이게 되었다. 먹을 것이 거의 없어서 수천 명의 사람들이 굶어 죽었다. 이러한 아일랜드 사람들 중 일부는 사태가 악화되자 나라를 떠나야 한다고 결심했다. 그래서 그들은 미국으로 왔다. 사람들은 스웨덴, 독인, 중국과 같은 나라들에서도 왔다. 그들은 똑 같은 이유로-그들이 살던 곳이 충분한 식량을 생산하지 못했다-이주했다. 그들은 농장을 시작하고, 식량을 재배하고, 결코 다시는 배고픔을 겪지 않으리라는 꿈을 갖고 미국에 왔다.

1.

해석 첫 번째 단락의 주제는 무엇인가?

(A) 세계 각지로부터 온 미국의 이주민들

(B) 종교적 자유를 위한 투쟁

(C) 종교적 자유를 추구하는 미국의 이주민들

(D) 다른 종교적 전통들

해설 첫 번째 단락의 두 번째 문장(Among them, Pilgrims and the Puritans came to America for religious freedom.)은 첫 번째 단락의 주제문이다. 따라서 첫 번째 단락에서는 다양한 이유로 미국으로 온 이민자들 중 종교적 이유로 온 사람들에 대한 언급을 하고 있다.

(A) '세계 각지로부터 온 미국의 이주민들' 은 오히려 글 전체에 해당하는 주제이므로 오답이 된다.

(B) '종교 자유를 위한 싸움' 은 주제에서 벗어난다.

(D) '다른 종교 전통들' 에 대해서 이 글에서는 직접적으로 나와있지 않으므로 주제에서 벗어난다.

2.

해석 두 번째 단락의 주제는 무엇인가?

(A) 독일에서의 기아

(B) 아일랜드 이주민들의 특징

(C) 적절한 농업 방식

(D) 가난을 피하는 미국의 이주민들

해설 두 번째 단락에서는 첫 번째 문장인 주제문(Topic sentence: Other immigrants have come to America to get away from poverty in their home countries.)에서 가난에서 벗어나기 위해 미국으로 온 사람들에 대해 언급하고 이를 뒷받침 하는 예를 들고 있다.

(A) '독일에서의 기아' 는 미국에 가난 때문에 온 사람들 중 일부의 이유이므로 주제가 되기에 모자라다.

(B) '아일랜드 사람들의 특징' 은 내용의 일부에 불과하므로 주제를 담기에 모자란다.

(C) '적절한 농업 방식' 은 위 글에서 언급하고 있지 않으므로 주제에서 벗어난다.

3.

해석 전체 글의 요지는 무엇인가?

(A) 미국의 이민자는 다양한 지역에서 왔다.

(B) 사람들은 종교적인 자유를 추구하기 위해 미국에 이주했다.

(C) 사람들은 다양한 이유로 미국에 이주했다.

(D) 많은 이주민들은 결국 그들의 모국으로 돌아갔다.

해설 지문의 첫 문장과 두 번째 문장인 주제문(Topic Sentence: The United States is a nation of immigrants. People from countries all around world have immigrated to America for various reasons.)에서 다양한 이유로 전 세계의 사람들이 미국으로 왔다는 내용이 글의 요지(Main Idea)가 됨을 알 수 있다.
(A) '미국의 이민자는 다양한 지역에서 왔다' 는 것은 언급된 여러 국가들만 보아도 알 수 있으나, 이민의 이유를 위주로 전개된 이 글을 담는 요지에서는 벗어난다.
(B) '사람들이 종교의 자유를 찾기 위해 미국으로 왔다' 는 것은 첫 번째 단락의 내용에 불과하므로 요지가 되기에 모자란다.
(D) '많은 이민자들이 결국에는 그들의 본국으로 돌아갔다' 는 내용은 위 글에 언급되어 있지 않으므로 요지에서 벗어난다.

2nd Week | 2nd Day
Daily Check-up

p.76

01(C) 02(B) 03(C)

01

해석 물의 순환은 여러 단계로 구성되어 있다. 먼저, 태양이 바닷물을 데운다. 다음, 물이 증발하고 상승하여 구름이 된다. 그리고는 바람이 구름을 대륙의 육지로 불어 간다. 구름이 지나치게 커지거나 더 시원한 지역으로 밀려감에 따라 비가 내리기 시작한다. 비는 땅에 내려서 지하수를 형성하거나 일부 물은 샘물의 형태로 지표수가 된다. 그 지표수는 다른 물들과 만나서 개울과 강을 형성한다. 이것들은 이후에 바다로 다시 흘러가다.
▶ 필자는 왜 이 글을 썼는가?
(A) 지하수를 지표수와 비교하기 위해
(B) 강의 형성에 대한 예를 제시하기 위해
(C) 물의 순환 과정을 묘사하기 위해

해설 글의 첫 문장인 주제문(Topic Sentence: The circulation of water consists of many steps.)을 보면 이 지문에서는 물의 순환에 대해 설명하게 될 것임을 알 수 있다. 이러한 물의 순환에 대하여 Next, Then등의 연결어를 통하여 과정을 묘사했다.
(A) 지하수와 지표수에 대해 비교하기 위해 라고 하였는데, 이 둘은 물 순환의 일부이며 비교를 나타내는 어떠한 표현도 지문에서 찾아볼 수 없다.
(B) 강 형성에 대한 예를 주기 위해서 라고 하였는데, 강의 형성은 물 순환의 일부이며 글 전체가 예를 주기 위한 목적이 아님을 알 수 있다.

02

해석 사실상 모든 미국인들은 국립예술기금(NEA)에 대해 긍정적인 면에서 감동을 받았다. NEA는 예술과 문화를 사람들에게 제공한다. 그것은 미국인들이 예술과 접촉할 수 있도록 해준다. 그것의 출범 이래로 NEA는 100,000개 이상의 상을 수여해 왔다. 주연방 NEA 조직을 통해서 19,000,000 명 이상의 아이들이 매년 어떤 형태의 예술 교육을 받았다. 미국의 노인들과 장애인들은 NY주 Brooklyn에서의 'Elders Share the Arts'와 같은 프로그램을 통해서 예술을 접하게 된다. 또한 시골 지역 사회의 주민들은 다양한 프로그램을 통해서 예술에 대해 배우고 즐기도록 장려되었다.
▶ 다음 글의 목적은 무엇인가?
(A) 연방 정부의 프로그램을 분류하기 위해서
(B) NEA의 많은 기여를 설명하기 위해
(C) 더 많은 상에 대한 필요성을 강조하기 위해

해설 글의 첫 문장인 주제문(Topic Sentence: Virtually all Americans are touched in a positive way by the National Endowment for the Arts (NEA).)을 보면 이 지문에서는 NEA의 긍정적인 영향에 대해서 설명하게 될 것임을 알 수 있고, 뒤에서 NEA의 많은 기여에 대해 열거하고 있다.
(A) 연방 정부의 프로그램을 분류하기 위해서라는 목적은 올바르지 않다.
(C) 더 많은 상의 필요를 언급한 곳은 이 글의 어디에도 없다.

03

해석 석탄의 형성은 극도의 압력 아래에서 일어나는 유기 물질의 연속적인 분해로 항상 설명되었다. 수백만 년 전에 식물과 나무는 넓고 얕은 바다에서 자란 뒤 쓰러져서 천천히 분해되기 시작했다. 그 뒤, 수백만 년에 걸쳐 수천 피트의 퇴적물의 무게가 그것을 압착하여 석탄으로 알려진 탄화층으로 만들기 시작했다.

석탄의 형성에는 이러한 극히 단순한 '퇴비 형성' 이론 이상의 것들이 있을 수 있다. 예를 들어 일부 과학자들은 박테리아가 석탄, 석유, 천연 가스와 같은 모든 화석 연료의 발달에서 아주 중요한 역할을 했다고 제안했다. 어떤 박테리아는 쉽게 유기 물질을 석유나 석탄으로 변화시켰을 수 있었던 것이다.

▶ 두 번째 단락에서 필자의 주된 의도는?

(A) 석탄 형성에 대한 과학적인 이론을 비교하기 위해

(B) 다양한 종류의 화석 연료를 설명하기 위해

(C) 석탄의 형성에 대한 또 다른 이론을 제공하기 위해

해설 이 글의 첫 번째 단락에서는 석탄 형성이론 하나를 제시하고 있다. 그리고 두번째 단락의 첫 문장인 두번째 단락의 주제문(Topic Sentence: There may be more to the formation of coal than this simplistic "composting" theory.)에서 "composting" 이론을 제외한 다른 이론이 제시될 것임이 드러난다.

(A) 석탄의 형성에 관한 과학적 이론을 비교하기 위해서라는 언급은 올바르지 않다. 두 번째 단락에서는 다른 이론을 제시하고 있을 뿐 어떠한 비교나 대조도 하고 있지 않다.

(B) 다양한 형태의 화석연료에 관한 내용은 잠깐 언급 되었으나, 중심 내용에서 벗어나므로 이것은 목적이 될 수 없다.

p.78

04(B) **05**(B) **06**(C) **07**(A)

04

해석 혀는 입의 바닥 부분을 차지하고 있는 근육기관이다. 그것은 유두-혀에 있는 작은 돌기-와 미뢰로 덮여 있다. 미뢰는 혀의 측면을 따라 밀집해 있다. 그것들은 사람들이 단지 쓰고, 짜고, 달고, 신 맛 만을 감지하게 해준다. 사실 사람들이 맛으로 감지하는 것의 70~75 퍼센트는 후각에서 오는 것이다.

▶ 왜 필자는 후각을 언급하고 있는가?

(A) 미각은 단지 혀로부터 느껴지는 것이라고 제시하기 위해

(B) 맛은 혀뿐 아니라 코로도 감지된다는 것을 설명하기 위해

(C) 미각과 후각을 구별하기 위해

해설 첫 문장에서 혀의 정의를 내리고, 뒤에서 혀와 관련된 정보들을 주고 있다. 후각(sense of smell)을 얘기한 이유는 맛의 상당부분이 후각으로도 상당 부분 느끼게 되는 것을 보여주기 위함이다.

(A)는 본문에 언급된 사실과 다르다.

(C)후각과 미각을 구별하는 내용은 나와있지 않다.

05

해석 2가지 종류의 주요한 슈퍼 컴퓨터가 있다: 벡터 컴퓨터와 병렬 컴퓨터가 그것들이다. 두 컴퓨터 모두 빨리 작업하지만 다른 방식으로 작업한다. 예를 들어, 벡터 컴퓨터는 가능한 빨리 100개의 문제를 푼다. 한편 병렬 컴퓨터는 일을 분할한다. 그것은 10문제를 10사람과, 또는 20문제를 5사람과 공유한다. 결국, 벡터 컴퓨터는 정보를 찾고 분석하기 위해 단계별로 작업하지만, 병렬 컴퓨터는 많은 것들을 동시에 풀어나감으로써 인간의 두뇌와 같이 작업한다.

▶ 왜 필자는 이 글에서 인간의 두뇌를 언급하는가?

(A) 인간의 두뇌를 넘어서는 병렬 컴퓨터의 진보된 특징을 설명하기 위해

(B) 병렬 컴퓨터와 인간의 뇌와의 유사성을 설명하기 위해

(C) 인간의 두뇌가 어떻게 문제를 푸는지에 대한 예를 제공하기 위해

해설 글의 첫 두 문장인 주제문(Topic Sentence: There are two main kinds of supercomputers: vector machines and parallel machines. Both machines work fast but in different ways.)에서 두 가지 컴퓨터를 소개한 후 각각의 다른 점을 비교 대조 하는 구조를 가지고 있다. 언급된 어구가 있는 문장을 중심으로 살펴보면 인간의 뇌 (human brain)을 언급한 이유는 parallel 컴퓨터의 작동방식이 인간의 뇌와 비슷함을 보여주기 위해서라는 것을 알 수 있다.

(A) 병렬컴퓨터가 인간의 뇌보다 더 우수하다는 것은 언급되어 있지 않다.

(C) 인간의 뇌에 대한 어떠한 직접적인 설명도 나와있지 않다.

06

해석 개구리는 아주 놀랄 정도로 다양한 기후에서 살아가도록 진화해왔다. 민물이 있는 곳이면 거의 어느 지역에서나 찾아볼

수 있다. 개구리는 따뜻하고 습한 열대 기후에서 번성하지만, 사막과 해발 15,000 피트의 산비탈 높이에서도 살아간다. 호주의 보수 개구리는 7년 동안 비가 없이도 살수 있는 사막 서식 동물이다. 그것은 지하에 파고 들어가 자신에게서 떨어진 피부로 만든 투명한 누에고치로 몸을 감싼다.

▶ 왜 필자는 이 글에서 호주 보수개구리를 언급하는가?

(A) 사막 개구리는 다른 개구리들보다 더 잘 적응한다는 것을 입증하기 위해

(B) 동물들이 건조한 기후에서 어떻게 생존하는지 설명하기 위해

(C) 건조한 기후에 사는 개구리의 예를 제공하기 위해

해설 글의 첫 문장인 주제문(Topic Sentence: Frogs have evolved to live in an astounding variety of climates.)의 내용을 뒷받침 하기 위해, 여러 서식지와 예들을 들고 있다. The Australian water-holding frog가 언급된 부분을 보면 건조한 지역에서도 살 수 있는 개구리를 보여주기 위해서임을 알 수 있다.

(A) 내용은 본문에서 언급되지 않았다.

(B) 동물들이 건조한 지역에서 사는 방식에 관한 내용은 언급되지 않았다.

07

해석 지구는 공기의 덮개로 둘러싸여 있고, 사람들을 그것을 대기라고 부른다. 그것은 지표면으로부터 560km 이상까지 이른다. 대기의 성질을 연구하고자 한 초기의 시도는 단순했다. 사람들은 날씨, 다양한 색채를 띠는 저녁놀과 아침놀, 그리고 별의 반짝임을 단서로 이용 했다. 오늘날, 고감도의 기계를 사용함으로써 우주로부터 과학자들은 대기가 어떻게 기능하는지에 대한 더 발전된 개념을 얻는다.

▶ 왜 필자는 이 글에서 다양한 색채를 띠는 저녁놀과 아침놀, 그리고 별의 반짝임을 언급하는가?

(A) 과거 사람들이 대기를 어떻게 연구했는지 보여주기 위해

(B) 과학적 방법이 어떻게 향상되어 왔는지 설명하기 위해

(C) 대기를 연구하고자 한 초기의 시도가 틀렸다는 것을 강조하기 위해

해설 지구의 대기를 연구하는 예전의 방법과 오늘날의 방법 그리고 그 결과를 제시하고 있다.

(B) 어떻게 과학적 발전해 왔는가를 다루려면, 그 과정이 소개되어야 하나 위 글에는 변화된 과정은 나와있지 않다.

(C) 과거 연구에 대한 비판은 위 글에 나와있지 않다.

Daily Test

p.80

01 1.(C) 2.(A) 3.(D)

해설 동면은 일반적으로 추위와 식량 부족에 대한 방어 기제인 기면(혼수) 상태에서 겨울을 보내는 것으로 간주되지만 그렇게 단순한 것이 아니다. 동면하는 동안 동물의 신진 대사, 맥박, 그리고 체온은 급격히 떨어진다. 예를 들어, big brown과 pallid와 같은 사막에 사는 서부집박쥐들은 공중을 나는 동안 최고 분당 600 비트 이상인 그들의 맥박을 동면하는 동안 분당 최하 20 비트 이하로 떨어뜨린다.

게다가 동면은 지속적인 상태가 아니다. 모든 동면 동물들은 주기적으로 몇 시간에서 며칠간 깨어 있게 된다. 예를 들어, 작은 갈색 박쥐는 83일까지 방해 받지 않은 채로 동면하기도 하지만, 12일이나 19일마다 깰 수도 있다. 일부 동물들은 동면 장소(겨울을 나기 위한 은신처)에 음식을 저장하고 각성 시기 동안 이것을 먹는다. 다른 동물들은 에너지를 위해 지방 저장물에 의존하고 깨어서 아무 것도 먹지 않는다.

1.

해석 이 글의 주제는 무엇인가?

(A) 동면 기간 동안의 각성(깨어남)

(B) 동면에 관한 과학적 연구

(C) 동물들의 동면

(D) 연장된 동면 기간

해설 이 글에서는 동면의 정의를 내린 후, 우리가 생각하는 것보다 훨씬 복잡한 과정임을 보이고 있다. 첫째 단락에서는 동면 중 신진대사가 느려짐을 보여 주고, 둘째 단락에서는 동면이 계속되는 상태가 아님을 보여주고 있다. 따라서 위 글의 주제는 동물들의 동면이 되어야 할 것이다.

(A) 두 번째 단락의 내용으로 주제가 되기에 모자란다.

(B) 동면에 대한 과학적 연구는 위 글의 주제에서 벗어난다.

(D) 위 글에는 동면의 연장된 기간에 대해 다루고 있지 않으므로 주제에서 벗어난다.

2.

해석 이 글의 주된 목적은 무엇인가?
(A) 동면에 관한 상세한 특징을 설영하기 위해
(B) 동면에 관한 장점을 설명하기 위해
(C) 박쥐의 동면과 다른 동물들의 동면을 구별하기 위해
(D) 동면의 여러 단계들을 설명하기 위해

해설 글의 주제와 목적은 밀접히 연관되어 있다. 이 글에서는 동면에 대해 설명하고 있다. 그러므로, 동면에 대한 자세한 설명을 제공하기 위해
(B) 동면에 대한 장점을 따로 언급하지 않았다.
(C) 박쥐의 동면과 다른 동물의 동면을 비교하는 글은 아니다.
(D) 동면의 단계는 위 글에서 언급하고 있지 않다.

3.

해석 왜 필자는 big brown과 pallid를 언급하는가?
(A) 동면하기에 힘든 사막의 환경에 대해 논의하기 위해
(B) 다양한 유형의 동면하는 박쥐들을 구별하기 위해
(C) 동면하는 박쥐들의 위험성에 대한 보다 깊이 있는 연구를 제안하기 위해
(D) 동면하는 동안 심장 박동 수를 떨어뜨리는 동물의 예를 제공하기 위해

해설 big browns and pallid가 언급된 주위 문장을 살펴보면 동면 중 신진 대사, 맥박을 떨어뜨리는 동물들에 관한 이야기가 나온다.
(A) 동면하기에 힘든 사막의 환경은 big browns and pallid를 언급한 직접적인 예가 아니다.
(B) 지역에 대한 언급은 나와 있지 않다.
(C) 동면하는 박쥐들의 위험성에 대한 더 많은 연구를 제안하고자 하는 의도는 위 글에서 나타나지 않았다.

p.82

02 1.(B) 2.(C) 3.(D) 4.(A)

해석 1960년대까지 미국 사람들은 자연 환경에 특별히 관심을 갖지 않았다. 오히려 미국인들은 경제에 더 초점을 맞췄다. 그러나 기름 유출, 오염을 유발하는 공장과 발전소, 그리고 황무지 손실의 증가와 함께, 갑자기 사람들은 그들이 보편적인 가치를 공유한다는 것을 인식하게 되었다. 그들은 환경을 보호하기 위한 국가 기구를 요구했다. 이에 따라, 1970년 4월 첫 번째 지구의 날에 2000만 명의 미국인들이 건강하고 지속 가능한 환경을 위한 시위를 벌이기 위해, 거리, 공원, 회관에 모여들었다. 수천개의 대학들은 환경의 악화에 반대하는 항의 집회를 조직했다.

첫 번째 지구의 날은 미국 환경 보호국(EPA)의 신설과 깨끗한 공기, 깨끗한 물, 멸종 위기에 처한 생물 종에 관한 법령의 통과로 이어졌다. Richard Nixon 대통령과 의회는 더 깨끗한 물, 공기, 국토에 대한 대중적인 요구의 증가에 부응하여 EPA를 설립하기 위해 협력했다. EPA의 설립 이전에는 정부가 인간의 건강에 해를 끼치고 환경을 저하시키는 오염원에 대해 공동의 노력을 기울이도록 조직화되어 있지 않았다. EPA는 이미 자연 환경에 가해진 피해를 복구하는 과중한 직무를 할당 받았다.

1.

해석 이 글의 주제는 무엇인가?
(A) 오염과 황무지 손실의 증가
(B) EPA의 형성을 이끈 배경
(C) 지구의 날의 시작을 야기시킨 항의 집회
(D) 미국 정부가 만든 여러 법령들

해설 1번째 단락에는 EPA 설립의 배경(환경에 대한 사람들의 관심)을 다루고 있고, 2번째 단락에는 EPA 설립 과정에 따른 정부의 관여 전반에 대해 다루고 있다. 따라서 주제는 EPA의 형성을 이끈 배경이 될 것이다.
(A) 환경오염 문제는 내용의 일부이므로 주제가 되기에 모자란다.
(C) 항의 집회는 EPA 형성을 이끈 것 중 하나로 언급된 내용이므로 주제가 되기에 모자란다.
(D) EPA와 환경이라는 주제에서 벗어난다.

2.

해석 두 번째 단락의 목적은 무엇인가?
(A) 정부가 오염을 유발하는 공장과 발전소를 통제해야 한다고 제안하기 위해
(B) 더 진전된 정부 조치들에 대한 필요성을 제안하기 위해
(C) 정부가 어떻게 환경을 정화시키는 일에 더 관여하게 되었는

지 기술하기 위해
(D) 더 깨끗한 환경을 요구한 대중 시위에 관해 논하기 위해

해설 두 번째 단락에서는 정부가 환경오염을 줄이기 위해 여러 가지 방법들을 동원했다는 이야기를 다룬다. 따라서 두번째 단락은 정부가 어떻게 좀 더 환경에 관심을 가지게 되었는가에 대해서 설명을 하기 위한 글이다.
(A) 와 관련된 언급은 두 번째 단락에 나오지 않는다.
(B) 정부의 행동을 촉구하는 어떠한 언급도 없다
(D) 첫 번째 단락의 주제이므로 오답이다.

3.
해석 왜 필자는 이 글을 썼는가?
(A) 미국 정부에 의해 통과된 다양한 법률을 분류하기 위해
(B) 여러 종류의 오염원을 비교하기 위해
(C) 첫 번째 지구의 날의 단점을 보여주기 위해
(D) 더 깨끗한 환경에 대한 대중 인식 증가에 관해 논의하기 위해

해설 이 글은 깨끗한 환경에 대한 사람들의 관심 증가와 그 여파에 대해서 언급하고 있다. 따라서 이 글의 목적은 깨끗한 환경에 대한 사람들의 관심 증가에 대한 논의를 하기 위한 것이다.
(A) 미국 정부에 의해 통과된 다양한 법률은 글의 내용과 전혀 상관없으므로 주제에서 벗어난다.
(B) 오염원에 대해서 일부 언급되었지만 내용을 담기에 부족하므로 주제가 되기에 모자란다.
(C) 첫 번째 지구의 날의 단점은 본문에 전혀 언급되지 않는 내용으로 주제에서 벗어난다.

4.
해석 왜 필자는 첫 번째 지구의 날에 관해 언급하는가?
(A) 이 행사가 어떻게 중요한 기구의 탄생을 가져왔는지 보여주기 위해
(B) 정부를 공격한 사건을 보여주기 위해
(C) 국경일의 탄생에 대한 예를 제공하기 위해
(D) 의료 혜택의 부족에 대한 대중의 불만을 설명하기 위해

해설 해당 문구가 언급된 부분을 지문에서 찾으면 선택지 (A)의 result in이 본문의 led to에서 재진술 되어 있음을 알 수 있다.

2nd Week | 3rd Day
Daily Check-up

p.86

01 (B) **02** (A)

01
해석 철조망에 대한 최초의 거대 시장 중 하나는 철도였다. 선로가 대초원을 가로질러 서부로 이동함에 따라, 목장주들과 농부들은 담이 없는 길에 있는 그들의 가축 손실에 불안을 느꼈다. **예를 들어** 1876년 Missouri, Kansas, Texas 철도회사는 철도가 운행된 그 세 주에서 1948마리의 동물이 죽어서 25,000 달러의 피해를 입혔다고 보고했다.
(A) 반대로 (B) 예를 들어 (C) 동시에

해설 어떤 특정지역의 사건을 설명함으로써 빈칸 앞부분에 대한 예를 들고 있다.
(A) 연결어를 사이에 두고 앞과 뒤가 대조되는 내용이 아니다.
(C) 연결어를 사이에 두고 앞과 뒤가 동시사건이 아니다.

02
해석 대부분의 꿈은 'REM 수면' 동안 일어난다. 'REM 수면' 동안 깨는 사람은 거의 항상 그들이 꿈꾸고 있던 것을 기억한다. 반대로, 비 REM 수면 상태에서 깨는 사람들은 그들의 꿈을 기억할 가능성이 15% 정도이다. 꿈의 종류 또한 두 단계에서 다르다. REM 수면에서 깬 사람들에 의해 보고된 것들은 종종 비논리적이고 기괴하다. **다른 한편** 비 REM 상태에서 꿈꾸는 사람들은 종종 더 정상적인 생각과 같은 꿈을 꾼다. 그들은 REM 수면 상태인 사람들과 비교할 때 감정적으로 시각적으로 거의 그만큼 충만해 있지 않다.
(A) 다른 한편 (B) 게다가 (C) 그러므로

해설 REM 수면과 Non-REM 수면을 비교, 대조하는 내용이다. 따라서 "다른 한편"의 의미를 가진 on the other hand가 빈칸에 와야 한다.
(B) 연결어를 사이에 두고 앞내용을 뒤에서 부연설명을 하는 관계가 아니다.
(C) 연결어를 사이에 두고 앞과 뒤가 인과관계가 아니다.

p.87

03(C) **04**(B)

03

해석 원거리 통신 분야의 개척자인 Alexander Graham Bell은 1876년에 오늘날 전화라고 불리는 '전기 대화 기계'를 발명하게 되었다. 그의 발명 소식은 급속히 전국으로 퍼져나갔다. Bell은 1878년까지 Connecticut주의 New Haven에 최초의 전화 교환소를 세웠다. 또한 6년 뒤 Boston, Massachusetts, New York 시 사이에 장거리 회선이 만들어졌다.

(A) 분류 (B) 대조 (C) 연대기적 순서

해설 In 1876, by 1878, Six years later와 같은 단어에서 이 글이 시간 순서 (Chronological order)로 진행되고 있음을 알 수 있다.

(A) 분류를 하는 구조로 되어있지 않으므로 답이 될 수 없다.

(B) 대조의 구조가 없으므로 답이 될 수 없다.

04

해석 Hudson강은 진짜 강이 아니다. 오늘날 강이 흐르는 땅은 수 백만 년 전에 더 높은 고도에 있었다. 그 후 아마도 지진, 침식, 또는 지하의 샘에 의해 땅이 점점 깊이 가라앉았고 지질학자들이 '익곡' 이라고 부르는 것이 되었다. 땅이 가라앉은 후, 그로 인해 해수가 계곡에 흘러 들게 되었다. 계류의 담수와 섞인 염수는 '강어귀' 를 형성한다. 염수와 담수의 혼합은 강어귀를 그 지역에 있는 많은 종류의 물고기와 다른 바다 생물을 위한 완벽한 서식지로 만들었다.

(A) 정의 (B) 과정 (C) 예증

해설 Then, After와 같은 연결어 단서를 통해 Hudson강이 생긴 과정(Process)을 차례대로 다루고 있음을 알 수 있다.

p.88

05 (B)-(A)-(C) **06** (C)-(B)-(A)

05

해석 (A) 예를 들어, 큰 창자에 사는 한 박테리아 종은 필수적인 혈액 응고 요소인 비타민K를 만들어낸다. 또한 간접적으로 유익한 종들이 있다. 일부는 요구르트에 짜릿한 맛을 주고, 이스트로 부풀린 빵에 신맛을 준다.

(B) 박테리아는 인간의 삶과 지구상의 생명체에 필수적이다. 그것들이 충치와 출혈성 페스트와 같은 인간의 질병을 야기시키는 역할을 하는 것으로 악명 높지만, 건강에 유익하기도 하다.

(C) 그것들은 또한 소, 양, 염소와 같은 동물들이 식물 섬유소를 소화할 수 있도록 해준다.

해설 (B)에서 박테리아가 병을 일으키기는 하지만, 건강에 유익한 점도 있다고 했다. 그리고 (A)에서 건강에 어떻게 유익한 지에 관한 예가 나와있다. 그러므로 (A)는 (B)의 뒤에 와야 한다.

(C)문장에는 also가 있다. 이 표현은 부가적인 내용을 추가할 때 쓰는 표현이므로 (B)-(A)-(C)의 순서로 와야 한다.

06

해석 (A) 어떤 유기체가 의심 없이 아주 가까이 접근하여 감각 촉수 중 하나에 닿으면 문이 열리고, 그 희생물이 흡입되고 문이 닫힌다. 놀랍게도 이 모든 과정이 1초도 채 걸리지 않는다. 일단 내부로 들어가면, 먹이는 식물이 분비한 효소에 의해 소화되고 결과로 생기는 영양물은 흡수된다.

(B) 식충 식물의 기이한 예는 Utricularia이다. 그것은 한쪽에 자극 털에 의해 안쪽으로 열리는 함정문이 있는 주머니로 이루어져 있다. 그 식물은 수분을 주머니에서 퍼내어 함정 내부의 압력을 더 낮게 만든다.

(C) '식충 식물' 은 곤충을 유인하여 붙잡아 죽이는 식물이다. 게다가 식충 식물로서의 자격을 얻기 위해서는 먹이로부터 영양분을 소화하고 흡수해야 한다. 이 식물들은 극 소량의 영양물을 가진 지역에서 자란다. 그렇기 때문에 그것들은 질소의 부족을 보충하기 위해 곤충을 잡는다.

해설 (C)에서는 식충 식물에 대한 정의와 설명을 해주고 있다.

(B)은 식충 식물의 한 예를 들고, 그 구조에 대해 설명하고 있다. (A)에서는 이러한 구조를 가진 식충 식물이 어떻게 먹이를 잡는지에 대해 다루고 있다. 또한 (A)에는 the trigger hair가 나오는데, (B)에는 같은 단어가 정관사가 붙지 않았기 때문에, (A)는 (B)의 뒤에 온다는 것을 알 수 있다.

p.89

07(C) **08**(B)

07

해석 8세기 동안 중국 회화에는 3가지 양식이 있었다: 선을 강조하는 양식, 뼈대가 없는 양식, 색채를 강조하는 양식. 선을 강조하는 양식은 다양한 두께의 섬세하고 선명한 선으로 그려지고 투명 물감으로 채워지는 형식을 특징으로 하였다. 뼈대가 없는 양식은 거의 또는 전혀 윤곽선 없이 불투명 물감으로 넓게 칠해지는 색채를 갖고 있었다.

▶ 이 글 다음의 단락은 아마도 —을 논의할 것이다.
(A) 9세기의 회화 양식들
(B) 투명 물감과 불투명 물감의 비교
(C) 색채를 강조하는 양식

해설 구조적으로 푸는 following topic문제이다. 첫 문장인 주제문에 linear, boneless, 그리고 painterly 3가지 종류의 중국화가 있다고 하고, linear와 boneless에 대해서 설명을 했다. 그러므로, 다음에는 painterly에 관해서 이야기 할 것이다.
(A) 8세기의 세 번째 회화 형태에 대한 이야기를 아직 하지 않았기 때문에, 9세기 회화 형태에 대해 이야기 할 수 없다.
(B) 투명 물감과 불투명 물감의 비교는 세 가지 회화 양식을 소개하는 전체 내용에서 벗어난다.

08

해석 조지 왕조 스타일은 도안 서적, 도해, 판화 등을 통해 영국에서 수입되었다. 이것은 식민지 건축 양식의 두 번째 단계로, 부유한 중산층의 출현과 관련되어 있다. 그래서 그 스타일은 위신, 부, 성취의 상징이었다. 전쟁이 건설을 중단시켰고 미국인들이 그들의 영국과의 관련으로부터 자유로워지기를 원했기 때문에 그것은 공식적으로는 미국의 독립과 함께 끝났다. 이 나라에 출현한 다음 스타일은 미국 연방 스타일이었다.

▶ 이 글 뒤에 올 주제로 가장 적절한 것은 다음 중 어느 것인가?
(A) 미국 독립의 결과
(B) 미국 연방 스타일
(C) 식민지 건축 양식의 첫 번째 단계

해설 마지막 문장을 보고 푸는 following topic문제이다. 이 글은 조지 왕조 스타일을 설명하다, 마지막 문장에서 새로운 스타일인 미국 연방 스타일에 대해 소개를 하고 있다. 그러므로, 다음에는 이 스타일에 대한 자세한 설명을 할 것이다.
(A)언급이 되었지만, 글의 흐름과 관계가 없다.
(C)이미 두 번째 식민지 건축양식이 나왔으므로, 첫 번째를 설명하는 것의 글의 흐름에 맞지 않다. 설사, 시간을 거슬러가는 구조로 되어있다 하더라도 미국 연방 스타일의 소개 후, 바로 첫 번째 식민지 건축 양식으로 거슬러가 설명하는 것도 글의 흐름상 어색하다. (*토플에 시간을 거슬러가는 구조는 거의 출제되지 않는다)

Daily Test

p.90

01 1.(B) 2.(B) 3.(C)

해석 고고학자들은 층위학, 반감기연대측정법, 탄소 14 연대측정법과 같은 다양한 방법을 이용하여 화석의 연대를 측정한다. 가장 오래되고 가장 널리 사용되는 방법은 지층 또는 층에 대한 연구인 층위학이다. 이 방법은 새로운 지층은 더 오래된 지층의 맨 윗부분에 형성된다는 개념에 기초를 둔 것이다. 더 깊은 곳에 있는 암석과 화석은 그것들 위에서 발견되는 암석이나 화석들보다 더 오래되었기 때문에 고고학자들이 지나간 시간의 양을 추정할 수 있다. 그러나 정확한 추정을 위해서는, 화석이 항상 같은 위치에 있어야 하고, 지구의 구성이 같은 상태로 유지되어 왔어야 한다.

화석의 연대를 측정하는 또 다른 방법은 방사능 동위원소의 반감기를 이용하는 것이다. 방사능 원소들은 단순한 수학적 과정에 의해 안정적인 원소들로 자연 붕괴한다. 이용 가능한 원소들의 절반이 반감기라고 알려져 있는 주어진 기간 안에 변할 것이다. 예를 들어, 방사능 동위원소 칼륨 40은 화석의 연대를 측정하기 위해 사용될 수 있다. 그것은 우리가 알고 있는 속도로 아르곤 기체로 자연 붕괴한다. 13억년이라는 긴 반감기를 가진 칼륨 40을 이용함으로써 고고학자들은 지구의 나이를 알아낼 수 있다.

1.

해석 다음 중 어느 것이 이 글의 구성을 가장 잘 묘사하는가?
(A) 층위학의 정의
(B) 화석의 연대를 측정하기 위한 여러 방법들의 열거
(C) 지구 나이에 대한 여러 추정들의 연대기적 순서
(D) 화석 연대기측정의 장점과 단점에 대한 비교

해설 첫 번째 단락은 화석 연대 측정법의 한가지 방법을, 두 번째 단락에서는 또 다른 방법을 언급하고 있다. 따라서 이 글은 화석의 연대를 측정하는 여러 방법의 열거이다.
(A) 첫 번째 단락의 내용에 불과하므로, 주제로서 모자란다.
(C) 시대적 순서는 나와있지 않으므로 주제에서 벗어난다.
(D) 화석 연대 측정의 장점과 단점을 비교하는 내용은 나와있지 않으므로 주제에서 벗어난다.

2.

해석 다음 중 어느 것이 두 번째 단락의 구성을 가장 잘 묘사하는가?
(A) 층위학과 반감기 연대측정법의 비교
(B) 구체적인 예에 의해 뒷받침되는 반감기에 대한 설명
(C) 반감기 연대측정법의 이점에 대한 논의
(D) 아르곤 기체의 역할에 대한 예증

해설 반감기의 개념을 소개한 후, 특정한 동위원소로 내용을 구체화 하고 있다.

3.

해석 다음 주제 중 어느 것이 다음 단락에서 논의될 가능성이 가장 큰가?
(A) 고고학자들 직면한 문제들
(B) 방사능 물질과 관련된 위험
(C) 탄소 14 연대측정법의 특징
(D) 고고학에 있어서 화석 연대측정의 역할

해설 글의 첫 문장인 주제문(Topic Sentence)에서 3가지의 화석 연대 측정법을 소개하고, 글에서 두 가지만 설명했으므로, 마지막으로 남은 연대 측정법을 다음 단락에서 설명해 주어야 한다.

p.92

02 1.(C) 2.(C) 3.(B)

해석 도기류는 가장 오래되고 가장 널리 퍼진 장식 예술의 하나이다. 진흙으로 만들어지고 열로 굳어진 물건들은 주로 액체를 담기 위한 용기와 음식을 내기 위한 접시나 그릇으로 사용된다. 역사에 걸쳐, 여러 문화권들이 지역적인 재료와 전통적인 기술을 이용하여 도기 제품들을 만들었다. 서기 500년에서 1000년 사이에 사람들은 주전자로 이용하기 위해 조개 껍질을 버들가지 바구니에 붙였다. 한편, 미국 남서부 지역에서는 연분홍 진흙이 사용되어 도기류의 발달을 촉진시켰다.

초기 도기류는 제한된 색상과 단조로운 무늬로 평범했다. 도기류에 대한 기술이 급속히 발달하면서 사용되는 무늬가 더 복잡해지고 장식적으로 바뀌었다. 이에 따라, 용기 종류의 다양성이 높아졌고, 고품질의 제품과 더 단순한 그릇 사이에 명확한 구분이 생겼다. 고품질 용기의 한 가지 예는 물독이다. 그것은 지그재그 무늬가 있는 둥근 본체를 갖고 있다. 이 용기는 또한 다이아몬드 모양 내부에 있는 체크 디자인을 특징으로 한다. 디자인이 더 복잡해지면서, 도기류 도제제도에 대한 관심이 높아지기 시작했다.

1.

해석 이 글의 주제는 무엇인가?
(A) 도기류를 만드는 방법
(B) 도기류 디자인에 대한 남서부의 영향
(C) 도기류의 역사
(D) 도기류의 다양한 디자인들

해설 첫 번째 단락은 pottery에 대하여 역사적 관점에서 설명하고 있고, 두 번째 단락에서는 pottery의 디자인의 변화에 대해서 언급하고 있다. 따라서 이 글은 pottery의 역사에 대해서 설명하고 있는 것이다.
(A) 도기류를 만드는 방법은 이 글의 내용에서 벗어난다.

(B) 도기류 디자인에 대한 남서부의 영향은 첫 번째 단락의 일부 내용이므로 주제가 되기에 모자란다.
(D) 도기류의 디자인은 내용의 일부이므로 주제가 되기에 모자란다.

2.

해석 다음 중 어느 것이 두 번째 단락의 구성을 가장 잘 묘사하고 있는가?
(A) 고품질 용기의 원인과 결과에 대한 설명
(B) 초기 도자기에 사용된 재료의 비교
(C) 개선된 도기 디자인에 대한 묘사
(D) 다양한 도기 색깔에 대한 요약

해설 2번째 단락에서는 개선된 pottery의 디자인의 변화에 대해 설명했다. (A)와 (B)와 (D)는 글의 내용에서 벗어난다.

3.

해석 이 글의 다음 단락은 아마도 –에 관해 논할 것이다.
(A) 현대 도기 산업
(B) 도기 제작에 관한 교육
(C) 다른 국가들에서의 도기 제작
(D) 도기 제작 과정

해설 마지막 문장으로 푸는 following topic 문제이다. 마지막의 apprenticeship에서 단서를 얻을 수 있다.

2nd Week | 4th Day
Daily Check-up

p.96

01(B)–(A)–(C) 02(B)–(C)–(A)
03(A)–(C)–(B) 04(C)–(B)–(A)

01

해석 (A) 그 강의 담수가 입구에서 바다의 염수를 만날 때, 퇴적물이 바다로 흘러간다.
(B) 강은 그 원천에서 입구로 흘러가면서 많은 퇴적물을 운반한다.
(C) 그것은 그리고 나서 조류와 해류에 의해 바다로 멀리 씻겨 간다.

해설 (A), (B), (C)를 먼저 읽어보면 (A)에서 등장한 the river, the mouth, the sediment와 같은 정관사 the가 붙은 단어들이 앞에서 한번 나왔음을 시사한다. 이러한 해당 단어들은 (B)에서 나온 a river, a lot of sediment 등의 단어들을 받고 있으므로 [(B)→(A)]이 붙어야 함을 알 수 있다. 다시 (C)를 보면 then이라는 단어가 시간 순서상 어떠한 사건의 뒤에 나와야 한다. 따라서 (C)는 [(B)→(A)]의 사건 뒤에 나온다.

02

해석 (A) 게다가, 그는 바다 표범의 아래턱인 하악의 크기를 관찰함으로써 동물들의 나이를 추정했다.
(B) 이빨과 턱뼈를 검사함으로써 Etnier 교수는 그들의 번식 분포를 알아내는 것에 초점을 두어 바다표범들의 나이 구성을 측정할 수 있었다.
(C) 그는 그들의 이빨이 나이를 결정하는 데 사용될 수 있는 성장테를 갖고 있기 때문에 이빨을 관찰함으로써 성장률을 계산할 수 있었다.

해설 (B)의 Professor Etnier를 (A)와 (C)에서 대명사 he로 대체했으므로, (A)와 (C)는 (B)뒤에 와야 한다. 또한 In addition이라는 전치사구는 어떠한 행위가 부가됨을 알리는 것이므로, (A)는 (C)의 뒤에 와야 한다.

03

해석 (A) 미국 원주민들은 필그림 파더즈들에게 옥수수를 빵과 수프, 튀긴 옥수수 케익, 푸딩으로 만드는 방법을 포함한 옥수수 조리법을 가르쳐주었다.
(B) 물고기가 어린 옥수수 식물에 대한 비료 역할을 하였다.
(C) 그들은 필그림 파더즈들에게 땅에 구멍을 파고, 몇몇 옥수수 낟알과 작은 물고기를 떨어뜨리고 나서 그 구멍을 덮음으로써 옥수수를 키우는 방법을 가르쳐주었다.
해설 대명사 they는 The native Americans이다. 그러므로 (C)는 (A)의 뒤에 온다. 또한 also는 부가적인 의미를 가진 단어이다. 따라서 (C)와 (A)가 바로 붙어있다는 것을 알 수 있다. (B)의 fish는 (C)의 small fish를 가리키는 것이며, (B)의 문장은 그것의 용도를 설명하는 것이므로, (C)의 뒤에 (B)가 와야 한다.

04

해석 (A) 그녀는 침팬지가 다른 종류의 일들에 대해 다양한 도구를 사용할 뿐만 아니라 그 일에 가장 적합하도록 만들기 위해 물체를 도구로 변형시키기도 한다는 것을 알았다.
(B) 1960년대에, Jane Goodall 박사가 도구를 만들고 사용하는 침팬지에 대한 몇 가지 관찰을 보고하였을 때 이러한 구분은 깨졌다.
(C) 오랫동안, 인간은 도구를 만들고 사용하는 능력으로 나머지 동물 세계와 자신들을 구분했었다.

해설 (A)의 she는 (B)의 Dr. Jane Goodall이다. 따라서 (B)는 (A)의 뒤에 온다. 또한 (B)의 this distinction은 (C)의 had distinguished를 받는 표현이다.

p.98

05(C) 06(C) 07(A) 08(C)

05

해석 한편, 부유한 사람들은 본국에서의 세금 증가와 상속법에 있어서의 변화 때문에 Minnesota에 왔다.
(A) 스웨덴, 독일, 노르웨이의 이민자 집단들은 1880년대에 Minnesota에 도착하여 풍요로운 땅에 자작 농장을 만들었다. (B) 유럽에 인구가 증가함에 따라 일자리와 더 나은 기회를 찾기 위해 가난한 사람들은 유럽을 떠났다. (C) 다른 사람들은 불안정한 정치적 상황 때문에 이주했다.

해설 위 글은 이민을 온 이유에 대해서 설명하고 있다. 지문에 들어가야 할 문장의 on the other hand는 '다른 한편' 이라는 의미를 가진 연결어 이고, the rich와 (C)의 The poor가 내용상 대치되므로 (C)의 위치에 들어가게 된다. 따라서 논리적인 구조에 맞게, (A)를 주제문(Topic Sentence)으로 뒤에 가난한 사람이 온 이유, 부자인 사람이 온 이유, 불안정한 정치적 상황 때문에 온 사람들에 관한 이야기 순서로 배열된다.

06

해석 그러나, 환경에서 나타나는 산성화의 원인이 단지 대기 오염만은 아니다.
산성비는 산화질소, 산화황과 같은 연기와 가스에 의해 유발된다. (A) 이러한 가스는 화석 연료로 가동되는 공장과 자동차에 의해 방출된다. (B) 그리고 그것들은 대기중으로 흘러가고 산성비를 유발한다. (C) 예를 들어, 식물이 성장할 때, 그것은 땅에 있는 영양물을 흡수해서 사용한다. 이것은 토양의 산성도를 높인다.

해설 위의 단락은 산성비가 공장이나 차에서 배출하는 물질들로 야기된다는 내용이 나오고, 뒤에 식물이 땅의 영양분을 이용하면서 산성화가 유발된다는 예를 제시한다. 산성화의 요인이 대기오염 때문만은 아니라는 내용의 문장을 삽입해야 하므로, 이 문장의 앞 부분에는 역접 관계 (however로 확인)를 이룰 수 있는 내용인 산성화는 대기오염 때문이라는 내용이 나와야 한다.

07

해석 두 종류의 자연 과학자들이 있다.
(A) 한 유형은 배우는 데 더 관심이 있는 과학자들이다. 그들은 지식을 얻기 위해 연구한다. 이 과학자들은 기초 과학, 또는 순수 과학에 종사하고 있다. 그들의 프로젝트는 일상 생활에 영향력을 갖고 있을 수도 있고 갖고 있지 않을 수도 있다. (B) 또 다른 유형은 응용 과학 분야에서 일하는 과학자들이다. 그들은 대개 특정한 목표를 품고 있다. 이 목표는 상품, 공정, 상업 또는 다른 인간의 필요를 포함할 지도 모른다. (C) 응용 과학자는 종종 최근 다른 과학자들에 의해 수집된 정보를 사용한다.

해설 본문의 내용은 두 가지 종류의 과학자들의 소개이다. 삽입할 문장은 두 가지 종류의 과학자들에 대한 소개이다. 단락의 첫 문장이 첫 번째 종류의 과학자를 바로 소개하고 있으므로, 지문에 들어가야 할 문장은 글의 주제문으로서 글의 가장 앞인 (A)에 삽입되어야 한다. (*두괄식 구조의 주제문 찾기 유형으로 토플에서 자주 출제된다.)

08

해석 신체 언어의 한가지 고전적인 예는 엘리베이터에서 발견될 수 있다.
(A) 다른 사람들의 행동에 대한 정보는 종종 눈빛 교환과 같은 얼굴 표정과 자세와 관련된 비언어적 암시에 의해 제공된다. (B) 그러한 비언어적인 암시를 대개 신체 언어라고 부른다. (C) 내부에 사람이 별로 없을 때, 그들은 엘리베이터의 벽 쪽으로 기댄다. 그

러나 더 많은 사람이 들어오면 그들은 구석자리를 차지한다.

해설 삽입할 문장은 엘리베이터라는 예를 도입하는 부분의 첫 문장이다. 따라서, 뒤에서는 엘리베이터라는 예가 보여질 것이다. 지문의 (C)뒤에 엘리베이터의 예가 나오면서 정관사 the가 elevator앞에 사용되었으므로 주어진 문장은 (C)에 삽입되어야 한다.

Daily Test

p.100

01 1.(D) 2.(B) 3.(B)

해석 19세기와 20세기 초에, 몇몇 지질학자들은 대륙이 지구의 표면을 가로질러 이동했을 것이라는 개념을 탐구했다. 그들은 모두 아프리카와 남아메리카의 대서양 해안선에 나타나는 놀라운 일치에 고무되었다. 대륙의 이동에 관한 가설은 주로 Alfred L. Wegener에 의해 발전되었고, 그는 지구상의 대륙이 한 때는 두 개의 초대륙 이었다고 제시했다. **1912년에 그는 모든 대륙이 이전에 하나의 큰 대륙이었지만 이후 분리되어 해저를 통해 이동했다고 제시했다.**

그러나 과학계에서 이미 인정되고 확립된 학설이나 관점을 바꾼다는 것은 어렵기 때문에, 그 '이동'설이 즉시 Wegener의 동료들에 의해 받아들여지지는 않았다. **두 가지 다른 관점이 이 시기에 우세했다.** 대륙이 기본적으로 그것들의 위치에서 변하지 않았다고 믿었던 사람들은 'permanentist' 라고 불렸다. 다른 사람들은 고체 형태의 지구가 점차 축소하면서 해저가 육지가 되었고 번갈아 육지가 해저가 되었다고 믿었다. 이러한 과학자들은 'contractionist'라고 불렸다.

1.

해석 다음 문장은 첫 번째 단락에 첨가될 수 있다.
1912년에 그는 모든 대륙이 이전에 하나의 큰 대륙이었지만 이후 분리되어 해저를 통해 이동했다고 제시했다.
▶ 글의 어디에 오면 가장 적당한가?
삽입하려고 하는 곳에 있는 네모박스(■)를 클릭해라.

해설 이 문제는 대명사 단서를 이용해 푸는 문제이다. 삽입할 문장에는 대명사 he가 있다. 대명사 he의 대상이 될 수 있는 것은 첫째 단락에는 Alfred L. Wegener뿐이다. 따라서 Alfred L. Wegener가 나온 문장의 뒷부분인 (D)에 와야 한다.

2.

해석 다음 문장은 두 번째 단락에 첨가될 수 있다.
두 가지 다른 관점이 이 시기에 우세했다.
▶ 글의 어디에 오면 가장 적당한가?
삽입하려고 하는 곳에 있는 네모박스(■)를 클릭해라.

해설 삽입할 문장은 두 가지의 관점을 소개하는 것이다. 이러한 문제는 구조에서 집합이 먼저 언급되고, 그것의 부분이 나중에 언급되는 경우에 속한다. 따라서 위의 문장은 집합이 먼저 언급되어야 할 부분에 삽입되어야 한다. (B)이후에 집합의 일부분인 첫 번째 관점이 언급되었으므로, (B)에 와야 한다.

3.

해석 이 글의 주제는 무엇인가?
(A) 해저와 지구판
(B) 대륙 이동설의 역사
(C) Permanentist와 Contractionist
(D) 지구 대륙의 역사

해설 이 글은 대륙 이동설이 탄생한 배경(첫째 단락)과 그것에 반대했던 당시의 이론들(둘째 단락)에 관해 다루고 있다. 중심 내용은 대륙이동설의 역사에 관한 것이므로 답은 (B)이다.
(A)의 내용은 첫째 단락의 일부이므로 주제를 담기엔 모자란다.
(C)는 대륙 이동설과 대치하는 두 가지 이론으로 둘째 단락의 내용이므로 주제를 담기에 모자란다.
(D)의 지구 대륙의 역사는 주제를 담기에 넘친다.

p.102

02 1.(C) 2.(C) 3.(C)

해석 1920년대 초, George Merrick이라는 이름의 남자는 Florida주의 Miami에서 부자가 되기로 마음먹었다. 그는 값싼 땅을 사서 그것을 다른 주에서 온 사람들에게 훨씬 더 높은 값에 되팔아 많은 돈을 벌 수 있다는 것을 깨달았다. **그러나 어떻게 그는 그의 땅을 구입하는 데 관심을 가진 사람들을 미국 전역으로부터 끌어올 수 있었는가?** 그와 소수의 다른 부동산 개발업자들은 전국적인 마케팅 캠페인을 벌이기 시작했고, Miami에서의 아름답고 행복한 삶을 약속하는 광고를 미국 전역에 냈다. 사람들은 흥분에 가득 차서 오렌지 나무와 모래 사장으로 가득찬 열대 낙원에 대한 이러한 묘사들을 읽었다.

플로리다의 따뜻한 기후, 느긋한 삶의 방법, 그리고 많은 길로의 접근 용이성은 새로운 수천명의 거주자들로 하여금 남쪽으로 이동하게 했다. Miami시의 인구는 두 배로 증가했다. 건물과 휴양지들이 엄청난 속도로 건설됨에 따라, 부동산 중개인들이 주 전역에서 등장하였다. **더 이상의 호화 휴양지와 레저 시설이 건설될 수 없을 것 같던 무렵, 재난이 닥쳤다.** 1926년에 허리케인이 Miami 중부를 강타하였다. 그 폭풍으로 약 400명이 사망하고 3600명이 부상을 입었으며, 50000여명이 집을 잃게 되었다. 땅을 샀던 대부분의 사람들이 엄청난 손실을 입었고 투기 거품은 사라졌다.

1.

해석 다음 문장은 이 글에 첨가될 수 있다.
그러나 어떻게 그는 그의 땅을 구입하는 데 관심을 가진 사람들을 미국 전역으로부터 끌어올 수 있었는가?
▶ 글의 어디에 오면 가장 적당한가?
삽입하려고 하는 곳에 있는 네모박스(■)를 클릭해라.

해설 유의어 반복단서를 이용하여 삽입 할 문장에 나온 땅을 사게 하는데 관심을 갖게 했냐는 내용이 나온 부분의 뒤에 삽입시킨다.

2.

해석 다음 문장은 이 글에 첨가될 수 있다.
더 이상의 호화 휴양지와 레저 시설이 건설될 수 없을 것 같던 무렵, 재난이 닥쳤다.
▶ 글의 어디에 오면 가장 적당한가?
삽입하려고 하는 곳에 있는 네모박스(■)를 클릭해라.

해설 유의어 반복 단서에 의하여 재난에 대해 나온 부분을 찾는다. 즉 삽입할 문장의 disaster인 hurricane이 (C)에 나왔으므로 (C)의 네모박스가 답이다.

3.

해석 이 글은 주로 무엇에 관해 논하고 있는가?
(A) 플로리다주에서 나타난 주택 개발의 유형들
(B) 1920년대 Miami의 파괴적인 폭풍
(C) 플로리다주 부동산 시장의 성장과 몰락
(D) 1920년대 남부로의 이주

해설 첫 번째 단락에서는 플로리다의 부동산 투자붐의 배경에 대해 말하고 있고, 두 번째 단락에서는 그러한 부동산 붐이 재난으로 인해 멈추었다는 내용을 다루고 있다.
(A) 주택 개발의 유형들은 본문에서 언급되지 않았으므로 주제에서 벗어난다.
(B) 파괴적인 폭풍은 내용의 극히 일부이므로 주제가 되기에 모자란다.
(D) 1920년대 남부로의 이주는 내용의 일부이므로 주제가 되기에 모자란다.

2nd Week | 5th Day
Daily Check-up

p.106

01 (A)F (B)T (C)F **02** (A)F (B)F (C)T **03** (A)F (B)F (C)T

01

해석 중국, 한국, 동부 시베리아, 일본 등지가 원산지인 카멜레온 망둥이는 1950년 대에 San Francisco만에 들어왔다. 그것은 보금자리 터로 오래된 굴이나 대합조개 껍질을 이용했고, 껍질 내부 표면에 한 층으로 알을 낳았다. 그러나 San Francisco만에는 굴이 없기 때문에, 카멜레온 망둥이는 대개 산란 장소로 캔과 병을 이용한다.
(A) San Francisco만에는 굴 양식장이 없기 때문에 카멜레온 망둥이가 알을 낳기 어렵다.
(B) 캔과 병은 카멜레온 망둥이가 San Francisco만에 알을 낳는데 이례적으로 이용된다.
(C) San Francisco만에서 카멜레온 망둥이는 알을 낳는데 굴보다 캔이나 병을 더 선호한다.

해설 지문의 마지막 문장인 이례적으로 샌프란시스코 만에서는 카멜레온 고비가 알 낳는데 깡통이나 병을 사용한다고 한 내용을 가장 정확히 재진술 한 것은 (B)이다. (use → utilize).
(A) 에서 굴 껍질이 없어서 알을 낳기가 어렵다 하는 것은 잘못된 인과관계이다.
(C) 에서 고비가 깡통을 사용하는 이유는 굴 껍질이 없기 때문이지, 그것을 더 선호하기 때문은 아니므로 틀린 문장이다.

02

해석 Louis-Jacques-Mande Daguerre는 1839년 프랑스에서 최초의 사진술의 발견으로 명성을 얻었다. Daguerre는 그의 발견에 있어 Joseph-Nicephore Niepce이라는 이름의 또 다른 프랑스인의 도움을 받았다. 1827년에 Niepce와 Daguerre는 제휴를 형성했고 세계 최초의 실용적 사진술을 완성하는 데 함께 작업했다. 1833년 Niepce의 갑작스런 죽음 뒤 몇 년 후 Daguerre는 다게레오 타입 기법을 만들었다. 이 다게레오 타입은 1839년에서 1860년 사이에 인기를 끌었다.
(A) Daguerre는 1833년에 혼자서 다게레오 타입 기법을 발표하기 위해 Niepce이 죽을 때 까지 기다렸다.
(B) Niepce와 Daguerre가 다게레오 타입 기법을 발표한 후, Niepce는 1833년에 죽었다.
(C) Niepce는 불행하게도 다게레오 타입의 발표를 보기 전인 1833년에 죽었다.

해설 지문의 마지막 문장인 1833년 Niepce가 때이른 죽음을 맞은 지 몇 년 후, Daguerre가 daguerreotype을 선보였다는 내용을 가장 정확히 재진술 한 문장은 (C)이다. (untimely → unfortunately)
(A) Daguerre가 Niepce의 죽음을 기다렸다는 것은 언급되지 않았다.
(B) Niepce는 daguerreotype 발표 이전에 사망하였다는 것은 지문에서 언급한 사실과 다르다.

03

해석 서기 400년 이후에 이집트 언어는 그리스 알파벳으로 쓰였다. 그것은 그리스어에는 존재하지 않는 이집트어의 소리를 나타내기 위해 몇 개의 글자를 더 갖고 있었다. 이러한 형태의 이집트어는 콥트어라고 불렸고, 마침내 오늘날 이집트에서 사용되는 언어인 아랍어로 대체되었다. 결국 고대 이집트의 문자 언어인 콥트어는 소멸되고 단지 그림 상징을 사용한 글자인 상형문자만 남았다.
(A) 고대 문자 언어인 콥트어는 상형문자에 의해 대체되고 있다.
(B) 결과적으로 이집트어는 상형문자의 형태로 살아 남았다.
(C) 콥트어가 사라진 반면에 결국 상형문자는 지속되었다.

해설 지문의 마지막 문장인 Coptic(콥트어)이 사라지고, hieroglyphics만 남았다는 내용을 가장 정확히 재진술한 문장은 (C)이다. (In the end → Eventually / died out → disappeared / remained → lasted)
(A) Coptic은 아랍어에 의해서 대체되었으므로 사실과 다르다.
(B) 상형문자는 남아있으나 사용되고 있지는 않으므로 살아남았다고 할 수는 없다.

p.107

04(B) **05**(B) **06**(C)

04

해석 사나운 회색 곰은 서부 미국의 산맥에 살던 초기 정착민들의 삶에 위험한 존재였다. 이 거대한 동물은 음식을 훔쳤다. 그것은 또한 많은 사람들, 소, 말의 생명을 앗아갔다. 이러한 이유로, 정착민들은 회색 곰에 대항해 전쟁에 나섰다. 1931년까지 회색 곰은 5개의 서부 주에서 죽임을 당했다. 오늘날 사람들은 회색 곰이 멸종할지 모른다고 걱정하고 있다.
▶ 다음 중 이 글을 가장 잘 뒷받침하는 문장은 어느 것인가?
(A) 초기 정착민들은 식량을 얻기 위해 회색 곰을 죽였다.
(B) 회색 곰의 수는 20세기에 급격히 줄었다.
(C) 회색 곰은 삼림에 위협이 되었다.

해설 마지막 두 문장에서 회색곰의 수가 급격히 줄었음이 드러난다. 따라서 이 내용을 가장 정확하게 재진술한 문장은 (B)이다. (killed off → killed nearly all)
(A) 초기 정착민들이 음식이 필요해 (즉, 먹으려고) 회색 곰을 죽였다는 것은 사실이 아니다. 그들은 회색 곰이 음식을 훔쳐가고, 사람을 다치게 해서 죽였다.
(C) 회색 곰이 삼림에 위협이 되었다는 것은 언급된 바가 없다.

05

해석 전세계적으로 일상적인 일에서 사용되고 있는 로봇이 이미 5000개를 넘었다. 자동차 제조업은 이러한 기계로 만들어진 조수가 유용함을 인식하고 있는 한 업계이다. 방사능 물질을 처리하는 공장들 또한 작업이 인간의 안전에 위협이 되기 때문에 로봇을 이용한다. 일부 과학자들은 로봇을 위한 인공 지능 즉 AI에 대한 연구를 하고 있다. 그것의 이용으로 몇몇 로봇들은 의사 결정 능력을 갖게 되는 수준에 이르게 될 수 있다. 그러나 미래에 로봇이 인간의 작업을 완전히 넘겨받지는 못할 것이다. 결국 로봇들은 단지 기계에 불과하다.
▶ 이 글에 따르면 미래의 로봇은
(A) 인간의 안전을 위협하지는 않을 것이다.
(B) 인간을 완전히 대체하지는 않을 것이다.
(C) 방사능 물질을 실험하지 못할 것이다.

해설 마지막 두 문장에서 미래의 로봇이라도 인간을 완벽히 대체할 수 없다는 내용을 확인할 수 있다. (completely → entirely / take over → replace)
(A) 인간의 안전을 위협한다는 내용은 지문에 전혀 언급되어 있지 않다.
(C) 세 번째 문장에서 방사능 물질을 다룰 수 있다고 나와있으므로, 답이 될 수 없다.

06

해석 사람들이 기차로 하루에 수백 마일을 여행하기 시작하자 시간을 계산하는 것이 문제가 되었다. 또한 철도는 출발과 도착에 대한 시간표를 만들 필요가 있었지만 모든 도시는 다른 시간을 갖고 있었다. 철도 관리자들은 100개의 다른 철도 시간대를 만듦으로써 그 문제를 처리하고자 노력하였다. 그러나 지나치게 많은 철도 시간대로 인해 다른 철도 노선은 때때로 다른 시간 체계에 놓여 있었고, 시간표를 짜는 것이 여전히 혼란스럽고 확실하지 않았다. 마침내 철도 회사들의 요구에 따라 1883년 11월 18일에 미대륙에 대한 4가지의 표준 시간대가 도입되었다.
▶ 이 글에 따르면 '4 standard time zones' 에 관해 맞는 내용은 다음 중 어느 것인가?
(A) 그것은 철도 스케줄링을 어렵고 혼란스럽게 만들었다.
(B) 그것은 짧은 시간만 지속되었다.
(C) 그것은 철도회사들의 요구에 의해서 만들어졌다.

해설 문제에 나온 4 standard time zones가 지문의 어떤 부분에서 언급되었는지 확인하면, 그 해당 문장의 at the urging of the rail road가 (C)의 to demands from railroad로 재진술(Restate)되었다는 것을 알 수 있다.
(A) 철도 스케쥴링을 어렵게 만든 것은 100 different railroad time zones이다.
(B) 지속에 대한 내용은 언급되지 않았다.

p.109

07(C) **08**(B)

07

해석 Florence 성당의 Brunelleschi 작품이 그를 유명하게 만들었다. 그 성당은 직경 130 feet(40미터)에 이르는 둥근 지붕을 특징으로 한다. 이 둥근 지붕은 대개 외부에 8개의 지지대를 갖고 있는 큰 반구 모양이다. 그 성당의 장식 요소는 원형 창문과 아름답게 균형 잡힌 탑을 포함하고 있다.

해설 지붕이 이 글에 나온 dome형으로 되어있는 것은 (C)뿐이다.

08

해석 태평양의 Galapagos 군도에서 Darwin은 한 가지 종에서 거슬러 내려왔지만 다른 모양의 부리를 가진 되새류를 발견했다. 진화는 각 새의 부리가 다른 종류의 음식을 먹도록 적응시켰다. 특히 솔잣새는 이상한 모양의 부리로 유명하다. 그들 부리의 위 쪽과 아래 쪽은 다른 되새류와 다르게 교차한다. 이처럼 독특하고 아주 분화된 적응은 솔잣새가 씨를 빼내기 위해 상록수의 솔방울을 여는 것을 가능하게 해준다.

해설 위의 부리와 아래 부리가 교차하는 그림은 (B)이다.

Daily Test

p.110

01 1.(D) 2.(D) 3.(A) 4.(D)

해석 'LASER' 이라는 말은 '복사의 유도 방출에 의한 광증폭' 을 의미한다. 기본적으로 레이저는 램프 전구에서 빛나는 빛의 종류와 같지만, 차이점이 있다. 전구에서 나오는 빛은 방 전체에 확산되거나 퍼진다. 레이저에서 나오는 빛은 아주 좁은 광선으로 이동한다. 처음에 과학자들은 어떤 수정이나 가스를 통해 빛을 비춤으로써 그것들이 빛이 퍼지는 것을 막을 수 있다는 점을 발견했다. 동시에, 수정이나 가스를 통해서 거울이 빛을 앞뒤로 비칠 때 빛이 증폭된다. 이런 식으로 빛은 하나의 직선 형태의 초광선이나 레이저로 이동하게 된다.

다양한 레이저는 여러 가지 일을 하는 데 이용 가능하다. 제조업에서, 레이저의 빛 에너지는 금속 물질을 용접하거나 수리하고, 먼지를 석조 건물에서 태워 없애기 위한 열이 될 수 있다. 레이저들은 또한 병원에서도 이용된다. 레이저 빛 광선의 열 작용은 정교한 수술 중에 도구를 살균하거나 작은 혈관을 접합할 수 있다. 통신에서, 레이저 광선은 동시에 많은 음성 메시지와 TV 신호를 전송할 수 있다.

1.

해석 이 글을 주로 무엇에 대해 이야기하고 있는가?
(A) 레이저와 전구의 비교
(B) 철강 업계에서 사용되는 레이저
(C) 빛에 대한 과학적 연구
(D) 레이저와 그것의 용도

해설 첫 단락은 레이저의 어원과 정의, 생성된 배경에 대해서 언급하고 있다. 둘째 단락은 레이저의 사용에 대해 언급하고 있다. 따라서 이 지문의 주제는 '레이저와 그것의 용도' 가 가장 적절할 것이다.
(A) 첫째 단락에 잠깐 언급되었으므로 주제가 되기에 모자란다.
(B) 둘째 단락에 레이저 사용만 잠깐 언급되고 철강 산업에 대한 직접적인 언급이 없으므로 주제를 담기에 벗어난다.
(C) 과학자들의 빛에 대한 연구는 첫 단락에 언급이 되었으나 내용의 일부이므로 주제가 되기에 모자란다.

2.

해석 이 글에 따르면, 레이저에서 나오는 빛과 전구에서 나오는 빛의 차이는 무엇인가?
(A) 전구에서 나오는 빛은 더 밝다.
(B) 레이저에서 나오는 빛은 더 분산된다.
(C) 전구에서 나오는 빛은 더 강하다.
(D) 레이저에서 나오는 빛은 더 가늘다.

해설 문제의 difference가 지문에 언급된 부분을 찾아 해당 부분을 읽어본다. Differences가 나온 뒤의 문장에서 전구의 광선이 퍼지는 대신에 레이저 광선이 narrow고 하였는데, 이를 fine으로 재진술(Restate)한 (D)가 답이다.
(A)전구에서 나오는 빛이 더 밝다는 것은 언급되어 있지 않다.
(B)레이저의 빛이 보다 분산되어 있다는 것은 사실과 다르다.
(C)레이저의 빛이 증폭되어 강렬하다는 것은 본문에 나와있으므로 전구의 빛이 더 강렬하다는 것은 사실이 아니다.

3.

해석 이 글에 따르면 과학자들은 빛을 증폭시키기 위하여 무엇을 사용했는가?
(A) 거울
(B) 가스
(C) 금속
(D) 가는 광선

해설 문제에 언급된 내용이 첫 번째 단락의 마지막에서 두 번째 문장에 나와 있다.

4.

해석 이 글에 따르면 레이저는 병원에서 어떻게 이용되는가?
(A) 메시지 신호를 보내는 데
(B) 도구를 용접하는 데
(C) 먼지를 없애는 데
(D) 혈관을 접합하는 데

해설 문제에 언급된 hospital이 지문에 나온 부분을 찾아가면 두 번째 단락의 3~4째 줄에 나와있다.

p.112

02 1.(B) 2.(D) 3.(D) 4.(B)

해석 혜성은 그것들의 물질 반 이상이 먼지와 얼음이기 때문에 때때로 더러운 눈덩이라고 불린다. 엄청난 수의 그것들이 태양계의 맨 가장 자리에 산다. 그것이 태양에 가까이 접근할 때, 그것은 하나의 거대한 머리와 두 개의 꼬리를 만들어낸다. 혜성의 머리는 코마와 핵으로 구성된다. 작고 밝은 핵(직경이 10km이하인)은 코마의 가운데에서 보인다. 혜성이 태양에 접근함에 따라 그것들은 거대한 꼬리를 발달시킨다. 모든 혜성은 두 개의 꼬리인 이온 꼬리와 먼지 꼬리를 갖고 있는데 그것은 머리로부터 수백만 킬로미터만큼 뻗어있다.

영국 천문학자인 Edmond Halley는 1531년, 1607년, 1682년의 밝은 혜성들에 대한 기록이 모든 3개의 혜성은 아주 유사한 궤도를 갖고 있음을 보여준다는 사실에 주목했다. 그는 모든 3개의 혜성이 사실상 외부 행성이 갖고 있는 중력의 힘으로 사출된 동일한 혜성이었다고 결론지었다. 그는 나아가 혜성이 1758년과 59년 사이에 돌아올 것이라고 예측했다. 혜성은 1758년 크리스마스 밤에 다시 나타났고, 이후 고 천문학자의 명예를 기리면서 이름 붙여졌다.

1.

해석 다음 중 이 글의 주제는 어느 것인가?
(A) 천문학자 헬리의 정확한 예측
(B) 혜성에 대한 설명과 발견
(C) 주목할만한 과학적 발견들
(D) 멀리서 온 혜성에 있는 얼음의 기원

해설 첫 단락은 혜성의 전반적인 특성을, 두번째 단락은 혜성 중 헬리 혜성의 발견에 관한 내용을 전개시키고 있다. 따라서 글의 주제는 혜성의 설명과 발견이라고 할 수 있다.

2.

해석 이 글에 따르면, 꼬리는 언제 만들어지나?
(A) 혜성이 태양계의 맨 가장자리에 도달할 때
(B) 혜성이 유사한 물체 주위를 돌 때
(C) 혜성이 밝은 핵을 형성할 때
(D) 혜성이 태양에 가까이 갈 때

해설 문제의 tails이 언급된 부분인 첫 단락의 세 번째 줄인 When one travels close to the Sun, it grows a giant head and two tails에서 해당 내용을 확인 할 수 있다.

3.

해석 이 글에 따르면 coma는 어디에 있는가?

해설 문제에서 언급된 coma가 지문에 나온 부분을 찾아가면 coma가 핵을 둘러싸고 있음을 알 수 있다.
(A)는 nucleus, (B)와 (C)는 두 개의 꼬리인 ion tail 과 dust tail이다.

4.

해석 이 글에 따르면, 왜 헬리 혜성은 그 이름을 얻게 되었는가?
(A) 1758년 크리스마스 밤을 기념하기 위해
(B) Edmond Halley의 예측을 인정하기 위해
(C) 혜성의 크기에 대한 Edmond Halley의 이론을 기억하기 위해
(D) 심화된 천문학 연구의 필요성을 인식하기 위해

해설 문제에서 언급된 name이 지문에 나온 부분을 찾아가면 글의 마지막 문장인데, 이를 통해 헬리 혜성이 Edmond Halley의 예측대로 나타났음을 보여주며, 해당 부분에서 죽은 천문학자(Edmond Hally)를 기리기 위해서 라고 했다.

3rd Week | 1st Day
Daily Check-up

p.118

01(C) 02(B) 03(A) 04(A)
05(B) 06(A) 07(C) 08(C)

01

해석 사슴은 주로 숲에 살지만 사막과, 동토대, 늪 그리고 고산지대와 같은 다양한 서식지에서 발견된다. 그들은 또한 도회지나 공원 같은 도시지역에서도 거처를 정한다. 사슴들은 그들의 변화하는 환경에 적응하는 능력 덕택으로 다양한 지역에 살고 번성할 수 있다.
▶ 다음 중 사슴이 사는 곳으로 언급되지 않은 곳은?
(A) 도시지역 (B) 사막 (C) 정글

해설 문제에 언급된 deer inhabit이 지문의 어디에서 재진술(Restate)되었는지 확인하면 live, be found, have been sited를 찾을 수 있다. 따라서 해당부분과 선택지를 따져나가면 (C)의 정글(jungles)이 나와있지 않음을 알 수 있다.

02

해석 프레스코 벽화의 기원과 발달이 명확하지는 않지만, 그 증거는 기원전 2000년 Crete의 미노아 문명으로 거슬러 올라간다. 예술가들은 그리스, 로마, 비잔틴 제국에 걸쳐 프레스코 벽화를 계속해서 그렸다. 그리스의 프레스코 벽화 중 남아있는 것이 거의 없지만, 로마 프레스코의 많은 예들이 Herculaneum와 Pompeii에서 발견된다. 서기 약 250년에서 400년까지 초기 기독교인들은 로마 지하묘지를 간단한 프레스코 벽화로 장식하기까지 했다. 지하묘지는 로마에서 주로 발견된 무덤이었다.
▶ 이 글에 따르면, 프레스코는 –을 제외하고 다음 모두에서 그려졌다.
(A) 로마 제국 (B) 이슬람 제국 (C) 비잔틴 제국

해설 문제에 언급된 were drawn이 지문의 어디에서 재진술(Restate)되었는지 확인하면 paint를 찾을 수 있다. 따라서 해당부분과 선택지를 따져나가면 (B)의 이슬람 제국(Islamic Empire)이 나와있지 않음을 알 수 있다.

03

해석 모든 눈송이가 모든 면에서 똑 같은 것은 아니다. 균일하지 않은 온도, 먼지의 존재, 그리고 다른 여러 요소들로 인해 눈송이는 불균형적인 모양이 될 수 있다. 그러나 많은 눈송이들이 대칭적인 것은 사실이다. 이것은 눈송이의 모양이 물 분자 내부의 배열을 반영하기 때문이다. 얼음이나 눈과 같은 고체 상태에서 물 분자는 서로 약한 결합을 형성한다. 이처럼 정렬된 배열로 인해 대칭적인 6각형 모양의 눈송이가 만들어진다.
▶ 이 글에 따르면, –을 제외하고 다음의 모든 것이 균형이 맞지 않는 눈송이를 만들어낸다.
(A) 약한 결합 (B) 불규칙한 온도 (C) 먼지

해설 문제에 언급된 to be unbalanced가 지문의 어디에서 재진술(Restate)되었는지 확인하면 to be lopsided를 찾을 수 있다. 따라서 해당부분과 선택지를 따져나가면 (A)의 약한 결합(weak bonds)이 나와있지 않음을 알 수 있다. weak bonds는 문제와 상관없는 부분에서 언급되고 있으므로 조심해야 한다.

04

해석 지각 아래의 암석 층을 맨틀이라고 부른다. 이것은 두께가 약 2,900km이고 지구 부피의 대부분을 포함한다. 맨틀의 상부는 딱딱하지만 더 깊은 지점에서는 열로 인해 암석이 유동체처럼 움직이게 된다. 그러나 고압은 암석이 녹지 못하도록 막는다. 그것은 1000도를 초과하는 온도에서 '플라스틱'이 되고 흐를 수 있다. 그 플라스틱들은 주로 철(Fe), 마그네슘(Mg), 알루미늄(Al), 규소(Si), 산소(O) 화합물로 구성된다.
▶ 이 글에 따르면, 맨틀의 플라스틱은 –로 구성되지 않는다.
(A) 탄소 (B) 마그네슘 (C) 산소

해설 문제에 언급된 made up of가 지문의 어디에서 재진술(Restate)되었는지 확인하면 are mainly composed를 찾을 수 있다. 따라서 해당부분과 선택지를 따져나가면 (A)의 탄소(Carbon)가 나와있지 않음을 알 수 있다.

05

해석 1789년에서 1850년 사이에 미국은 세계에서 두드러진 민주주의 국가 중 하나로 확립되었다. 인구는 400만 명 이하에서 2300만 명 이상으로 증가했다. 동시에 영토를 세 배 이상 증가시

켜 거의 300만 평방 마일 이상의 영토를 포함하게 되었다. 그 국가의 성장세는 18개의 주를 추가함으로써 나타났다.

▶ 이 글에 따르면 다음 중 1789년에서 1850년 사이에 미국에서 일어나지 않은 것은 무엇인가?

(A) 인구가 증가했다.

(B) 영토가 3 부분으로 나누어졌다.

(C) 미국의 세력이 성장했다.

해설 지문의 전반과 선택지를 하나하나 따져나가면 (A)와 (C)의 내용을 확인할 수 있으나, (B)의 내용은 사실이 아님을 확인할 수 있다. 오히려 'more than tripled its area'에서 영토가 3배 이상 되었다는 것을 알 수 있다.

06

해석 두 사람이 대화에 참여할 때, 그들은 서로 특정한 거리를 유지하는 경향이 있다. 이러한 개인적인 거리는 몸 냄새나 경멸 때문이 아니라 보이지 않는 경계의 제약 때문이다. 모든 사람은 다른 개인과의 관계를 결정하는 친밀도를 표현하기 위해 이러한 경계를 만든다. 흥미롭게도, 개인 사이의 일반적인 거리는 문화마다 다르다. 북미 사람들은 다른 문화권의 사람들 보다 개인 사이에 더 큰 공간을 요구한다.

▶ 다음 중 개인 사이의 거리에 대해 사실이 아닌 것은 어느 것인가?

(A) 그것은 다른 개인에 대한 존경심의 부족에서 연유한다.

(B) 그것은 문화마다 다르다.

(C) 그것은 대개 다른 지역보다 북미 지역에서 더 넓다.

해설 지문의 전반과 선택지를 하나하나 따져나가면 글의 뒤 두 문장인 the average personal distance varies from culture to culture와 North Americans tend to require more personal space than people in other cultures에서 (B)와 (C)의 내용을 확인 할 수 있다. 그러나 (A)의 내용은 사실이 아니며, 오히려 그 반대로 존경심이 없기 때문에 일어나는 것은 아니라고 언급하고 있다.

07

해석 William Wordsworth는 자연에 대한 시인으로 가장 잘 알려져 있다. 그는 1770년 4월 7일에 영국 Cockermouth에서 태어났다. Wordsworth의 삶은 평화로웠고 단조로웠다. 그러나 그가 프랑스에 두 번째로 방문한 동안 프랑스 혁명에 흥미를 느꼈고, 자유를 위한 투쟁자들의 대열에 합류하기로 결심했다. 그러나 그의 가족은 찬성하지 않았고, 그에게 더 이상 돈을 보내주지 않았다. 자금의 부족으로 그는 1792년 말에 영국으로 돌아갔고, 이후 그는 자신의 삶을 시에 바치기로 결심했다.

▶ 이 글에 따르면 –을 제외하고 다음의 모든 것이 사실이다.

(A) 그는 프랑스 혁명에 관심을 갖게 되었다.

(B) 그는 결국 그의 삶을 시에 바치기로 결심했다.

(C) 그는 프랑스에서 태어났다.

해설 지문의 전반과 선택지를 하나하나 따져나가면 4번째 문장의 he became interested in the French Revolution와 마지막 문장의 he decided to devote his life to poetry에서 (A)와 (B)의 내용을 확인 할 수 있다. (C)는 두 번째 문장에서 Wordsworth는 영국에서 태어났다고 말하고 있으므로 지문에서 언급된 사실과 다름을 확인할 수 있다.

08

해석 항생제가 특정한 미생물의 성장을 억제하거나 파괴하는 반면에, 그것들은 또한 유독한 역효과를 일으킨다. 페니실린과 같은 일부 항생제는 아주 심하게 알레르기를 일으키고, 피부 발진과 쇼크를 일으킬 수 있다. 테트라시클린과 같은 다른 항생제들은 장에 기생하는 박테리아 수에 큰 변화를 일으키고 진균류와 다른 미생물에 의한 중복 감염을 야기시킬 수 있다. 현재는 사용이 제한되고 있는 클로람페니콜은 심각한 혈액 질환을 일으키고 스트렙토마이신의 사용은 귀와 신장 손상을 일으킬 수 있다.

▶ 이 글에 따르면 –을 제외하고 다음의 모든 것은 항생제의 역효과이다.

(A) 신장 손상 (B) 피부 발진 (C) 두통

해설 지문의 전반과 선택지를 하나하나 따져나가면 2번째 문장의 can cause skin rashes와 마지막 문장의 can result in ear and kidney damage에서 (A)와 (B)를 확인 할 수 있다. (C)의 두통(headaches)은 어디에도 언급되어 있지 않다.

Daily Test

p.122

01 1.(D) 2.(C) 3.(C)

해석 팝 아트 사조는 전후(戰後) 사회의 풍족함을 반영하는 대중 문화에 대한 매혹으로 인해 특징지어 진다. 그것은 미국 예술에서 가장 두드러졌지만 곧 영국으로 확산되었다. 수프 캔과 분말 세제, 연재만화, 소다 팝 병과 같은 일상적인 물건들을 찬양하면서 그 운동은 평범한 것들을 아이콘으로 변화시켰다. 팝 아트는 거리, 슈퍼마켓, 대중 매체로부터의 이미지를 전유함으로써 기존의 예술계를 조롱하는 방식에 있어 대중 예술은 다다이즘의 직접적인 계승자이다. 게다가 팝 아트 예술가들은 상업적인 기술을 채택함으로써, 그들 자신을 바로 앞선 추상주의 사조로부터 차별화하여 자리매김했다.

팝 아트에 있어서의 대표적인 예술가는 Roy Lichtenstein, Roy Hamilton, Jasper Johns, Robert Rauschenberg 그리고 Claes Oldenburg 같은 사람들이다. 그러나 진정으로 팝 아트를 대중 앞에 선 보인 사람은 Andy Warhol 이었다. 그의 콜라병과 Campbell 수프 깡통, 영화 스타들을 이용한 스크린 프린트들(판화의 기법 중 하나)은 20세기 도상학의 중요부분이다.

1.

해석 이 글은 주로 –에 관한 것이다.
(A) 팝 아트에 기여한 유명한 사람들
(B) 매스미디어에 사용되는 예술
(C) 20세기의 미국 예술
(D) 어떤 예술사조의 특징과 대표인물

해설 첫 번째 단락에서는 팝 아트 사조에 대한 설명을 해주었고, 두 번째 단락에서는 팝 아트의 대표 작가들에 대해서 다루고 있다. 따라서 이 글은 Pop Art의 특징과 그 예술가에 관해 다룬 글이며, 답에서는 Pop Art를 an art movement라고 말하고 있는데, 토플 토픽문제에서는 종종 이런 표현을 이용한다.
(A) 작가에 관한 것은 두 번째 단락의 내용에 불과하므로 주제로서 모자란다.
(B) 매스미디어가 언급되어 있기는 하나 주제에서 벗어난다.
(C) 20세기 미국의 미술은 Pop Art라는 주제가 되기에 넘친다.

2.

해석 팝 아트는 –을 제외하고 다음 대상 모두를 소재로 삼았다.
(A) 수프 캔 (B) 소다 팝 병
(C) 권총 (D) 만화

해설 문제에 언급된 object가 지문의 어떤 부분에서 언급되었는지 찾아보면 ~objects such as soup cans, washing powder, comic strips and soda pop bottles~을 확인할 수 있다. 해당부분과 선택지를 따져나가면 (C)의 권총(Rifles)이 나와있지 않음을 알 수 있다.

3.

해석 이 글에 따르면 –을 제외하고 다음 모든 것이 대중 예술에 관해 사실이다.
(A) 그것은 다다이즘에서 유래했다.
(B) 그것의 특징은 일상적인 사물을 찬양했다.
(C) 그것은 단지 미국에서만 유행했다.
(D) 그것은 전후 사회의 부를 보여주었다.

해설 지문의 전반과 선택지를 하나하나 따져나가면 두 번째 단락 첫 번째 문장의 descendant of Dadaism과 첫 번째 단락 마지막 문장의 celebrating everyday objects, 첫 번째 단락 첫 문장의 affluence in post-war society에서 (A), (B), (D)의 내용이 사실이라는 것을 확인할 수 있으나, (C)의 내용은 사실과 다르다. 오히려 첫 번째 단락의 세번째 줄에 보면 미국에서 유행했으나 곧 영국으로도 퍼져갔다고 언급되어 있다.

p.124

02 1.(B) 2.(C) 3.(C)

해석 인공 암초는 어류 수를 증가시키고, 현존하는 서식지를 보호하고, 낚시를 위한 기회를 증가시키기 위해 수중 환경에 흔히 만들어진다. 그러한 인공 암초를 정당화하는 일반적인 이유는 그것들이 어린 물고기가 어장에 모이는 정도를 높임으로써 어류의 생산을 향상시킨다는 것이다. 이러한 점에도 불구하고, 해양 환경에 대한 광범위한 조사는 여전히, 인공 암초가 단지 어류를 유인하기만 하는 것인지 또는 실제로 생산의 증가를 가져오는지를 결정해야만 한다.

정답 · 해석 · 해설

1999년 11월 동안, 한 인공 암초가 '스몰마우스 배스' 의 어획을 증가시키기 위해 시카고의 남부 Michigan 호수에 만들어졌다. 조사자 들은 현재 '스몰마우스 배스'를 유인하고(또는 하거나) 생산하는데 대한 이 인공 암초의 효율성을 조사하고 있다. 어류를 유인하는 것과 생산하는 것 사이의 차이는 중요한 것이다. 예를 들어, 인공 암초가 추가적인 '스몰마우스 배스'를 유인하기는 하지만 생산하지는 않는다면, 그것들의 수는 결국 감소할 것이다. 반대로, 인공 암초가 추가적인 스몰마우스 배스를 생산한다면, 추가된 생산이 낚시로 잡아 올린 물고기 수확량을 상쇄시킬 수 있고, 더 안정적인 수의 스몰마우스 배스를 공급할 수 있을 것이다.

1.

해석 이 글의 주제는 무엇인가?
(A) 미시건 호수에서의 인공 암초 프로젝트
(B) 인공 암초의 역할
(C) 어류의 수를 증가시키는 방법
(D) 일부 어류를 생산하기 위한 인공 암초

해설 이 글의 첫 번째 단락에서는 인공암초의 역할에 관한 전반적인 개요에 대해 나오고, 두 번째 단락에서 미시건 호수라는 특정장소에의 적용을 통한 역할에 대해 보여주고 있으므로 이 글의 주제는 인공암초의 역할이라고 볼 수 있다. 단, 인공 암초가 결정적으로 어떠한 결과를 가져오는지에 대해서는 결론 짓고 있지 않다.
(A) 두 번째 단락에서 나오는 내용으로 주제가 되기에 모자란다.
(C) 인공암초는 어류의 수를 증가 시키는 방법들 중 하나이므로 주제가 되기에 넘친다.
(D) 확인되지 않은 인공암초의 기대되는 역할 중 한가지 이므로 주제가 되기에 모자란다.

2.

해석 다음 중 인공 암초를 더하는 것에 대한 동기가 아닌 것은 무엇인가?
(A) 어류 수를 증가시키기 위해
(B) 현존하는 서식지를 보존하기 위해
(C) 물고기에 대해 연구하기 위한 연구방법을 증진시키기 위해
(D) 낚시 기회를 증가시키기 위해

해설 문제에 motive가 to 부정사 구문으로 제시된 글의 첫 번째 문장과 선택지를 따져나가면 물고기에 대해 연구하기 위한 연구방법을 증진시키기 위해라는 것은 언급되어 있지 않다.

3.

해석 이 글에 따르면, —을 제외하고 다음의 모든 것이 인공 암초에 관해 사실이다.
(A) 인공 암초는 어류 생산을 강화시키기 위해 환경에 더해진다.
(B) 인공 암초의 효과에 대하여서는 아직 논의 중이다.
(C) 인공 암초는 추가적인 스몰마우스 배스를 생산한다.
(D) 단지 인공 암초가 추가적인 어류만을 유인하게 된다면 어류 인구는 결국 줄게 될 것이다.

해설 지문의 전반과 선택지를 하나하나 따져나가면 (A), (B), (D)의 내용이 부합된다는 것을 확인할 수 있으나, (C)의 내용은 사실과 다르다. 오히려 아직 그 효과를 조사 중 이며, 지문에서는 결론을 내리고 있지 않다.

3rd Week | 2nd Day
Daily Check-up

p.128

01 5번째 문장 "Many people ~ to rise."
02 3번째 문장 "Spawning occurs ~ and gravel."
03 4번째 문장 "The word ~and animal."
04 3번째 문장 "Using powerful ~ a second."
05 뒤2번째 문장 "Construction was ~ the way."

01

해석 1920년 10월, 사람들은 당황하며 그들의 주식을 급히 팔기 시작했다. 하루 만에 거의 1300만주가 뉴욕 증권 거래소에서 팔렸다. 이것이 '미국 금융 시장의 폭락'이라고 알려져 있는 위기의 시작이었다. 그것은 곧 전세계에 영향을 미쳤다. 많은 사람들이 그들의 모든 돈을 잃었고, 은행과 기업들은 문을 닫았으며, 실업률이 높아지기 시작했다. 그러한 상황은 대초원지대에서의 가뭄으로 악화되었다.
▶ 미국 금융 시장의 폭락이 미친 영향을 가리키는 문장에 밑줄을 그으시오.

해설 문제에 언급된 Wall Street Crash가 지문의 어떤 부분에서 재진술(Restate)되었는지 확인하여 그 주변을 읽으면 답에 해당하는 부분에 그 영향에 대해 3가지로 나열하고 있음을 확인할 수 있다. 첫 번째 문장으로 생각할 수 있으나 첫 번째 문장은 Wall Street Crash가 시작되기 전의 상황이다.

02

해석 연어는 담수에서 산란하고 그들의 성숙기를 바다에서 보낸다. 성숙한 연어가 일정한 나이에 도달하면 그들은 그들이 태어난 강으로 다시 이동하고 상류로 헤엄치기 시작한다. 산란은 바닥이 작은 돌과 자갈로 이루어진 유속이 빠르고 산소가 풍부한 물에서 일어난다. 일단 산란하면, 성숙한 연어는 죽는 것이 일반적이다.
▶ 연어가 알을 낳는 조건을 설명하는 문장에 밑줄을 그으시오.

해설 문제에 언급된 lay eggs가 지문의 어떤 부분에서 재진술(Restate)되었는지 확인하면 Spawning이란 단어로 나옴을 알 수 있다. 그 주변을 읽으면 산란의 조건에 대해 나온다.

03

해석 매일 또는 매년 특정한 시간에 닭은 알을 낳고, 사람들은 졸음을 느끼고, 나무는 잎을 떨어뜨린다. 이런 모든 것들, 그리고 더 많은 것들이 일정한 방식으로 일어난다. 그것들은 '내부 시계'라고 불리는 어떤 것 때문에 발생한다. '내부'라는 말은 '~의 안'을 의미하므로, 내부 시계는 모든 동식물의 특정 부위의 안에 존재한다. 내부 시계는 주위 세계로부터 신호나 메시지를 받는다. 이러한 신호 중 일부는 빛, 열, 어둠, 추위를 포함한다.
▶ 내부 시계의 정의를 진술하는 문장에 밑줄을 그으시오.

해설 문제에 언급된 internal clock가 지문에서 언급된 부분을 찾아간다. 문제에 언급된 internal clock지문의 어떤 부분에서 재진술(Restate)되었는지 확인한다. 답에 해당하는 곳에서 definition을 mean으로 해서 설명해 주고 있다.

04

해석 박쥐 날개는 넓은 막이나 피부로 덮인 아주 연장된 손과 앞다리 뼈로 만들어져 있다. 피부가 발목 근처의 아래쪽 다리에 붙어있기 때문에 날개가 몸의 길이만큼 된다. 강한 근육을 이용해서, 박쥐는 새처럼 단지 날개를 위 아래로 퍼덕거리는 것이 아니라 초당 20회까지 평영과 같은 동작으로 앞쪽에 닿는 공기를 가르며 유영한다. 박쥐는 또한 갈매기나 매와 상당히 비슷하게 기류를 타고 활공할 수 있다.
▶ 박쥐와 새가 나르는 방식의 차이를 기술하는 문장에 밑줄을 그으시오.

해설 문제에 언급된 bird가 지문에서 언급된 부분을 찾아간다.

05

해석 Missouri와 Mississippi강에서 태평양까지의 철로를 만든 최초의 철도 회사는 Central Pacific과 Unionl Pacific이었다. Central Pacific은 Sacramento에서 Sierra Nevada산맥 너머에 이르는 철로를 건설했다. 그들은 다리를 건설하고 터널을 파는 데 힘든 시간을 보냈다. 한 편, Union Pacific은 Nebraska주의 Omaha를 벗어나 서쪽으로 철로를 짓기 시작했다. 평야를 가로질러서 공사는 더 빨랐지만, 그들은 도중에 인디언들과 싸워야 했다. 이 Central Pacific과 Union Pacific 철로는 1869년 5월 Utah주 Promontory에서 만나 함께 연결되었다.

▶ Union Pacific 철로를 건설하는 데 있어서의 문제를 기술하는 문장에 밑줄을 그으시오.

해설 문제에 언급된 Union Pacific tracks가 지문에서 언급된 부분을 찾아가 주위를 잘 살펴본다.

p.130

06(C) **07**(A) **08**(B)

06

해석 (A) 수력은 물이 댐을 통과하여 흐를 때 생산된다. 더 많은 물이 댐을 통과할 수록 더 많은 에너지가 생산된다. (B) 수력 전기는 터빈이라고 불리는 장치에 의해 생산된다. 터빈은 자석으로 둘러싸인 금속 코일을 포함한다. 자석이 금속 코일 위로 회전할 때 전기가 생산된다. 이러한 터빈들은 댐의 내부에 위치해 있고, 낙하하는 물이 자석을 회전시킨다. (C) 댐은 깨끗하고 오염이 되지 않은 에너지를 제공하지만, 그것들은 또한 환경에 해를 줄 수도 있다. 산란하기 위해 강을 이용하는 어종들은 종종 댐에 의해 상처를 입기도 한다. 북서부 지역에서는 수력 발전소가 Columbia강에 건설된 이래로 sockeye연어와 송어의 수가 1600만 마리에서 250만 마리로 감소했다.

▶ 글에서 댐의 일부 역효과를 기술하고 있는 부분을 고르시오.

해설 문제에 언급된 adverse effect는 can also do harm~라는 표현으로 (C)의 첫 부분에 나와있고, 이어서 어떻게 환경에 악영향을 미치는지에 대해 언급하고 있다. 단락클릭 문제이지만 문장클릭문제와 동일하게, 문제에서 재진술(Restate)된 문장을 지문에서 찾는 법으로 문제를 해결한다.

07

해석 (A) 밤 하늘은 이상한 무지개 빛깔로 가득 차 있다. 거대한 색채의 띠가 하늘을 가로질러 갑자기 나타났다가 사라진다. 때때로 라디오가 작동을 멈추고 일부 지역에서 전기가 나간다. 이러한 일들은 대개 지구의 극지방 부근에서 일어난다. (B) 과학자들은 그것들이 태양 폭풍에 의해 일어난다고 믿고 있다. 태양 폭풍의 시기 동안 태양은 초 강력 에너지를 지구에 방출한다. 이처럼 특별히 강력한 에너지는, 한 개의 보다 무거운 핵을 가진 새로운 물질을 형성할 때 두 원자의 핵이 융합(즉 결합)하여 방출된다. (C) 이 과정은 융합이라고 불린다. 융합은 아주 높은 온도를 필요로 하고 엄청난 양의 에너지를 생산해낸다.

▶ 글에서 태양 폭풍 현상에 대한 묘사를 하고 있는 부분을 고르시오.

해설 이 문제는 전반적인 글의 흐름을 통해 파악한다. 위 글을 Scanning해보면 (A)에서는 여러 현상나열 (B)와 (C)에서는 그 현상의 원인이 되는 태양 폭풍에 대한 과학적 사실 설명이 이루어진다. 따라서 답은 (A)가 되는 것이다.

08

해석 (A) 매년 나무는 자신의 둘레에 새로운 한 겹의 목재를 싼다. 그래서 나무 줄기나 가지가 잘릴 때, 고리처럼 보이는 목재의 겹들이 있다. 쓰러진 나무를 보아도 또한 나이테를 볼 수 있다. 나무의 나이테를 셈으로써 사람들은 그 나무가 얼마나 오래되었는지 가늠할 수 있다. (B) 나무는 매년 새로운 나이테를 만들지만, 모든 나이테가 같은 것은 아니다. 춥고 건조한 해에는 나무가 거의 자라지 않는 반면, 습하고 따뜻한 해에는 나무가 잘 자란다. 그러므로 얇은 나이테는 추운 해를 나타내고 두꺼운 나이테는 따뜻한 해임을 보여준다. (C) 연속적인 해들의 여름과 겨울이 결코 완전히 같지는 않기 때문에 나무의 나이테는 불규칙한 패턴을 보인다. 예를 들어, 두껍고 얇은 나이테는 어떤 특정한 패턴 없이 번갈아 나타난다.

▶ 글에서 기후가 나무의 나이테의 두께에 어떻게 영향을 미치는지 설명하고 있는 부분을 고르시오.

해설 이 문제는 전반적인 글의 흐름을 통해 파악한다. 위 글을 Scanning해보면 (A)나이테에 대한 일반설명을 (B)에서는 나이테에 미치는 기후의 영향을 (C) 부연설명을 하고 있다. 따라서 답은 (B)가 되는 것이며, 해당 부분에는 문제에 언급된 기후라는 것이 재진술(Restate)되어 있기도 하다.

Daily Test

p.132

01 1. (D)
2. 첫 번째 단락 다섯 번째 문장
"The coloration ~ against predators."
3. 두 번째 단락 첫 번째 ~ 두 번째 문장
"Eggs get ~ of blood."

해석 알의 색깔 때문에 새의 알에서 가장 잘 보이는 것은 껍질이다. 이것은 일부 새의 경우 하얗고 다른 새들의 경우 색깔이 있다. 하얀 알을 갖는 새들은 올빼미, 물총새와 같이 알을 어두운 곳이나 밀폐된 공간에 알을 낳는 새들이거나 펠리컨이나 가마우지와 같이 원시적인 새들인 경향이 있다. 알을 더 개방되어 있고 잘 보이는 곳에 낳는 새들은 더 많은 색채를 띤 알을 낳는다. 천연색은 알이 배경에 대해 보이기 어렵도록 만드는 것을 도와주고, 그래서 알을 포식동물로부터 보호한다. 땅에 둥지를 트는 일부 종들에 있어서 이러한 천연색이 뛰어나다.

알은 생식계의 자궁 부위에서 그들의 색깔을 얻는다. 색깔은 화학변화를 일으킨 혈액의 산물에서 얻어진 색소에서 추출된다. 알이 새의 몸을 통과할 때 점 무늬가 더해진다. 색의 패턴은 알이 자궁을 통과할 때의 속도와 통과하는 동안 알이 겪는 회전의 정도에 의해 조절된다.

1.

해석 이 글의 주제는 무엇인가?
(A) 알의 형성 과정
(B) 새의 색의 종류
(C) 알의 착색에 대한 이점
(D) 새에 있어서 알의 착색

해설 1번째 단락의 Topic sentence는 첫 번째 문장이다. 첫 번째 문장으로 그 단락에서 얘기할 주제를 보여주고, 새에 있어서 coloration(착색)의 용도에 대해서도 밝히고 있다. 2번째 단락에서는 알에 색이 어떻게 입혀지는가에 대해서 다루고 있다. 따라서 이 글은 새에 있어서의 알의 착색에 대해 전반적으로 다루고 있다고 할 수 있다.

(A) 알의 착색은 알의 형성의 일부이므로 주제가 되기에 넘친다.
(B) 새의 알 색깔의 종류는 주제에서 벗어난다.
(C) 첫 번째 단락에 언급된 내용으로 글 전체의 주제가 되기에 모자란다.

2.

해석 첫 번째 단락에서 알의 착색에 대한 이점을 설명하는 문장을 클릭하시오.

해설 문제에서 언급된 benefit이 지문의 어떤 부분에서 재진술(Restate)되었는지 확인하면 help라는 단어를 찾을 수 있다.

3.

해석 지문에서 알 색깔의 근원을 기술하는 문장을 클릭하시오.

해설 문제에서 언급된 source이 지문의 어떤 부분에서 재진술(Restate)되었는지 확인하면 derived from~이라는 구문이 있음을 확인 할 수 있다.

p.134

02 1. (B)
2. 첫 번째 단락, 네 번째~다섯 번째 문장
"The Pascaline ~ capabilities."
3. 두 번째 단락, 네 번째 문장
"The success~ machines."
4. 첫 번째 단락, 첫 번째 문장
"Blaise Pascal' s father ~ his work."

해석 Blaise Pascal의 아버지는 프랑스 Rouen에서 과로에 시달리고 몹시 지친 국세청장이었기 때문에, 어린 Pascal은 그의 아버지의 일을 돕기 위해 계산기를 고안했다. Pascal은 19살이었던 1642년에 그 프로젝트를 시작했다. 3년 뒤 그는 Pascaline이라는 작업 기계를 갖게 되었다. Pascaline은 상당한 한계를 갖고 있었다. 그것은 덧셈에 다소 어려움이 있었고, 그 기계에 있는 기어는 단지 한 방향으로만 회전했기 때문에 뺄셈이 더뎠다. 곱셈과 나눗셈은 그 능력 밖에 있었다.

이후 1820년에 프랑스 파리의 Charles Xavier Thomas는 첫 번

째 계산기인 Arithmometer를 발명했다. 그 기계는 계산을 위해 층층으로 나누어진 드럼 기어를 이용했고, 네 가지 작업을 단순하고 신뢰할 만한 방식으로 수행할 수 있었다. 단일방향의 드럼 때문에, 나눗셈과 뺄셈에는 레버를 설치할 필요가 있었다. 그 기계의 성공은 그 이전 기계들의 실패 원인 이었던 작동 기관들의 운동량을 상쇄시키는 많은 용수철 때문이었다. 이러한 설계로 만들어진 기계는 약 90년 동안 계속해서 팔렸다.

1.

해석 이 글의 주제는 무엇인가?
(A) 19세기의 혁신적인 사람들
(B) 기계식 계산기의 발달
(C) Arithmometer의 이점
(D) 기계식 계산기의 디자인

해설 첫째 단락에는 Blaise Pascal의 개인적인 배경과 Pascaline이라는 기계적 계산기의 개발과 그것의 한계에 대해 다루고 있다. 둘째 단락에는 Charles Xavier의 Arithmometer라는 계산기의 개발과 계산기의 용도, 또한 그것의 성공에 대해서 다루고 있으므로 기계식 계산기의 발달을 주제로 본다.
(A) 19세기의 혁신적인 사람들이라는 것은 주제에서 벗어난다.
(C) Arithmometer의 장점은 두 번째 단락의 일부이므로 주제가 되기에 모자란다.
(D) 기계식 계산기의 디자인은 내용을 담은 일부이므로 주제가 되기에 모자란다.

2.

해석 Pascaline의 한계성을 설명하는 문장들을 첫 번째 단락에서 클릭하시오.

해설 문제에서 언급된 restrictions가 지문의 어떤 부분에서 재진술(Restate)되었는지 확인하면 첫번째 단락의 limited를 찾을 수 있다. 해당부분을 살펴보면 답이 됨을 알 수 있다.

3.

해석 이전의 기계가 직면한 문제를 Arithmometor가 어떻게 해결했는지 기술한 문장을 두 번째 단락에서 클릭하시오.

해설 문제에서 언급된 problem이 지문의 어떤 부분에서 재진술(Restate)되었는지 확인하면 failure를 찾을 수 있다.

4.

해석 왜 Pascal이 계산기를 만들 결심을 하였는지를 설명하는 문장은 이 글에서 클릭하시오.

해설 문제에서 언급된 make a calculating machine이 지문의 어떤 부분에서 재진술(Restate)되었는지 확인하면 devised a mechanical calculator를 찾을 수 있다. 해당 부분에서 그의 아버지 때문이었다는 이유를 제시하고, "그러므로"의 뜻을 가진 so를 사용하여 문장을 인과관계로 구성하였다.

3rd Week | 3rd Day
Daily Check-up

p.138

01(A) 02(B) 03(C) 04(A)
05(C) 06(A) 07(B) 08(C)

01

해석 그 경치는 어떠한 지표수도 없어 **메마른** 불모의 땅으로 보인다.
(A) 건조한 (B) 젖은 (C) 텅 빈

해설 barren과 and로 연결되어 있다. and는 앞과 뒤에 유사한 의미를 가진 단어나 구가 나열된다. 더불어 콤마(,)뒤에 오는 문구인 without any surface water에서 물기가 없고 건조하다는 의미를 유추할 수 있다.

02

해석 곤충들은 지구상에 사는 생명체의 생존에 **결정적이다.** 곤충들이 없다면 식물들이 그들의 씨를 운반할 대체 수단이 현재 없기 때문에 많은 식물들이 죽게 될 것이다.
(A) 알맞은 (B) 극히 중대한 (C) 원래의

해설 without이하에 오는 문장에서 곤충이 없으면 식물들이 죽게 된다고 하였는데, 따라서 생명체의 생존에 '매우 중요하거나 없어서는 안 된다'는 의미를 유추할 수 있다.

03

해석 동면은 겨울의 추위에 대한 적응 형태이고, 그 때 동물은 **수면** 상태에 들어간다. 이러한 수면 상태에서 동물들의 체온, 심장 박동수, 에너지 필요량은 감소한다.

(A) 죽은 (B) 게으른 (C) 움직이지 않는

해설 In this sleeplike condition에서 지시대명사를 통해 의미를 되새겨 주므로 '잠과 비슷한' 의미를 유추할 수 있다.

04

해석 그들의 물리적 구조를 변화함으로써 적응해온 식물들을 건생식물이라 부른다. 선인장과 같은 건생식물들은 대개 물을 저장하고 **보유하는** 특별한 수단을 가지고 있다. 그것들은 흔히 잎이 거의 또는 전혀 없고, 이것이 증발을 감소시킨다.

(A) 보유하는 (B) 가치 있는 (C) 흐르는

해설 and 앞의 단어인 storing과 비슷한 의미로 '저장한다'와 비슷한 의미를 가진 단어를 찾아야 한다.

05

해석 초기 인류는 태양, 지구, 달, 별의 규칙적인 운동이 시간을 측정하는 훌륭한 방법을 만들어낸다는 것을 발견했다. 일출과 일몰은 낮과 밤을 구분하기 위해 사용되었다. 그러나 결국 사람들은 더욱 **정밀하거나** 정확하게 시간을 표현할 필요가 있었다.

(A) 솔직하게 (B) 주의 깊게 (C) 정밀하게

해설 or 뒤의 단어인 exactly와 비슷한 의미로 '정확하게'와 비슷한 의미를 가진 단어를 찾아야 한다.

06

해석 사막에 사는 동물들은 적응하기 위한 많은 방법들을 가지고 있다. 일부 동물들은 결코 물을 마시지 않지만 씨나 식물에서 수분을 얻는다. 다른 동물들은 낮 동안 자고, 단지 밤에만 먹고 사냥하기 위해 나오는 **야행성**이다.

(A) 밤에 활동적인 (B) 항상 습한 (C) 초식성의

해설 콤마(,)뒤에 오는 설명인 sleeping during the hot day and only coming out at night to eat and hunt에서 의미를 유추할 수 있다.

07

해석 11세기 중엽까지, 황제의 권한이 **감소함**에 따라 군사 법원은 권력을 잃기 시작했다. 그러나 정치력이 사회의 새로운 주인에게 넘어간 후에도, 군사법원은 그것의 권리의 일부를 보유했다.

(A) 강화되었다 (B) 약화되었다 (C) 통치했다

해설 But 이후에 새로운 정치력이 사회의 새로운 주인에게 갔다고 했으므로 황제의 권한이 감소했다는 것을 알 수 있다. 앞 부분의 as를 통한 인과구조를 통해 법정과 황제의 권한에 대해 유추해 볼 수 는 있으나, 둘의 관계가 정확히 어떠한가를 보기 위해서는 But 이후를 확인해야 한다.
이때 But 이후에 even이라는 정도를 나타내는 말에서 단어의 의미를 유추할 수 있다.

08

해석 높은 산악 지역-겨울 동안 여름에 녹거나 증발하는 양보다 훨씬 많은 양의 눈이 내리는-에서 빙하가 형성된다. 눈은 층층이 쌓여 결국 그 증가하는 무게로 인해 눈송이들이 한데 모이거나 **압착된다.**

(A) 펴진 (B) 녹은 (C) 압축된

해설 or앞의 to be forced together에서 '한데 모인다'는 의미를 유추할 수 있다.

p.140

09 commanded **10** exhibited **11** desire

09

해석 군대는 Sioux의 추장 Sitting Bull을 체포하라고 명령했다. 군인들은 막사를 포위하고 전사들에게 항복하라고 **명령했**

다. 여자와 아이들은 군인들이 총을 찾기 위해 천막집을 수색하자 겁에 질렸다.

해설 the troops와 the soldiers는 동일한 대상이므로 각각을 주어로 해서 형성된 문장이 서로 비슷한 구조를 이루고 있음을 알 수 있다.

10

해석 많은 박물관과 도서관, 그리고 기록 보관소들이 New Deal 예술 프로젝트의 작품들을 기술하고 **전시했다**. 전시된 회화, 도서, 포스터, 그리고 음악 필사본은 긴급 근로 프로그램에 관한 예술품과 기록 이상이었다.

해설 the works of the New Deal arts project가 the paintings, books, posters, and music transcriptions와 거의 동일한 관계라는 점을 알면 유추할 수 있다.

11

해석 1800년대가 끝나갈 무렵, 미국 인디언들은 서부를 되찾기 위한 투쟁에서 패배하고 있었다. 그들의 땅과 오래된 생활 방식으로 돌아가려는 **열망**이 증가했다. 그들은 그러한 바람을 Wovoka라는 이름의 파이우트족 인디안에 의해 시작된 관습에 표현했다. 그(Wovoka)는 인디언들에게 Ghost Dance라 불리는 신성한 춤을 추라고 말했다.

해설 such+명사는 앞에 나온 것을 지칭하는 어구이므로 단어의 의미를 유추할 수 있다.

p.140

12 innovative **13** active **14** optional

12

해석 나이가 든 직원들은 그들의 사고에 있어서 **보수적인** 경향이 있지만, 새로 고용된 직원들은 혁신적이고 창조적이다.

해설 대조(but)의 구조로 답을 찾아가는 문제이다.

13

해석 1960년대 중반에 일부 젊은 흑인들은 Martin Luther King의 **수동적인** 저항 전략에 의문을 제기하기 시작했다. 따라서 더욱 더 많은 젊은 흑인들이 'black power' 전략을 추구했고, 그것은 백인들에 대한 적극적인 혁명을 의미했다.

해설 인과관계(So)에 있는 글의 구조로 답을 찾아간다. 수동적인 것에 의문을 제기했으므로 반대로 적극적인 방법을 찾았을 것이라고 짐작할 수 있다.

14

해석 1922년에 유명한 이집트의 페미니스트인 Hoda Shaarawi가 고의적으로 그녀의 베일을 없애기 전에, 사회적 지위가 있는 모든 중산층과 상류층 여성들은 공공 장소에서 그것을 썼다. 그러나 1935년에 이르러 베일은 이집트에서 선택적이 되었다. 반면에 아라비아 반도에서는 오늘날까지 **의무적**인 것으로 남아있다.

해설 대조관계(on the other hand)에 있는 글의 구조로 답을 찾아간다. 이집트는 선택적이 되었으나 반면에 아라비아 반도에서는 아직도 '의무적'이라는 것이 자연스럽다.

p.141

15 (A) **16** (A) **17** (A)

15

해석 미국은 전쟁으로 피폐한 유럽의 붕괴를 **막기 위해** 음식, 보급품, 그리고 신용 대부를 제공해 오고 있었다.

(A) 허가하다 (B) 낭비하다 (C) 지키다

해설 목적(in order to)을 나타내므로, 문맥상 음식이나 도움을 주고 있다는 사실에서 prevent가 붕괴를 '막기 위해'라는 의미라고 파악할 수 있다. 이의 반의어를 찾으려면 '허락한다'는 의미를 가진 단어를 택해야 한다.

16

해석 피부 질환은 성인들에게는 **드물게** 전염되지만, 때때로 어린이에게는 전염되는 경우가 있고, 신생아들에게는 아주 전염성이 강하다.

(A) 자주 (B) 드물게 (C) 때때로

해설 문맥의 구조상 정도(degree)를 나타내고 있다. 즉 어린 나이일수록 감염도가 높아진다는 사실을 파악할 수 있고, 이로서 성인에게는 전염이 '거의 안 된다' 는 것을 유추할 수 있다. 이의 반의어를 찾으려면 '종종 있다/된다' 라는 의미를 가진 단어를 택해야 한다.

17

해석 지속적인 경기 침체로 인해, 자동차 판매가 올해 10~20퍼센트 정도 **감소할 것** 같다.

(A) 증가하다 (B) 계약하다 (C) 감소하다

해설 인과관계(because of) 에 있는 글의 구조로 답을 찾아가면 economic slump라는 단어를 볼 수 있는데, 여기서 차 판매량이 '줄어든다' 는 것을 파악할 수 있다. 이의 반의어를 찾으려면 '늘어난다' 는 의미를 가진 단어를 택해야 한다.

Daily Test

p.142

01 1.(C) 2.(C) 3.(D) 4.(A) 5.horizontals

해석 Frank Lloyd Wright는 20세기 전반에 가장 두드러진 건축가들 중의 한 사람이었다. 그는 Taliesin이라 불리는 자신의 홈 스튜디오 복합 시설을 설계했고, 그것은 1911년 Wisconsin주의 Spring Green 근처에 지어졌다. 그 복합 시설은 한 쪽에 호수가 보이고 반대 쪽에 Wright의 스튜디오가 보이는 독특한 L자 모양의 낮은 1층 구조물이었다. 그러나 Taliesin은 화재에 두 번 파괴되었다; 현재의 빌딩은 Taliesin Ⅲ이다.

그의 가장 유명한 집인 'Fallingwater'는 1935년에서 1939년 사이에 Pennsylvania주의 Bear Run에 E.J. Kaufmann을 위해 지어졌다. 이 집은 거주자를 자연 환경에 가까이 두고자 하는 Wright의 소망에 따라 설계되었다. 놀랍게도, Fallingwater는 건물 일부의 아래로 흐르는 개울을 가지고 있었다. 그 건축물은 연속된 발코니와 테라스로 이루어져 있고 모든 수직재에 돌을, 수평물에 콘크리트를 사용하였다.

1.

해석 이 글의 목적은 무엇인가?

(A) 20세기의 흥미로운 건축물들을 묘사하기 위해

(B) Wright의 유명한 집들의 위치를 논의하기 위해

(C) Wright의 작품의 특징을 소개하기 위해

(D) 도시적 배경의 중요성을 강조하기 위해

해설 첫 번째 단락은 Frank Lloyd Wright 의 건축물 중 Taliesin에 대하여, 두 번째 단락은 또 다른 건축물인 Fallingwater에 대하여 다루고 있다. 따라서 이 글은 Frank Lloyd Wright의 건축물의 특성에 대한 글이다. 대개 글의 목적은 '글의 주제를 ~하기 위해' 쓰이므로 먼저 글의 주제를 파악하는 것이 중요하다. 따라서 오답의 유형들도 주제를 제대로 파악했는가를 파악하는 것이 좋다.

(A) Wright의 작품의 특징이라는 주제가 되기에 넘친다.

(B) Wright의 유명한 집들은 글의 일부에 불과하므로 주제가 되기에 모자란다.

(D) 이 글의 중심내용과 관련이 없으므로 주제에서 벗어난다.

2.

해석 이 글에 있는 단어 **prominent**와 의미상 가장 가까운 단어는 무엇인가?

(A) 일반적인 (B) 눈에 띄지 않는

(C) 눈에 띄는 (D) 소박한

해설 Frank Lloyd Wright의 훌륭한 작품들을 소개했으므로, 그가 '뛰어난' 건축가라는 의미를 짐작해낸다. 더불어 이 단어는 시험의 빈출 단어이므로 반드시 알아두어야 한다.

3.

해석 이 글에 있는 단어 **distinctive**와 의미상 가장 가까운 단어는 무엇인가?

(A) 열등한 (B) 평범한

(C) 인기 있는 (D) 독특한

해설 역시 Frank Lloyd Wright의 빼어난 작품 중 하나를 소개했으므로 문맥상 긍정적인 의미의 단어임을 짐작한다. 또한 뒤의 설명들이 구조의 특이함을 나타내므로 '독특한' 이라는 의미

를 짐작해낼 수 있다. 더불어 이 단어는 시험의 빈출 단어이므로 반드시 알아두어야 한다.

4.

해석 이 글에 있는 단어 **occupants**와 의미상 가장 가까운 단어는 무엇인가?

(A) 거주자 (B) 건축가
(C) 환경론자 (D) 경치

해설 house에서 사는 사람이라는 것을 파악하면 '거주자' 라는 의미를 짐작해 낼 수 있다.

5.

해석 이 글에 있는 단어 **verticals**를 보고, 굵은 글씨로 쓰여진 본문에서 반대되는 의미를 가진 단어나 구를 클릭하시오.

해설 and를 통한 문장의 병치구조를 통해 답을 찾을 수 있다. 즉 and를 앞뒤로 비슷한 품사, 의미, 구조가 열거되는 것을 알면 쉽게 답을 찾을 수 있다.

p.144

02 1.(A) 2.(C) 3.(D) 4.(C)

해석 과학자들은 한 때 심해에는 생물이 거의 없다고 믿었다. 이러한 믿음은 지구상에 존재하는 대부분의 생명체가 광합성- 식물이 햇빛으로부터 에너지를 생성하는 과정- 에 의존한다는 사실에서 비롯되었다. 그러나 햇빛은 단지 수면 아래 600 피트까지 투과할 수 있기 때문에 과학자들은 심해에 있는 생물 집단을 발견하고 놀랐다. 이러한 유기체들은 다른 형태의 에너지원인 '화학 합성'을 갖고 있었다. 다시 말해, 그들은 광합성이 아니라, 특정한 미생물이 화학 반응을 일으킴으로써 에너지를 생성하는 과정인 화학 합성에 의존했다.

심해 동물들은 지질 열수구 주변에 살면서, 열수구 용액이 흐르는 해저에서 나오는 화학물질로부터 생명을 유지한다. 화학 합성을 하는 유기물은 해저에서 살거나 해저 아래에서 산다. 미생물 매트가 열수구 주변의 해저를 덮고 있는 곳에서 달팽이나 서관충과 같은 초식자들은 미생물 매트를 먹고, 포식 동물들은 그 초식자들을 먹으러 온다. 가장 흥미로운 초식자 중의 하나는 서관충이다. 과학자들이 이 서관충을 연구했을 때, 산소를 조직까지 운반하는 적혈구 단백질인 헤모글로빈을 그들의 몸 속에서 발견했다. 게다가 그들은 이러한 서관충이 독특한 냄새를 갖고 있다는 것을 발견했다.

1.

해석 이 글의 주제는 무엇인가?

(A) 심해에서 번성하는 동물들
(B) 광합성에서 이익을 얻는 유기체
(C) 광합성을 이용하는 심해 동물들
(D) 심해 서관충의 특징들

해설 첫 번째 단락에서는 심해의 생물들이 화학 합성으로 삶을 살아간다는 사실을, 2번째 단락에서는 심해 동물들이 사는 곳과 서관충 이라는 한 심해동물에 관한 연구를 보여주었다. 따라서, 이 글은 심해에서 번성하는 동물들을 주제로 썼다.
(B) 광합성을 언급하고 있으므로 주제에서 벗어난다.
(C) 심해의 동물들은 화학작용을 하므로 이는 틀린 답이다.
(D) 글 내용의 일부만을 담으므로 주제가 되기에 모자란다.

2.

해석 이 글에서 단어 **clusters**와 가장 의미가 가까운 것은 무엇인가?

(A) 개체들 (B) 조각들
(C) 집단들 (D) 식물들

해설 But을 이용한 문맥을 통해 알아낸다. 심해 동물이 없을 것이라고 했는데 놀랐다면 의외로 동물들이 '많다' 는 것을 유추할 수 있다. 시험의 빈출 단어이다. 동의어인 group과 함께 알아둔다.

3.

해석 이 글에서 단어 **investigated**와 가장 의미가 가까운 것은 무엇인가?

(A) 분류했다 (B) 얻었다
(C) 개척했다 (D) 조사했다

해설 뒷문장의 found를 통해 의미를 유추해 볼 수 있다. 역시 시험의 빈출 단어이다. inquire, examine, scrutinize, scan 등과 함께 외워두자.

4.

해석 이 글에서 **광합성, 화학 합성, 구멍, 헤모글로빈**과 같은 용어들을 보고, 이 용어들 중 이 글에 정의되어 있지 않은 것은 어느 것인가?

(A) 광합성 (B) 화학 합성
(C) 구멍 (D) 헤모글로빈

해설 (A)는 1째 단락 2번째 문장에 콤마(,)를 이용한 동격으로 의미가 설명되어 있다.
(B)는 1째 단락 마지막에서 2번째 문장에 콤마(,)를 이용한 동격으로 의미가 설명되어 있다.
(D)는 2째 단락 마지막에서 2번째 문장에 which로 시작하는 관계대명사절로 설명되어있다.

3rd Week | 4th Day

Daily Check-up

p.148

01 New York
02 languages
03 (1) Spiders (2) Spiders (3) females
04 (1) Chlorophyll molecules (2) Green plants
05 (1) The brain (2) the left hemisphere

01

해석 Joseph Glidden은 New Hampshire에서 태어나, 이후 그가 1842년까지 살았던 New York으로 옮겨갔다. 결혼 후, 그는 그 곳에서 Illinois주로 이사했고, 북부 Illinois주에 위치한 Dekalb에서 농장을 샀다.

해설 there는 장소를 지칭하는 단어이다. 지칭어는 거의 앞에 있는 단어를 지칭하므로, 여기에 해당하는 후보는 New Hampshire와 New York이다. 그 중 시간의 흐름상 New York이 올바르다.

02

해석 거의 세계 인구의 절반이 인도 유럽어를 사용한다. 유럽과 인도 지역에서 주로 발달한 이 어족의 다양한 언어들은 어휘와 문법에 있어 몇 가지 특징들을 공유한다.

해설 which의 선행사를 찾는다. 단, 여기서 which는 전치사구 내의 명사인 family를 지칭하지 않음에 주의한다. 따라서 한 문장 내에 있는 language가 which의 선행사로 답이 된다.

03

해석 거미는 농작물을 해치는 베짱이와 메뚜기를 먹는다. 그것들은 또한 질병을 옮기는 파리와 모기를 먹는다. 그처럼, 그들은 주로 해로운 곤충을 먹고 살지만, 일부는 올챙이, 작은 개구리, 작은 물고기, 그리고 심지어 쥐도 잡아 먹는다. 가장 흥미로운 것은 대부분의 암컷 거미는 수컷보다 더 몸집이 크고 힘이 세서 때때로 수컷을 잡아 먹는다는 사실이다.

해설 (1) 대명사 they 앞의 지시어 후보는 복수이므로 spiders, grasshoppers, locusts, crops 등이 된다. 해석해 보면 첫 문장의 주어인 spiders가 가장 적절하다.
(2) 역시 앞의 주어를 본다.
(3) 대명사 they의 답이 될 수 있는 후보는 females와 males이다. 해석해 보면 암컷이 수컷을 잡아먹는 것이 위 문장에서 올바르다. (수컷이 수컷을 잡아먹는다면, males eat themselves로 표현해야 한다.) 그러므로 답은 females이다.

04

해석 지구상의 생명체를 위한 궁극적인 에너지원은 태양이다. 햇빛은 녹색 식물의 엽록소 분자에 의해 흡수되는데, 엽록소 분자는 이 에너지의 일부를 음식 에너지로 변형시킨다. 녹색 식물은 자가 영양 유기체이다. 즉 그것들은 합성과 성장을 위한 원료를 제공하기 위해 주변 환경으로부터 흡수되는 무기 화합물만을 필요로 한다.

해설 (1) which의 선행사를 찾는다. 동사가 복수인 transform이므로 복수 선행사가 와야 하고 의미상 chlorophyll molecules가 와야 맞다.
(2) 세미콜론(;) 뒤의 they는 세미콜론(;) 앞의 명사(구)를 지칭한

다. 따라서 후보가 되는 것은 Green plants와 autotrophic organisms이다. 이 중 autotrophic organisms은 Green plants를 설명하는 단어이기 때문에, 답은 Green plants가 된다.

05

해석 뇌는 많은 필수적인 작업들을 수행하기 위해 함께 일하는 여러 부분들을 가진 중요한 기관이다. 그것은 우리 신체의 사고, 추론, 기억, 감정을 지배하고 우리의 균형, 움직임, 조정을 조절한다. 이러한 뇌는 두 부분으로 나뉘어 진다. 좌뇌와 우뇌가 그것이다. 전자는 잠재 의식적이고, 후자는 우리의 기억과 꿈이 오는 곳이다.

해설 (1) 앞 문장의 주어와 동일하다.
(2) The former의 후보가 되는 것은 the left hemisphere와 the right hemisphere이다. The former가 전자의 의미를 가졌으므로, 답은 the left hemisphere이다.

p.150

06(C) 07(C) 08(B) 09(1)(B) (2)(A)

06

해석 어류는 맛을 느끼는 능력을 가지고 있다. 그것들은 입술, 혀, 그리고 입 전체에 미뢰를 갖고 있다. 촉수어나 메기와 같은 일부 어류는 수염을 갖고 있는데, 그것은 미각 구조를 갖고 있는 수염이다. 촉수어가 잡아 먹을 무척추 벌레를 찾으면서 수염으로 모래를 파는 것을 볼 수 있는데, 그들은 벌레가 입에 닿기도 전에 맛을 볼 수 있다.
(A) 촉수어 (B) 수염 (C) 벌레

해설 수 일치와 지칭어의 위치를 고려하여 them의 후보가 될 수 있는 것은 goatfish, barbels, worms 이다. goatfish가 barbels을 가지고 맛을 본다고 하였으므로, 답은 worms 이다.

07

해석 빙하는 오랜 기간에 걸쳐 크고 두꺼운 눈 덩이로 압착되는 눈으로 이루어진다. 빙하는 눈이 얼음으로 변할 정도로 오랫동안 한 위치에 머무를 때 생성된다. 빙하를 독특하게 만드는 것은 그것들이 움직이는 능력이다. 순전한 부피 때문에 빙하는 매우 느린 강처럼 흐른다. 일부 빙하는 축구장 만큼 작다. 다른 빙하는 100km 이상의 길이이상이 되기도 한다.
(A) 강 (B) 들판 (C) 빙하

해설 some, others의 용법과 관련된 문제이다. some은 전체의 일부를 others는 다른 일부를 지칭한다. 만약 the others라면 some에 해당하는 부분을 제외한 나머지 부분을 지칭하는 것이다. 문제로 돌아가서, 여기에서 others는 other glaciers를 의미하는 것이다.

08

해석 해양 포유류는 모든 다른 포유류와 같은 특징들을 갖고 있지만, 그것들은 바다에서의 삶에 적응해왔다. 오랜 기간 동안 해저에서 머무를 수 있기 위해서, 그들은 근육에 여분의 산소를 저장하고, 또한 몸 크기에 비례하여 육지 포유류보다 더 많은 혈액을 갖고 있다. 특히 그들 대부분은 바다에서 따뜻하게 유지하기 위해 두꺼운 털보다는 두꺼운 기름이나 지방층에 더 의존한다.
(A) 육지 포유류 (B) 해양 포유류 (C) 몸 크기

해설 마지막 문장에서 '더 두꺼운 지방층에 의존한다' 고 했으므로, them은 생물이다. 따라서 land mammals와 marine mammals가 후보가 된다. 내용상 they의 주체는 모두 marine mammals이며, land mammals는 단지 비교의 대상으로 나온 것이다.

09

해석 미국이 1776년 탄생하였을 때는 극소수의 도로만이 있었다. 원래의 13개 주는 대서양에 있었고, 사람들이 Allegheny 산맥을 넘기가 매우 어려웠다. 산맥의 서쪽으로 이동한 사람들은 쉽게 접촉할 수 없었고, 동부 해안으로부터 상품을 보내고 받을 수 없었다. 그들은 몇 개의 운하를 건설했지만, 이것들은 매우 많은 비용이 들었다. 도로를 짓기가 어려웠고, 기후 조건으로 인해 일년 중 특정 시기 동안은 도로로 여행하는 것이 불가능했다.
(1) (A) 상품 (B) 운하 (C) 산맥
(2) (A) 도로 (B) 운하 (C) 조건

해설 수 일치에 맞는 여러 후보들이 있으나, 해석상 답을 찾는 것이 더욱 중요하다. (1)에서는 건설하기에 비용이 많이 드는 것은 운하 밖에 없고, (2)에서는 도로는 준공하기 힘들고, 또한 기상 상황이 일년 중 특정한 시기 동안에 그것들 위로 여행하기 힘들게 만든다고 하였으므로, 의미상 도로(roads)가 답이 되어야 할 것이다.

Daily Test

p.152

01 1.stage 2.(A) 3.(B) 4.(C)

해석 건강한 성인은 매일 밤 평균 7.5시간의 수면을 취하고, 대부분의 사람들은 6.5에서 8.5시간 동안 잠을 잔다. 뇌파 전위 기록 장치(EEGs)의 도움으로 뇌파를 추적하면서, 연구원들은 수면의 6단계(수면 전 단계를 포함하여)를 확인해 왔다. 각 단계는 뚜렷한 뇌파 주파수에 의해 특징 지워질 수 있다.

0단계는 수면에 대한 준비 단계이고, 그것은 뇌 속의 낮은 진폭과 빠른 진동수의 알파파로 특징 지워진다. 이 단계에서, 사람은 이완되고, 졸리고, 눈을 감는다. 1단계에서 4단계까지는 때때로 NREM(비급속안구운동)수면으로 특징 지워진다. 1단계에서, 안구가 움직이기 시작하고 주기적인 알파파가 진폭이 더 낮고 진동수가 더 느린 불규칙한 세타파로 바뀐다. 2단계의 뇌파 기록은 수면 방추라 불리는 뇌 활동에서 나타나는 빠른 진동수의 연속을 보여준다. 3단계와 4단계는 대개 잠이 든 후 30에서 45분 후에 일어난다. 3단계에는 더 적은 수면 방추가 있지만, 높은 진폭과 저주파 델타파가 나타난다. 이것들이 그 시간의 50 퍼센트 이상 일어나기 시작할 때, 수면의 4단계로 들어간다. 수면의 이 모든 네 단계를 거치는 데 모두 합쳐서 30분 정도 걸린다.

1.

해석 이 글에서 단어 **Each**를 보고, 굵은 글씨로 쓰여진 본문에서 **Each**가 언급하는 단어나 구에 밑줄을 그으시오.

해설 앞 문장에서 6가지 수면의 단계가 있다고 밝히고, 뒤의 문장에서 각각이 특유의 특징을 갖는다고 하였으므로, 여기서의 각각 (Each)은 각 '단계'를 의미한다고 보아야 할 것이다.

2.

해석 이 글에서 단어 **here**은 -를 가리킨다.

(A) 0단계 (B) 1단계
(C) 4단계 (D) NREM

해설 지칭어는 거의 앞에 있는 것을 지칭한다. 여기에서는 stage 0을 설명한 후, '여기에서' 사람들이 이완된다고 하였으므로, '여기(here)'는 stage 0에 해당된다.

3.

해석 이 글에서 단어 **that**은 -를 가리킨다.

(A) 안구 (B) 세타파
(C) 알파파 (D) 기록

해설 that이하의 문장에 주어가 없는 것으로 보아, 여기에서의 that은 관계대명사이다. 따라서 that은 선행사가 필요하며, 선행사는 바로 앞의 theta waves이다.

4.

해석 다음 중 어느 것이 이 글의 다음에 이어질 주제로 가장 좋은가?

(A) 잠의 3,4 단계에 대한 심층 비교
(B) 잠에서 깨는 것으로의 전이
(C) 잠의 마지막 단계에 대한 설명
(D) 건강한 성인의 불면의 이유

해설 Following topic 문제 중 글의 구조를 통해 푸는 문제이다. 글의 앞에서 수면의 6단계가 있다고 하였고 지문에서 0단계부터 4단계까지의 수면단계를 설명하고 있으므로 마지막으로 남은 5단계를 설명할 것이 예측된다.

p.154

02 1.(C) 2.books 3.(D) 4.change 5.(C)

해석 중세 시대에는, 극소수의 사람들만이 책을 갖고 있었고, 그것들은 손으로 한 장씩, 한 줄씩 소위 '사본 필경자'에 의해 베껴 써야만 했기 때문에 희귀하고 비쌌다. 그러나 1440년경 이런 모든 것을 바꾸어 놓을 일이 일어났다. Johannes Gutenberg가 첫 번째 인쇄 기계를 발명한 것이다. 따라서 책이 더 빨리 더 저렴하게 대량으로 만들어질 수 있게 되었다. 100년도 채 못되어 1000만 권 이상의 책이 인쇄되어 팔렸다.

Gutenberg가 인쇄한 첫 번째 책은 성경이었다. 그 당시, 성경과 다른 책을 집에 갖게 된 것은 사람들의 생활 방식에 차이를 가져왔다. 한 가지 주된 변화는 사람들이 라틴어 보다는 영어, 독어, 프랑스어, 이탈리아어와 같은 자신의 언어로 인쇄된 책을 바라게 되었다는 것이었다. 또 다른 변화는 교회의 권위를 어느 정도 빼앗아 갔다는 것이었다. Gutenberg의 인쇄기 이전에는 성경이 라틴어로 쓰여 있었기 때문에 대부분의 사람들이 그것을 읽을 수 없었다.

1.

해석 이 글의 주제는 무엇인가?
(A) 인쇄된 성경의 다양한 언어
(B) 중세 시대의 책들
(C) Gutenberg의 인쇄기
(D) 교회와 사람들 사이의 차이

해설 첫 단락 에서는 중세에 책이 귀했다가 Gutenberg인쇄기의 소개로 책의 출판이 성장했다는 내용을 말하고 있으며, 둘째 단락에서는 Gutenberg인쇄기로 인해 야기된 변화와, 그것으로 만든 최초의 책이 성경이었음을 말한다. 따라서 주제는 Gutenberg 인쇄기가 된다.
(A) 성경을 인쇄한 다양한 언어는 주제에서 벗어난다.
(B) 중세의 책들은 주제가 되기에 넘친다.
(D) 교회와 사람들 사이의 차이는 주제에서 벗어난다.

2.

해석 이 글에 있는 단어 **which**를 보고, 볼드체로 쓰여진 본문에서 **which**가 언급하는 단어에 밑줄을 그으시오.

해설 관계대명사 which의 선행사를 찾는 많이 쉽게 느껴지는 쉬운 문제이나 토플에 간간히 출제된다.

3.

해석 이 글에서 단어 **this**가 가리키는 것은 –이다.
(A) 책들을 베낄 종이의 부족
(B) 책들의 충분한 공급
(C) 능숙한 사본필경가들의 부족
(D) 책들의 부족

해설 앞에서 일어난 사건들이 답이 된다. 앞에서 책의 제작방식에 따른 책의 부족에 관한 이야기가 나온다.

4.

해석 이 글에서 단어 **Another**을 보고, 볼드체로 쓰여진 본문에서 **'Another'** 이 가리키는 단어나 구에 밑줄을 그으시오.

해설 one, another의 구조에서 찾으면 one major change~ another~ 임을 알 수 있다.

5.

해석 이 글에서 단어 **it**은 –을 가리키다.
(A) Gutenberg의 인쇄기 (B) 라틴어
(C) 성경 (D) 사람들

해설 it이 받을 수 있는 명사들이 해당 문장에서 몇 개 후보가 되나, 해석을 해보면 성경이 가장 적당하다는 것을 알 수 있다.

3rd Week | 5th Day
Daily Check-up

p.158

01(C) **02**(C) **03**(A) **04**(B)

01

해석 미노아 문명은 오늘날의 지중해 Crete 지역에 있던 고대 문명이다. 유명한 그리스 시인인 Homer에 따르면, Crete에는 90개의 마을이 있었고, 그 마을들 중 Knossos가 가장 중요한 마을이었다. 가장 주목할 만한 사실은, 미노아의 어느 도시도 다른 고대 문명도시와 달리 도시벽 즉, 방어벽을 가지고 있지 않았다는 것이다.
▶ 이 글에서 다른 고대 문명의 도시들은 –라고 추론할 수 있다.

(A) 또한 지중해 연안에 위치해 있었다.
(B) Homer에 의해 언급되지 않았다.
(C) 도시벽이나 방어벽을 가지고 있었다.

해설 대조의 의미를 가진 unlike가 추론의 열쇠가 된다. 다른 고대 문명과는 달리 방어벽을 가지고 있지 않다고 하였으므로, 다른 고대 문명들은 방어벽을 가졌다고 추론할 수 있다. (A)와 (B) 모두 미노아 문명의 설명이고 다른 도시들에 대해선 알 수 없다.

02

해석 아기들은 생후 4개월에서 6개월 사이에 꼴깍대는 소리를 내거나 '음성 놀이'를 한다. 옹알이 역시 이 연령 범위 사이에 일어나고, 아기들은 때때로 마치 그들이 말하고 있는 것처럼 소리를 낼 것이다. 이러한 말과 같은 옹알이는 양순음 소리인 'p', 'b', 'm'을 포함한다. 이 시기 이후 그들은 대개 'r', 'v', 'th'와 같은 소리를 배운다. 그러나 심지어 4살이나 5살짜리 아이들도 여전히 이러한 소리를 내는 데 어려움을 겪는다.
▶ 이 글은 'r', 'v', 'th' 소리가 – 한다고 함축하고 있다.
(A) 아이들이 뭔가를 원한다는 것을 표시한다
(B) 하나의 입술로만 발음이 된다.
(C) 양순음 소리보다 더 발음하기 어렵다.

해설 양순음 발음을 배운 뒤 'r'과 'v' 그리고 'th' 발음을 배운다고 하였고, 4~5살 된 아이들도 심지어 이 발음하는데 어려움을 겪는다고 하였으므로, 'r'과 'v' 그리고 'th' 발음이 양순음보다 발음하기 어렵다는 것을 알 수 있다. (A)와 (B)는 글의 내용만으로는 유추할 수 없다.

03

해석 처음에 노르만 사람들은 영어를 자신들의 언어인 프랑스어로 대체했다. 그것은 공식적인 언어가 되었지만 노르만 사람들과 앵글로 색슨 사람들 사이의 차이때문에 일상 언어가 되는 데 결코 성공하지 못했다. 그래서 그 사회가 번영을 누린 후, 영어가 확산되었고, 1362년에 영어가 마침내 공식적인 언어로 선포되었다.
▶ 이 글에서 –를 추론할 수 있다.
(A) 앵글로 색슨족은 영어를 사용했다.
(B) 프랑스어는 힘든 과정을 거쳐서 공식적인 언어가 되었다.
(C) 영어와 프랑스어는 이 기간 동안 유일하게 사용된 언어였다.

해설 노르만 족이 (영국에 온 후) 영어를 자신의 언어인 프랑스어로 대체하고 공식어로 채택하였지만, 노르만인과 앵글로 색슨족들 사이의 (언어, 문화적) 차이로 일상 언어가 되지는 못했다. 여기서 언어의 차이는 영어와 불어인데, 영어라고 쓰지 않고 앵글로 색슨족들이라고 썼으므로 앵글로 색슨족이 영어를 사용하였음을 추론할 수 있다. (B)와 (C)는 글의 내용만으로는 유추할 수 없다.

04

해석 다른 별과 같이, 태양은 매우 뜨거운 기체로 이루어져 있다. 때때로 이러한 뜨거운 기체 중 일부는 약간 식는다. 차가워진 기체는 태양에 있는 어두운 반점처럼 보이고 '태양 흑점'이라 불린다. 그러나 그것들이 실제로 차가운 것은 아니다. 심지어 가장 차가운 흑점 조차도 지구상에서 가장 뜨거운 불보다 더 뜨겁다. 한편, 흑점은 크기와 모양이 변한다. 그것들은 30일정도 지속되는데 어떤 것은 훨씬 오래 혹은 짧게 지속된다. 대개 작은 흑점은 단 몇일 동안만 지속되고 큰 것들은 오랫 동안 지속된다.
▶ 이 글에서 –를 추론할 수 있다.
(A) 태양 흑점은 연중 내내 볼 수 있다.
(B) 태양 흑점의 지속 기간은 그것들의 크기와 관련이 있다.
(C) 지구상에서 가장 뜨거운 불은 일부 태양 흑점보다 더 뜨거울 수 있다.

해설 작은 흑점은 짧은 기간 동안 나타나고, 큰 흑점은 보다 긴 기간 동안 나타난다는 사실에 미루어, 흑점의 지속 기간은 그것의 크기와 관련 있다는 것을 추론할 수 있다. (A)와 (C)는 At times나 Even the coolest sunspots are hotter than the hottest fire on Earth와 같은 내용에서 사실이 아님을 알 수 있다. (C)에서 지구상에서 가장 뜨거운 불도 태양 흑점보다는 온도가 낮다고 하면 올바른 추론이 된다.

p.160

05 (A)O (B)X (C)X 06 (A)X (B)O (C)X (D)X
07 (A)O (B)O (C)X (D)X

05

해석 치료의 강력한 부분인 플라시보 효과는 모든 치료의 성공에 기여한다. 수 많은 요소들이 결합되어 플라시보 효과를 내며, 그것은 설탕알의 처방보다 훨씬 많은 일을 해낸다. 많은 치료의 이점은 플라시보 효과에서 비롯된다. 특히 대체 치료 유형-의학적 가치가 여전히 입증되어야 하는 약-은 플라시보 효과에 그 기원을 두고 있다.

▶ 이 글에서, 플라시보 효과에 관해 다음 중 어느 것을 추론할 수 있는가?

(A) 플라시보에는 실제적인 약이 없다.

(B) 플라시보는 많은 약 성분들로 이루어져 있다.

(C) 대부분의 대체 치료 유형들은 플라시보 효과를 이용한다.

해설 (A) 플라시보는 설탕알(알사탕) 이상의 효과를 낸다고 했으므로 플라시보가 설탕임을 알 수 있다.

(B) (A)의 해석의 맥락에서 플라시보 효과는 많은 일을 해내지만 원래는 설탕알(알사탕)이었다.

(C) 대체치료 유형이 플라시보에서 그 기원을 둔다고 했으나 대부분의 치료가 플라시보를 이용한다고는 볼 수 없다. Most라는 단어는 많은 경우, 문장을 과장되게 진술할 우려가 있다.

06

해석 최초의 로봇 예술가인 Aaron은 영국 추상 화가인 Harold Cohen 박사의 발명품이었다. 23년간의 연구와 15만 달러를 투자한 결과 Cohen 박사는 이처럼 컴퓨터에 의해 작동되는 독특한 로봇 개발에서 인공 지능 분야를 개척했다. Aaron은 매일 밤 그것의 메모리 속에 여러 개의 이미지를 만들어 낸다. 그리고 나서 Cohen 교수가 하나를 고르고, 다음날 대여섯 시간동안 Aaron은 선을 그리고, 색을 혼합하고, 회화의 붓놀림을 수행한다. 일단 Aaron이 그림 그리기를 시작하면, Cohen박사는 그것이 나타날 때까지 변경을 할 수 없다. 최근 Aaron의 독창적인 그림들이 보스턴의 컴퓨터 박물관에서 전시되고 있다.

▶ 이 글에서, 컴퓨터에 의해 작동되는 로봇에 관해 다음 중 어느 것을 추론할 수 있는가?

(A) Aaron은 그림에 재능이 있는 Harold Cohen 교수의 영리한 아들이다.

(B) Aaron은 그림을 그릴 때 모든 결정을 한다.

(C) Aaron의 그림은 박물관에서 흥미를 자아냈다.

(D) Aaron은 Harold에게 추상화를 만드는 방법을 가르쳤다.

해설 (A) Aaron이 Harold Cohen의 brainchild라는 것에서 함정에 빠지기 쉽다. Brainchild라는 것은 독창적인 창작물이고, 첫 문장에서 Aaron이 로봇임을 말해주고 있다.

(B) Aaron이 그림을 그리기 시작하면 Conhen박사가 변경할 수 없다고 했으므로 Aaron이 모든 결정을 한다는 것이 추론된다.

(C) 전시된 것은 사실이지만 흥미를 이끌어 낸 것은 알 수 없다.

(D) Aaron이 그림 그리는 로봇이지만 Harold에게 추상화를 가르쳐 주었다는 것은 어디에서도 추론할 수 없다.

07

해석 관찰 연구에서, 연구원은 사람들이 관찰되는 동안, 어떤 식으로든 방해하지 않고 조직적으로 행동을 관찰하고 기록한다. 사례 연구와 다르게 관찰 연구는 대개 많은 다른 주제를 포함한다. 관찰연구는 종종 연구의 프로그램에서 첫 번째 단계이다. 자연주의적 관찰의 주된 목적은 행동이 자연스러운 환경에서 일어날 때 그것을 기술하는 것이다. Jane Goodall과 고 Dian Fossey와 같은 동물 행동학자들은 야생 상태에 있는 유인원과 다른 동물들을 연구하기 위해 이 방법을 사용했다. 심리학자들은 사람들이 우연히 집, 운동장, 교실, 사무실 어디에 있던 간에 자연주의적 관찰을 이용한다.

▶ 이 글에서, 관찰 연구와 사례 연구에 관해 다음 중 어느 것을 추론할 수 있는가?

(A) 사례 연구는 대개 한 가지 주제를 다룬다

(B) Ethnologist는 자연 환경 하에서 동물을 관찰하는 과학자들이다.

(C) 대부분의 연구들은 관찰 방법을 사용한다.

(D) 관찰 연구는 사례 연구보다 더 효과적이다.

해설 (A) 사례연구가 한가지를 다룬다고 직접 말하지 않았으나 unlike를 통한 구문에서 추론해낼 수 있다.

(B) Ethnologist뒤의 such as에 대한 설명을 통해 그들이 무엇을 하는 사람들인지 추론해낼 수 있다.

(C) 연구의 첫 단계라고 하는 것을 대부분의 연구에서 사용했다고 하는 것은 잘못된 추론이다.

(D) 둘의 비교내용을 담고 있으나 어떤 것이 우세하다는 판단을 내리는 것은 잘못된 추론이다.

Daily Test

p.162

01 1.(D) 2.(B) 3.(A) 4.(C)

해석 California주의 San Francisco에 반대하는 사람들은 실용적이지 못하고 비싸다고 반대하는 현수교(Golden Gate Bridge: 금문교)가 필요한지에 관한 수년 간의 논쟁 이후, 새로운 다리를 지을 지에 관한 투표가 San Francisco 사람들에게 남겨졌다. 1930년 11월 4일에 대중들은 그 계획을 계속 진행하는데 찬성표를 던졌고, 1933년 1월 5일에 건설이 시작되었다. 공중에 746 피트까지 솟아있고 거리가 떨어져 있는 독특한 타워와 함께, 다리의 주요 경간은 놀랍게도 4200 피트에 달했다.

수석 엔지니어인 Joseph B. Strauss가 제출한 원래의 설계 계획안은 금문 해협을 가로지르는 혼합형 외팔보와 현수 구조물을 필요로 했다. 이 계획은 일반적으로 그다지 좋지 않다고 여겨졌고, 일부 사람들은 그 설계가 세계에서 가장 긴 경간을 갖게 될 다리에 맞는 것인지 의구심을 가졌다. Strauss가 그의 첫 번째 설계를 제출한 뒤, 자문 엔지니어인 Leon S. Moisseiff는 긴 경간의 현수교가 시간당 60마일의 바람에도 불구하고 그 수문을 가로지를 수 있을 것이라는 이론을 세웠다. 이러한 길이의 현수 구조물은 이전에 한 번도 시도된 적이 없었다. 마침내 1938년 5월 28일 낮 12시에 Franlkin D. Roosevelt 대통령이 백악관에서 신호 키를 누르고 전세계에 그 행사를 발표하였을 때, 금문교가 개통되었다. 금문교는 일정보다 일찍, 예상보다 적은 예산으로 개통되었다.

1.

해석 이 글의 주제는 무엇인가?
(A) 금문교에 대한 Strauss의 첫번째 설계
(B) 유명한 미국의 역사적 건조물
(C) 건축에 관한 논쟁
(D) 금문교의 건설

해설 1째 단락은 금문교를 건축하기로 결정을 내리기까지의 과정을, 2째 단락은 금문교의 건축과정과 완성 후 까지를 그려내고 있다. 따라서 위 글의 주제는 금문교의 건축이다.
(A) Strauss의 금문교 처음 디자인은 내용의 일부이므로, 주제로서 모자란다.
(B) 금문교라는 특정 주제를 다루기에는 넘친다.
(C) 건축과정의 논쟁은 내용의 일부이므로, 주제로서 모자란다.

2.

해석 다음 중 금문교를 짓기 위한 결정에 관해 추론할 수 있는 것은 어느 것인가?
(A) 대중들이 투표하여 만장일치로 다리를 짓기로 결정했다.
(B) 그 결정은 논쟁의 여지가 있었다.
(C) 대다수가 다리의 건설에 반대했다.
(D) 입안자들은 세계에서 가장 큰 다리를 짓기 원했다.

해설 after years of arguing이라고 했으므로 논쟁의 여지가 많았음을 추론해 볼 수 있다.
(A) 만장일치로 결정했다는 것은 알 수 없다.
(C) 대부분의 사람들이 반대했다는 것은 사실과 다르다.
(D) 정책기획자들은 세상에서 가장 큰 다리를 건설하기를 원했는지는 알 수 없다.

3.

해석 이 글은 자문 엔지니어인 Leon S. Moisseiff는 –에 관해 고려했다는 것을 함축하고 있다.
(A) 강풍
(B) 공사 기간
(C) Roosevelt 대통령의 다리에 대한 불찬성
(D) 수문이 너무 작은 것

해설 a long span suspension bridge could cross the gate, in spite of the strong winds 부분에서 강한 바람에도 견딜 수 있는 다리를 만들려고 했다는 사실로 미루어, 그가 강한 바람에 대하여 어느 정도 걱정을 하였음을 유추할 수 있다.

4.

해석 이 글에서 금문교만큼 긴 현수 구조물이 –라는 것을 추론할 수 있다.
(A) 예산을 초과할 것이다.
(B) 강풍 때문에 붕괴될 수 있었다.
(C) 최초의 시도였다.
(D) 원래 자문 엔지니어인 Leon S. Moisseiff에 의해 설계되었다.
해설 A suspension structure of this length had never been

tried before에서 이러한 길이의 다리가 예전에는 없었고, 따라서 세계 최초임을 유추할 수 있다.
(A) 두 번째 단락 맨 마지막 문장에서 예산을 넘지 않았다는 사실을 알 수 있다.
(B) 바람을 견딜 수 있을 만한 다리를 만들었다는 내용이 본문에 있으므로 사실과 다르다.
(D) 첫 번째 디자인한 사람은 Joseph B. Strauss이다.

p.164

02 1.(B) 2.(C) 3.(C) 4.(D)

해석 벌통에는 항상 한 마리의 여왕벌이 있다. 여왕은 크기가 일벌의 반이고, 일하지 않는 수컷 벌인 수벌보다는 길다. 여왕벌의 날개는 몸체보다 훨씬 짧아서 전체 복부를 다 덮을 수 없다. 그것의 길고 끝이 뾰족해진 복부는 여왕벌이 말벌과 비슷하게 보이게 만든다. 여왕벌은 빛나는 몸체에 반짝이는 금빛 털을 갖고 있다. 여왕벌은 침을 갖고 있지만 공격적인 일벌들과 달리 벌통의 침입자들과 싸우기 위해 그것을 사용하지는 않는다. 침은 단지 경쟁자인 여왕벌들과 싸우는 데만 사용된다. 여왕벌은 화분, 꿀, 또는 물을 모으기 위해 나가지 않기 때문에 꿀을 모으기 위한 꽃가루 바구니와 같은 채집 기관이나 벌집 조직을 만들기 위해 밀랍을 분비하는 밀랍 분비 기관을 갖고 있지 않다. 결국 여왕으로서 그것은 대개 스스로 먹이를 공급하지도 못한다.

교미하지 않은 어린 여왕벌은 교미할 준비가 되었을 때 그들이 만들어내는 냄새 뿐만 아니라 자신의 페로몬을 갖고 있다. 여왕벌은 또한 '여왕벌 물질'이라고 알려져 있는 이 페로몬에 의해 집단의 행동에 대한 통제를 유지한다. 이것은 수벌에 대한 교미 유인물질로 기능하고 일벌의 생식 체계를 억제하도록 작용한다. 이것은 여왕벌이 벌통에서 유일하게 생식 능력을 가진 암컷이 되도록 보장해 준다. 여왕벌 물질은 또한 여왕벌이 벌떼와 함께 벌통을 떠날 때 벌떼가 같이 모여있도록 해준다.

1.

해석 이 글의 주제는 무엇인가?
(A) 벌통의 방어 수단
(B) 여왕벌과 페로몬
(C) 벌떼의 계층 체계
(D) 배우자를 유인하는 데 사용되는 여왕벌 물질

해설 첫번째 단락에서 여왕벌의 신체적인 특징을 설명하고 두 번째 단락에서 여왕벌의 페로몬을 설명하고 있으므로 여왕벌과 그(녀)의 페로몬이 주제가 된다.

2.

해석 이 글에서 가장 큰 벌은 –라는 것을 추론할 수 있다.
(A) 여왕벌 (B) 어린 여왕벌
(C) 일벌 (D) 수벌

해설 두 번째 문장에서 서로의 크기를 비교해 볼 수 있다.

3.

해석 이 글에서 다음 중 어느 것을 '일벌'에 대해 추론할 수 있는가?
(A) 그들은 화분과 꿀의 효율적인 채집자이다.
(B) 그들의 침은 여왕벌 보다 더 강력하다
(C) 그들은 침입자에 대항해 방어한다.
(D) 그들의 몸은 수펄보다 더 길다.

해설 공격적인 일벌이 침입자에 대항해서 방어한다고 직접적으로 나와있지 않으나 unlike the aggressive workers에 의해서 알 수 있다.

4.

해석 필자는 –라는 것을 암시하고 있다.
(A) 벌침은 위험과 짝짓기에 대한 욕망을 나타내는 것이다.
(B) 벌은 주로 벌통을 방어하기 위해 후각을 사용한다.
(C) 교미하지 않은 어린 여왕벌은 짝짓기 하는 데 있어 더 나이 든 여왕벌보다 더 뛰어나다.
(D) 모든 일벌은 암컷 벌이다.

해설 첫 번째 단락의 두 번째 문장과 두 번째 단락의 세 번째 문장에서 추론할 수 있다.

4th Week | 1st Day
Progressive Test 1

p.168

01 1.(B) 2.(D) 3.(C) 4.(B)

해석 오래 전에, 미국에서는 여성들이 직접 옷을 만드는 것이 일반적이었다. 이따금 일부 남성들이 바느질과 수선의 기초를 배우기도 했다. 그러나 여성들이 대개 옷을 만드는 책임을 갖고 있었다. 기성복이 지나치게 비쌌기 때문에 일반 여성들은 가정에서 옷을 만들 수 밖에 없었다. 그러나 이러한 일에는 너무 시간이 많이 소모되어, 때때로 한 번에 한 벌의 옷 밖에 이용할 수 없었다. 단지 헌 옷이 닳았을 때만 새 옷이 만들어졌다. 그래서 여성은 일생에서 어떤 특정한 날에든 단지 한 벌의 옷밖에 가질 수 없었다. 초상화에 나와있는 고급스러운 옷들과 달리, 여성들은 대개 집에서 헐렁한 옷을 입었다. 이러한 옷은 걸레나 퀼트로 조각 조각 재활용 되었기 때문에 물려 입을 수 없었다.

1.

해석 이 글에서 단어 **rudiments**는 의미상 –와 가장 가깝다.

(A) 공예 (B) 기초
(C) 취미 (D) 직업

해설 rudimentary는 2번 이상 출제되었을 정도로 중요한 단어이다. rudimentary의 동의어는 undeveloped, basic, elementary 등이 있다. 문제로 나온 rudiments는 rudimentary의 명사형 중 복수형이다. 따라서 선택지의 basics가 답이 된다.

2.

해석 이 글에 따르면, 왜 여성들은 여러 벌의 옷을 소유할 수 없었는가?

(A) 직물이 지나치게 비쌌다.
(B) 그들은 너무 바빠서 옷을 만들 수가 없었다.
(C) 돈은 흔히 한 벌의 고급스러운 옷을 사는 데 지출되었다.
(D) 옷을 만드는 데 걸리는 시간이 너무 길었다.

해설 질문의 couldn't own multiple dresses가 본문의 어디에서 재진술(Restate)되었는지 확인하면, just one dress was in use at a time을 찾을 수 있다. 그 앞 부분을 보면 그 이유가 옷을 만드는데 많은 시간이 걸렸기(time-consuming) 때문이라는 것을 알 수 있다.

3.

해석 이 글에서 단어 **given**은 의미상 –와 가장 가깝다.

(A) 우울한 (B) 비참한
(C) 특정한 (D) 단조로운

해설 단어의 의미를 알아야 풀 수 있는 문제이다. 토플 빈출 단어로 particular, specified와 동의어이므로 함께 암기해 둔다.

4.

해석 이 글에 따르면, 왜 사람들은 어린 사람들에게 옷을 물려주지 못했는가?

(A) 아이들은 가게에서 구입한 새 옷을 선호했다.
(B) 헌 옷의 조각들은 다른 방식으로 재사용되었다.
(C) 헌 옷은 여성들에게 옷을 만드는 방법을 가르치는 데 사용되었다.
(D) 헌 옷은 쓰레기로 버려졌다.

해설 질문의 couldn't people pass down clothes가 본문의 어디에서 재진술(Restate)되었는지 확인하면, These clothes could not be handed down을 찾을 수 있다. 그 이후의 문장을 보면 헌 옷이 퀼트나 걸레로 이용되었기 때문임을 알 수 있다.

p.170

02 1.(C) 2.promised 3.In spite of~enlisted. 4.(D) 5.(D)

해석 미국 식민지 지도자들은 독립 투쟁에 대한 지원을 구하는 것이 어렵다는 것을 알았다. 하나의 주된 문제는 농부들이나 중산층이 수확기 동안 군대에 지원하기를 원하지 않았다는 것이었다. 그 결과, 1770년대 말에 정부는 참전하는 군인들에게 토지를 나누어 주겠다는 약속을 하였다. 정부의 약속에도 불구하고, 극소수의 사람들만 입대했다. 경제력이 없던 노예들만이 그러한 보상에 관심이 있었기 때문에, 그들이 농부나 다른 중산층 시민들 대신 복무하였다.

또 다른 문제는 지도자들이 대중의 완전한 지지를 얻지 못했다는 것이었다. 식민지 이주자들의 20퍼센트는 여전히 영국에 충성스러웠고, 50퍼센트의 사람들은 전쟁에 대해 중립적이었다. 전쟁이 지속되면서 대중적 지지는 더욱 약화되었다. 그러나 프랑스의 도움으로 영국에 대해 대승리를 거둔 후, 영국에 대한 지지는 급격히 사라졌다. 결과적으로 영국의 군사력에도 불구하고, 미국 식민지 이주자들은 1781년에 그들의 독립을 쟁취하였다.

1.

해석 이 글은 주로 무엇에 관해 논의하고 있는가?
(A) 독립 투쟁을 위해 입대한 군인들
(B) 영국에 충성스러운 식민지 이주자들
(B) 미국 독립 전쟁에 대한 지지의 부족
(D) 독립 전쟁에서의 성공적인 전투

해설 첫 번째 단락의 첫 번째 문장인 전체 지문의 주제문(Topic Sentence)에서 미국 독립 전쟁에서 원조(지지)의 부족 문제에 관하여 이야기 하고 있다. 첫째 단락의 주제문(Topic Sentence)은 첫째 단락의 두 번째 문장으로 그 중 지지 부족의 한가지 이유를 다루고 있고, 둘째 단락의 주제문(Topic Sentence)은 두 번째 단락의 첫째 문장으로 또 다른 이유를 다루고 있다. 따라서, 주제는 미국 독립 전쟁에서 원조(지지)의 부족 문제이다.
(A) 독립 투쟁을 위해 입대한 군인들은 첫째 단락 내용의 일부이므로 주제가 되기에 모자란다.
(B) 영국에 충성스러운 식민지 이주자들은 두째 단락에 잠깐 언급된 것으로 주제가 되기에 모자란다.
(D) 독립 전쟁의 성공적 전투들은 주제에서 벗어난다.

2.

해석 첫 번째 단락에서 단어 **pledged**를 보고, 굵은 글씨로 쓰인 본문에서 같은 의미를 가진 단어를 클릭하시오

해설 정부가 문제의 해결책으로 땅을 나누어 주겠다는 약속(pledge)을 했다는 문장이 나온 뒤, 'In spite of what the government promised' 라고 나온다. 문맥상 promise와 pledge의 의미와 유사할 것이라는 것을 유추할 수 있다.

3.

해석 첫 번째 단락에서 정부의 참전을 위한 노력이 얼마나 효과적이었는지에 관해 언급하고 있는 문장을 클릭하시오.

해설 문제에 나온 the government's efforts가 지문의 어디에서 재진술(Restate)되었는지 찾아보면, what the government promised를 찾을 수 있다. 해당 표현이 있는 문장을 읽어 보면 질문에 답이 되는 것을 확인할 수 있다.

4.

해석 두 번째 단락에서 단어 **concern**과 의미상 가장 가까운 단어는 –이다.

(A) 소식　　(B) 격려
(B) 인식　　(D) 문제

해설 another concern에서 another은 앞의 one이라는 표현과 짝을 이룬다. 이렇게 짝을 이루는 표현을 찾아보면, one major problem이 있다. 따라서 problem의 의미로서 concern의 의미를 유추할 수 있으며 여기서는 어떠한 문제(난제)라는 의미로 쓰인다.

5.

해석 이 글로부터 미국인의 나머지 30%에 대해 –라고 추론할 수 있다.
(A) 노예가 전쟁에서 싸우기를 원했다.
(B) 전쟁에 찬성하지 않았다.
(B) 영국에 여전히 충성스러웠다.
(D) 전쟁의 지지자들이었다.

해설 percent가 언급된 부분을 지문에서 찾아본다. 해당 부분을 에서 미국인의 20%는 영국을 지지했고, 50%는 전쟁에 중립적이었다고 했다. 따라서 나머지 30%가 전쟁을 지지했음을 알 수 있다. (이 부분에서 전쟁에 대한 지지율이 30%밖에 미치지 않는 것이 또 하나의 문제였음이 드러난다.)

p.172

03 1.(C) 2. employees 3.(B) 4.(D)

해석 산업 혁명 후 유럽과 마찬가지로, 미국에서도 근로 관계에 변화가 나타났다. 산업 혁명 이전에는, 사람들이 일반적으로 밀접하게 조직된 공동체를 형성하면서 고용주의 근처에 살았다. 이러한 긴밀한 관계 때문에 고용주들은 심지어 그들의 집을 피고용자들과 함께 쓰기도 했다. 그 결과 피고용인들 역시 새로운 직업 기술을 배울 기회를 갖게 되었다. 이러한 상황은 공장시스템의 소개와 함께 변했다.

공장시스템은 산업 혁명에 있어 중요한 부분이었다. 그러나 그것이 고용주와 고용인들간에 마찰을 빚기 시작했다. 공장이 고용인들보다 점점 중요해졌다. 공장에서 일하는 노동자들은 오랫동안 고되게 일을 했다. 종종 노동자들은 그들의 회사와 낮은 봉급, 긴 작업시간, 불안전한 환경으로 심하게 다투게 되었다. 게다가 공장에서 노동자들은 단순한 일들만 반복해서 해야 했다. 개개인의 노동자들은 단순히 상품 마무리공정의 작은 부분을 담당했고, 일은 매우 지루했다. 노동자들이 자신의 일에 자부심이 없어지는 것이 가장 큰 문제이기도 했다. 때때로 그들은 사실상 그들 자신을 기계처럼 느꼈다.

1.

해석 이 글의 주제는 무엇인가?
(A) 미국 노동자 수의 증가
(B) 산업 혁명이 어떻게 시작되었는가
(C) 미국 근로 환경의 변화
(D) 산업 혁명기의 가혹한 근로 조건

해설 첫 번째 단락의 첫 번째 문장인 주제문(Topic Sentence)은 산업 혁명 후 미국의 근로 관계의 변화를 말하고 있으며 전체 지문에서 이에 관한 사실을 다루고 있다.
(A) 미국 노동자 수의 증가는 언급된 바가 없으므로 주제에서 벗어난다.
(B) 산업 혁명은 근로 환경 변화의 기점이기는 하지만 그 시작은 주제에서 벗어난다.
(D) 산업 혁명기의 가혹한 근로 조건은 두 번째 단락의 내용이므로 주제가 되기에 모자란다.

2.

해석 첫 번째 단락의 단어 **them**을 보고, 굵은 글씨로 쓰여진 본문에서 **them**이 가리키는 단어를 클릭하시오.

해설 수 일치를 고려하여 후보가 될 수 있는 것은 employees, employers, homes등이다. employer가 답이라면 themselves가 되야 하므로 답이 되지 않고, homes역시 의미상 답이 될 수 없다. 해석해보면 의미상 고용자가 피고용자와 친밀한 관계를 가졌다는 내용이 되어야 하므로 답은 employees이다.

3.

해석 이 글에 따르면, 다음 중 산업 혁명 이후의 피고용인들에 관해 맞는 것은 어느 것인가?
(A) 그들은 자신들의 근로 조건에 만족하게 되었다.
(B) 그들은 점차적으로 작업장에 대해 비판적이 되었다.
(C) 그들은 그들 일터에서 승진에 더 많은 기회를 얻었다.
(D) 그들은 시골 지역으로 옮겨가기 시작했다.

해설 두 번째 단락의 전반적인 내용과 선택지를 따져나가면 (B)의 내용을 답으로 확인할 수 있다.
(A) 고용주와 자주 마찰을 빚었다고 하므로 사실과 다르다.
(C) 승진의 기회에 대해서는 본문에서 전혀 언급되지 않고 있다.
(D) 본문에서 전혀 언급되지 않은 내용이다.

4.

해석 이 글에 따르면, ─을 제외하고 다음의 모든 것이 공장 노동자들의 불평이었다.
(A) 부족한 봉급 (B) 건강상 위험
(C) 긴 근로시간 (D) 새로운 직업기술

해설 complaints of factory가 지문의 어떤 부분에서 언급되었는지 확인하면 Often they fought bitterly with their companies over low pay, long working hours, and unsafe conditions를 찾을 수 있다. 선택지와 따져나가면 (D)는 언급되지 않았다.

p.174

04 1.(D) 2.(D) 3.abundant 4.4th■

해석 영국에서 원료가 부족해지자, 많은 영국인들은 그들의 유리 사업을 신세계에서 지속해 나갔다. 그들은 원료가 풍부한 New Jersey주로 이주했다. 특히 남부 New Jersey에는 유리를 만드는 데 필요한 고운 흰 모래인 규토가 있었다. 게다가, 석회암의 공급도 충분해서 그것이 유리의 질을 향상시키기 위해 첨가되었다. 그러나 초기에는 기술 부족과 열악한 경제적 조건으로 인해 미국에서 유리 공업이 발달하지 못했다.

몇몇 유리 공장이 식민지에서 운영되기는 했지만, 독일 태생의 제조업자 Caspar Wistar이 1739년 New Jersey주 Salem 카운티에 성공적인 최초의 유리 공장을 세웠다. 특색 있는 테이블, 유리 제품과 함께 생산이 시작되었다. 1760년 까지, Wistar Glass Works라고 알려진 이 공장은 플라스크, 유리병, 양념 병을 생산하고 있었다. Wistar의 회사는 오늘날 South Jersey 타입으로 알려져 있는 미국 유리의 요람으로서 중요성을 갖는다. 그 유리는 고유의 디자인을 가진 물건을 만들기 위해 정제된 유리를 사용하는 개개 유리세공 기술자들의 작품이다. **그들의 창의성이 Wistar에게 섬세한 유리 디자인에 대한 성공을 가져다 주었다.** Wistar는 또한 응용 유리와 패턴 주조에서도 성공적이었다.

1.

해석 이 글은 주로 –에 관한 것이다

(A) 성공적인 식민지 유리 제작 회사

(B) 신세계에서 원료의 이용 가능성

(C) 식민지와 유럽 간의 무역

(D) 미국 유리 산업의 역사

해설 첫 번째 단락에서는 신세계인 미국으로 건너간 유리 산업에 관한 이야기를, 두 번째 단락에서는 한 사업가에 의해 성공적인 유리공장이 세워져 유리 산업이 발전한 이야기를 하고 있다. 따라서 주제는 미국 유리 산업의 역사이다.

(A) 두 번째 단락만의 내용이므로 전체 주제가 되기에 모자란다.

(B) 첫 번째 단락만의 내용이므로 전체 주제가 되기에 모자란다.

(C) 글에서 언급되지 않은 내용이므로 주제에서 벗어난다.

2.

해석 이 글에 따르면, 왜 영국에서 유리 사업자들이 미국으로 이주하였는가?

(A) 경제적 자유를 추구하기 위해

(B) 더 나은 근로 조건을 찾기 위해

(C) 유리 제조 기술을 향상시키기 위해

(D) 유리 재료를 얻기 위해

해설 문제에 나온 glass workers in England move to the U.S.가 지문의 어느 부분에서 재진술(Restate)되었는지 확인하면 첫 번째 단락의 첫 두 문장에서 찾을 수 있다. 여기서 (D) 유리 재료를 얻기 위해 이주했을 것이라는 것을 확인할 수 있다.

3.

해석 첫 번째 단락에서 단어 **ample**을 보고, 굵은 글씨로 쓰여진 본문에서 같은 의미를 가진 단어를 클릭하시오.

해설 in addition은 앞의 문장을 부연 설명할 때 쓰인다. 따라서 앞의 문장에서 silica가 있다/가진다(had)라고 했으므로, ample은 존재를 나타내거나 있는 것보다 많은(긍정적인) 의미를 가지게 될 것이라고 유추된다. (이 단어는 토플 빈출 단어로 동의어로는 abundant, large, spacious 등이 있다. 암기해 두는 것이 좋다.)

4.

해석 다음 문장은 두 번째 단락에 삽입될 수 있다.

그들의 창의성이 Wistar에게 섬세한 유리 디자인에 대한 성공을 가져 다 주었다.

글의 어디에 오면 가장 적당한가?

삽입하려고 하는 곳에 있는 네모박스(■)를 클릭해라.

해설 삽입될 문장의 Their creativity에서 대명사 Their가 가리키는 것이 지문의 glassblowers임을 확인하여 그 뒤에 위치시킨다. 이 때, creativity와 유의어인 their own design임을 단서로 확인한다. 최종적으로 해석하여 연결이 자연스러운지 확인하는 것을 잊지 않는다.

4th Week | 2nd Day
Progressive Test 2

p.176

01 1.(C) 2.(D) 3.(B) 4.(A)

해석 1800년대에 미국에서 산업 혁명이 시작되면서 거대한 물결의 비 숙련공들이 도시로 밀려들었다. 얼마 지나지 않아 공장 노동자들은 3:1의 비율로 농부들의 수를 앞지르게 되었다. 그러나 그들의 근로 시간은 길고 힘들었다. Pittsburgh 제철소에서 일하는 보통 노동자는 일년에 363일 일했고, 휴식이나 식사를 위해 어떤 시간도 허용되지 않았다. 많은 사람들이 계속되는 열악한 식단으로 인해 심각한 소화 장애를 겪었다. 제철소에서 긴 하루를 보낸 뒤, 공장 노동자들은 이 같은 전 과정을 다음날 다시 시작하기 전까지 단지 몇 시간 동안 먹고 잠 자기 위해 집으로 향했다. 근로 조건이 너무나 열악하여 단지 몇 년 만에 그들의 폐와 청각이 나빠졌다.

기술이 발달하고 자동화 기계가 인력을 대체하기 시작하면서, 마침내 근로 시간이 단축되었다. 그러나 기술의 증가가 근로 조건까지 향상시키지는 못했다. 오히려 임금이 하락하였고, 사람들은 낮은 기술을 요하는 또는 전혀 전문화된 훈련을 요하지 않는 자리로 밀려났다.

1.

해석 이 글은 주로 무엇에 관해 논하고 있는가?
(A) 산업 혁명기의 도시 이주
(B) 비 숙련 노동의 성장
(C) 초기 공장 노동자들의 열악한 근로 조건
(D) 철강 산업의 발전

해설 첫 번째 단락에서는 미국에서 초기 공장 노동자의 근로 조건이 열악하게 된 배경과 그 상황에 대해서 다루고 있고, 두 번째 단락에서는 기술의 발달로 인해 상황이 더욱 심각해진 것에 관해 이야기하고 있다. 따라서 이 글은 초기 공장 노동자의 근로조건의 열악함에 대해 다룬 글이다.
(A) 첫 번째 단락에만 언급되어 있으므로 주제가 되기에 모자란다.
(B) 비 숙련공의 성장은 언급되지 않으므로 주제에서 벗어난다.
(D) 제철소 공업의 발달은 주제에서 벗어난다.

2.

해석 이 글에 따르면, 미국 산업 혁명 초기에 –
(A) 직업을 구하기 어려웠다.
(B) 공장들은 숙련공을 선호했다.
(C) 농장이 공장들보다 더 이익을 얻었다.
(D) 많은 사람들이 직업을 찾으러 도시로 몰려갔다.

해설 첫 번째 단락 the start of the industrial revolution in America caused an enormous flood of unskilled workers to go to the cities에서 해당 내용을 찾을 수 있다.

3.

해석 다음은 –만 제외하고 모두 공장 노동자들이 겪은 건강문제로 언급되었다.
(A) 청력의 문제
(B) 시력의 문제
(C) 소화기 장애
(D) 호흡 장애

해설 (A)와 (D)는 their lungs and hearing deteriorated에서 확인할 수 있다.(C)는 digestive problems from a constantly poor diet에서 확인할 수 있다.

4.

해석 이 글에 따르면, 자동화 기계의 시작으로 –이 야기되었다.
(A) 낮은 임금과 직장에서의 지위 하락
(B) 향상된 작업 조건
(C) 많은 직업의 감소
(D) 추가적인 직업 훈련

해설 문제의 automated machine이 지문의 어디에서 재진술(Restate)되었는지 확인 한 후 주변의 문장을 잘 살펴보면, wages dropped and people were demoted to positions에서 (A)의 내용을 확인할 수 있다.
(B) 향상된 작업 조건은 본문에 나타난 사실과 다르다.
(C) 직업 감소에 대해서는 언급된 바가 없다.
(D) 오히려 직업훈련이 필요하지 않은 일을 하게 되었다고 언급했다.

p.178

02 1.(B) 2.(D) 3.(B) 4.(C)

해석 미국의 동부 해안은 주로 완만하게 비탈진 넓은 폭의 해변으로 이루어져 있다. 그러나 미 대륙의 서부 해안은 더 울퉁불퉁하고 대개 더 가파른 해안선을 이루고 있다. 더욱이, 서부 해안에서는 동부 해안보다 침식의 영향이 더 크게 느껴진다. 이것은 부분적으로 서부 지역의 사람들이 흔히 수력에 의존하고, 강에 있는 모래와 흙이 바다로 밀려가는 것을 막기 위해 댐을 건설하기 때문이다. 많은 곳에서, 이것이 실제로 해변을 축소시켰다.

서부 해안선이 침식되는 또 다른 이유는, 사람들이 그들의 집과 도로를 바위가 많은 경사지에 바로 짓기 때문이다. 이런 건축물들은 절벽의 표면을 약화시키고, 심지어 암석 미끄럼사태나 다른 지질 피해를 야기시킬 수 있다. 바다 폭풍이 약화된 절벽을 강타하면, 파도가 해안선에 손상을 입히고, 허리케인이 휩쓸면 모든 집들이 바다에 잠긴다. 그러나 이러한 파괴에 있어서 사람들의 역할은 널리 인식되지 못하고 있고, 단지 폭풍만이 그러한 피해에 대한 원인이라고 대개 여겨진다.

1.

해석 이 글은 주로 무엇에 관해 논의하고 있는가?
(A) 미국 동부 해안과 서부 해안의 비교
(B) 미국 서부 해안 지역의 침식의 원인들
(C) 폭풍에 의해 야기되는 피해
(D) 해변에 집을 짓는 것에 대한 경고

해설 첫 번째 단락에서는 미국의 동부 해안 지역과 달리 서부 해안 지역의 침식이 잦은 하나의 이유를, 두 번째 단락에서는 또 다른 이유를 제시하고 있다. 따라서 이 글은 미국 서부 해안 지역의 침식의 원인에 대해 다룬 글이라 할 수 있다.
(A) 동부 해안과 서부 해안의 비교는 글의 첫 부분에 잠깐 나오므로 주제가 되기에 모자란다.
(C) 폭풍에 의해 야기되는 피해는 두 번째 단락에서 잠깐 나오므로 주제가 되기에 모자란다.
(D) 해변에 집을 짓는 것에 대한 경고는 주제에서 벗어난다.

2.

해석 이 글에서 단어 **rugged**는 의미상 –와 가장 가깝다.
(A) 불안정한 (B) 위험한
(C) 펼쳐진 (D) 고르지 않은

해설 however와 and 단서를 통해 단어의 의미를 유추한다. 먼저 however앞의 문장에서 동부 해안이 완만하게 비탈졌다고 했으므로 서부해안은 완만하지 않음을 알 수 있다. 또한 and는 비슷한 의미의 나열이 되므로, rugged는 steeper와 유사한 뉘앙스를 가졌음을 유추 할 수 있다. (토플 기출 단어로 동의어에는 uneven, rough 등이 있다.)

3.

해석 이 글에 따르면 서부 해안에 건설된 댐은 다음 중 어느 것에 대한 책임이 있는가?
(A) 중요한 광물이 바다에 밀려갈 수 있도록 함
(B) 해변의 면적의 감소
(C) 매끄러운 모래사장의 생성
(D) 해수면의 상승

해설 문제의 dams가 지문의 어디에서 재진술(Restate)되었는지 확인 한 후 주변의 문장을 잘 살펴보면 (B)의 내용을 확인 할 수 있다.

4.

해석 이 글에 따르면, 해안 침식의 영향이 아닌 것은 다음 중 어느 것인가?
(A) 암석 미끄럼사태 (B) 손상된 해안선
(C) 허리케인 (D) 재산의 파괴

해설 모든 선택지를 지문과 따져나가면서 정답을 확인하면 (C)를 지문에서 확인할 수 없다.
(A)는 This weakens the cliff face and can even lead to rockslide에서 확인할 수 있다.
(B)는 the waves damage the coastlines에서 확인할 수 있다.
(D)는 entire homes have fallen into the sea에서 확인할 수 있다.

p.180

03 1.(B) 2.(C) 3.(A) 4.(B)

해석 미국에서 최초의 공식적인 학술 출판물은 Cambridge의 하버드 대학에 의해 만들어졌다. 그 이전에는 교과서에 표준이 없었고, 흔히 그다지 교육적이지도 않았다. 1780년에 Massachusetts주는 이러한 문제를 해결하기 시작했다. 하버드는 학교 출판 산업을 발전시키면서 대학으로 인정 받게 되었다. 당시에는 농업이 지배적이었고, 문맹률이 아주 높았기 때문에, 이러한 출판 산업이 발전하는 데는 오랜 시간이 걸렸다. 그러나 일단 이 산업이 발전하면서, 은행과 공장에서 글을 읽고 쓸 줄 아는 근로자들이 더 많이 필요해졌다.

출판 산업이 성장하면서, 교육에 대한 열망 역시 높아졌다. 그 결과, 세금으로 지원 받는 공교육에 대한 생각이 Massachusetts주에서 활기를 띠었다. 그러나 일부 지주들은 그들의 독점적인 특권을 잃게 되는 것을 두려워하여 그러한 세금에 반대했다. 그러한 저항에도 불구하고, Massachusetts주에서 발달한 공교육은 모든 미국 공교육의 뿌리가 되었다.

1.

해석 이 글의 주제는 무엇인가?

(A) 산업화가 일터를 어떻게 바꿔놓았는가
(B) 미국 역사 속의 공교육의 시작
(C) 미국 식자율의 개선 (미국 문맹률의 감소)
(D) 미국에서의 공교육에 대한 투쟁

해설 첫 번째 단락에서는 Massachusetts에서는 공교육의 시작이 된 미국 출판 산업과 발전, 두 번째 단락에서는 이로 인한 미국 공교육의 부흥을 다루고 있다. 그러므로 이 글은 미국의 공교육의 시작에 대해서 다룬 글이라 할 수 있겠다.
(A) 산업화와 일터의 내용은 언급되지 않았으므로 주제에서 벗어난다.
(C) 첫 번째 단락에서 잠시 언급되었으므로 주제가 되기에 모자란다.
(D) 투쟁에 대해서는 언급되지 않았으므로 주제에서 벗어난다.

2.

해석 이 글에서 단어 **literate**는 의미상 -와 가장 가깝다.

(A) 열심히 일하는 (B) 영리한
(C) 읽을 수 있는 (D) 재주있는

해설 as로 이끄는 종속절이 뒤의 주절의 원인이 된다. 출판이 발달했으므로 당연히 그 출판물을 '읽을 수 있는' 사람들이 점점 필요해 짐을 유추할 수 있다. (literate는 illiterate의 반의어이다. illiterate은 토플 기출 단어로 uneducated와 ignorant 등의 동의어를 가지고 있다.)

3.

해석 이 글에서 단어 **flourished**는 의미상 -과 가장 가깝다.

(A) 성행했다. (B) 가라앉았다
(C) 인내했다. (D) 나타났다.

해설 As a result는 결과를 나타내는 연결어 이다. 앞의 문장에서 출판 산업이 발달한 것이 원인으로 나왔으므로 그 결과가 어떨 것인지 유추해보면 공교육이 성공했을 것이라는 것을 알 수 있다. (flourish는 토플 빈출 단어로 동의어인 thrive, boom, prosper등과 함께 외워두어야 한다.)

4.

해석 이 글에 따르면, 지주들은 왜 공교육에 대한 세금에 반대하였는가?

(A) 그들은 정부가 그들의 토지에 학교를 짓지 않기를 원했다.
(B) 그들은 엘리트 지위가 줄어드는 것을 원치 않았다.
(C) 그들은 지나친 세금에 대해 걱정했다.
(D) 그들은 대중들이 투표할 수 있게 되는 것을 원하지 않았다.

해설 문제의 owners of property oppose tax for public education이 지문의 어떤 부분에서 재진술(Restate)되었는지 찾아가면 some property owners opposed the tax because they were afraid of losing their exclusive privileges가 있다. 여기서 (B)의 내용을 확인 할 수 있다.

p.182

04 1.(C) 2.(A) 3. 3rd■ 4.(B) 5.(D)

해석 과거에, 동물원은 위험한 방식으로 관리되었다. 동물원 사육담당자들은 단지 동물을 우리에 가둬두는 것에만 관심을 가졌다. 만약 동물이 새끼를 낳지 못하면, 그 동물원 관리자들은 기존의 동물들이 새끼를 배도록 하기 보다는 간단히 새로운 동물을 잡아 들였다. 더욱이, 동물들에게는 건강을 유지시켜 줄 음식 대신 건강에 좋지 못한 음식이 제공되었다. **그러나, 동물원의 동물들이 죽어 나가기 시작함에 따라, 동물들에게 적당한 관리를 해주는 것이 필요해졌다.**

동물원에서 사용되는 현재의 기준과 방법들은 전시 동물들을 위해 만들어진 법에 따른다. 동물들의 생포, 취급, 보호에 관한 자격증을 갖춘 사람들만이 동물원 사육 담당자로 고용된다. 동물원 사육 담당자들을 위해 대학에서 제공하는 과정들은 동물 종 관리, 동물 행동, 동물원 일터 환경과 안전등과 같은 과목들을 포함한다. 이러한 노력으로, 동물원의 동물들은 오늘날 균형 잡힌 음식을 제공 받고 있고, 또한 마치 야생에서와 같이 놀이에 대한 그들의 필요에 알맞은 경치가 주어진다.

1.

해석 이 글의 주제는 무엇인가?
(A) 대학에서 제공되는 동물원 관리 과목
(B) 야생 동물들
(C) 동물원에 있는 동물 관리의 개선
(D) 동물원 관리에 관한 법률

해설 첫 번째 단락에서는 과거의 동물원 관리 방식의 낙후성을, 두 번째 단락에서는 현재의 개선된 동물원 관리 방식을 다루고 있다. 따라서 주제는 동물원에 있는 동물의 관리의 개선이다.
(A) 대학의 동물원 관리 과목은 두 번째 단락에서 잠깐 언급되므로 주제가 되기에 모자란다.
(B) 야생 동물들은 동물원의 동물과는 관련이 없으므로 주제에서 벗어난다.
(D) 동물원 관리에 대한 법률은 두 번째 단락에서 잠깐 언급되므로 주제가 되기에 모자란다.

2.

해석 첫 번째 단락에서 단어 **unwholesome**은 의미상 –와 가장 가깝다.
(A) 건강에 나쁜 (B) 부패된
(C) 신선한 (D) 영양이 많은

해설 instead of는 '대신에' 라는 의미를 가지는 연결어이다. 즉 동물들을 '건강하게' 하는 대신에 unwholesome한 음식을 주었다고 했으므로 unwholesome이 '건강하지 않은' 이라는 의미를 가졌음을 유추할 수 있다. (unwholesome은 wholesome의 반의어로 토플 빈출 단어이다. Wholesome은 '건강에 좋은' 이라는 뜻이고, healthy, healthful, salutary와 동의어이다.)

3.

해석 다음 문장은 이 지문에 삽입될 수 있다.
그러나, 동물원의 동물들이 죽어나가기 시작함에 따라, 동물들에게 적당한 관리를 해주는 것이 필요해졌다.
글의 어디에 오면 가장 적당한가?
삽입하려고 하는 곳에 있는 네모박스(■)를 클릭해라.

해설 삽입할 문장은 야생 동물들이 죽어가 동물원에 변화의 필요성이 생겼다는 내용으로 However라는 연결어 단서가 들어있다. 즉, 첫 번째 단락 전반에 과거의 방식의 낙후성에 대해서 나왔으므로, 첫 번째 단락의 마지막인 3번째 ■ 에 이 문장을 삽입해야 한다.

4.

해석 왜 필자는 대학에서 제공되는 과정들에 관해 언급하였는가?
(A) 동물 관리자가 되는 것이 얼마나 어려운지 설명하기 위해
(B) 동물 관리의 개선을 강조하기 위해
(C) 동물 관리자가 되기 위해 요구되는 과목의 목록을 제공하기 위해
(D) 극소수의 동물 관리자들만이 있는 이유를 언급하기 위해

해설 두 번째 단락에서는 현재 동물원 관리의 발전에 대해서 다루고 있다. 그러한 하나의 예로서, 동물원과 관련된 학과에 대해서도 언급된 것이다.

(A) 동물원 관리자의 어려움에 대해서 언급된 바가 없다
(C) 과목의 예들을 제시하고는 있지만, 그것이 해당 과목을 언급하기 위한 목적은 아니다.
(D) 이 글의 내용과 관련이 없으므로 답이 될 수 없다.

5.

해석 번식에 어려움을 겪었던 동물들에 관해 다음 중 어떤 것을 추론할 수 있는가?
(A) 그들은 죽었다.
(B) 그들은 야생으로 돌려 보내졌다.
(C) 그들은 특별한 관리를 제공 받았다.
(D) 그들은 다른 동물들로 대체되었다.

해설 문제의 reproducing이 지문의 어떤 부분에서 재진술(Restate)되었는지 확인하면, if an animal was unable to produce offspring, the zookeepers would simply capture new animals을 찾을 수 있고 여기서 (D)의 내용을 확인 할 수 있다.

4th Week | 3rd Day
Progressive Test 3

p.184

01 1.(C) 2.(B) 3.(B) 4.(C)

해석 19세기에 걸쳐 미국에서 잡화점이 등장했다. 그것은 작은 마을이나 농촌 지역에서 식료품을 비롯한 다양한 식료품을 취급했던 소매점이었다. 일반적으로 거기에서 판매되는 상품들에는 밀가루와 흰 빵이 포함되어 있었다. 때때로 잡화점은 다른 나라에서 들어온 실크, 의류, 식기류와 같은 특별한 상품들을 취급했다. 개척 식민지 사람들은 자신의 음식을 재배했기 때문에 일반적으로 음식은 잡화점에서 판매되지 않았다.

잡화점은 대개 교차로나 마을 안에 위치하였기 때문에, 지역 사회 구성원들을 위한 회합 장소의 역할을 하였다. 점원은 물질적인 상품을 공급했기 때문만이 아니라, 소식과 소문의 출처가 되었기 때문에 중요한 구성원이었다. 한편, 그것의 이상적인 위치로 인해서, 잡화점은 지역 상업에서 독점권을 가지기도 했다. 그렇게 함으로써 그것은 가격을 높게 유지할 수 있었던 것이다.

1.

해석 이 글은 주로 무엇에 관하여 논하고 있는가?
(A) 19세기의 시골 지역 사회
(B) 미국 식민지 시대의 지역 물물교환과 교역
(C) 1800년대 미국 잡화점
(D) 미국의 잡화점의 문제점들

해설 첫 째 단락에서는 19세기의 미국 잡화점(General store)의 정의와 판매물품을 소개하고, 두 번째 단락에서 그러한 잡화점의 역할을 설명하고 있다. 따라서 이 글의 주제는 1800년대 미국 잡화점이라고 할 수 있다.
(A) 19세기의 지역사회는 주제에서 벗어난다.
(B) 잡화점에서의 교역은 주제에서 벗어난다.
(D) 미국 잡화점이 독점이 언급되어 있긴 했으나 주제가 되기에는 모자란다.

2.

해석 첫 번째 단락에서 구 **sprang up**은 의미상 –와 가장 가깝다.
(A) 감소했다.　　(B) 나타났다.
(C) 감소했다.　　(D) 약해졌다.

해설 전반적인 내용으로 보아 general store가 '등장했거나 번성했을 것' 이란 의미가 유추된다. 감소하거나 약해졌다면 이 글은 전개될 수 없다. (spring up은 토플 빈출 단어로 emerge, appear, loom 등과 동의어 관계이므로 암기해 두는 것이 좋다.)

3.

해석 왜 필자는 **실크, 의류, 식기류**에 관해 언급하였는가?
(A) 잡화점에서 일반적으로 판매되는 상품들을 언급하기 위해
(B) 잡화점에서 팔리는 드문 상품들의 예를 제시하기 위해
(C) 수제품을 언급하기 위해
(D) 잡화점 주인이 어떻게 가격을 높게 유지했는지 보여주기 위해

해설 문제에 제시된 품목들이 지문에서 언급된 부분을 잘 읽어보면 특별한 물품들(special items)의 예로 silk, clothing, and tableware가 제시되었음을 알 수 있다. 특별한(special) 물품이라는 것은 보기 드문 희귀한(rare) 물품이므로, (B)가 답이 된다.

4.

해석 이 글에 따르면, 왜 음식은 일반적으로 잡화점에서 판매되지 않았는가?
(A) 그 당시 냉장고가 없었다.
(B) 사람들은 고가의 음식을 살 여유가 없었다.
(C) 대부분의 사람들이 자신의 음식을 생산했다.
(D) 외국 음식들이 더 인기 있었다.

해설 문제의 food not usually sold 가 지문의 어떤 부분에서 재진술(Restate)되었는지 찾아 하면, food was not commonly sold이 있다. 그 이후 because이하에서 (C)의 내용을 확인할 수 있다.

p.186

02 1.(B) 2.(B) 3.valuable 4.5th■

해석 사막 뱀이 이상적인 사막 서식 동물인 데에는 많은 이유가 있다. 많은 사막 뱀들은 위쪽으로부터 지탱되는 턱을 가지고 있다. 이러한 신체적인 특징은 그들이 움직일 때 모래가 들어오지 못하게 한다. 게다가, 그들의 비늘은 이랑 모양으로 융기되어 있어 그들이 움직이면서 모래 속으로 쉽게 파고 들어가도록 해준다. 뱀은 덥고 건조한 기간 동안 하면함으로써 사막의 더위에 적응하기도 한다.

무엇보다도, 사막 뱀의 두드러진 특징은 물을 보존하는 능력이다. 뱀은 직간접적으로 귀중한 물을 마신다. 직접적으로 그들은 물을 마신다. 간접적으로 그들은 음식으로부터 물을 얻을 수 있다. 그러나 사막 지역에서 물은 얻기가 쉽지 않기 때문에, 뱀은 극도로 건조한 지역에서 살기 위해 자신만의 전략을 만들어 낸다. 따라서 그들은 액체 상태의 배설물 보다는 고체 상태의 배설물을 만듦으로써 물의 손실을 최소화 시키고자 노력한다. 그러나 사막 뱀이 신체에서 귀중한 물을 이용해야만 하는 특별한 때가 있다. 그것이 피부를 벗을 때, 피부에 습기를 공급하기 위해 피부를 물에 적셔야 한다. 이러한 과정은 피부가 쉽게 벗겨지도록 하여 바깥 층이 건조되는 것을 막는다. **때때로 일부 사막 뱀은 피부를 물에 적시지 않고도 그것을 벗을 수 있다.**

1.

해석 이 글의 주된 목적은 무엇인가?
(A) 사막에서 사는 것이 어려운 이유를 언급하기 위해
(B) 뱀이 어떻게 사막에 신체적으로 적응하는지 설명하기 위해
(C) 뱀이 사막에서 생존하기 위해 도움이 필요하다는 것을 입증하기 위해
(D) 뱀이 어떻게 물을 보존하는지 설명하기 위해

해설 첫 번째 단락과 두 번째 단락 모두 사막에 사는 뱀의 사막에 살기 위해 적당한 특징에 대해서 다루고 있다. 따라서 이 글을 쓴 목적은 어떻게 뱀들이 사막에 육체적으로 적응을 하였는가를 설명하기 위한 것이다.
(A) 사막에 살기 어렵다는 내용이 언급되었으나 주요한 내용은 아니므로 주제가 되기에 모자란다.
(C) 지문에서 다루고 있지 않은 내용이므로 주제에서 벗어난다.
(D) 두 번째 단락의 일부 내용에 불과하므로 주제가 되기에 모자란다.

2.

해석 다음 중 사막 뱀이 사막에 사는 데 도움이 되는 것이 아닌 것은?
(A) 융기된 비늘과 지지된 턱
(B) 긴 몸이나 건조한 피부
(C) 더운 기간 동안의 잠
(D) 물을 보유하는 뛰어난 능력

해설 첫 번째 단락에 (A)와 (C)가 설명되어 있고, 두 번째 단락의 첫 번째 문장에 (D)가 언급되어 있다. (B)는 지문에서 언급되어 있으나 답과 상관없는 내용이다.

3.

해석 두 번째 단락에서 단어 **precious**를 보고, 굵은 글씨로 쓰여진 본문에서 같은 의미를 가진 단어를 클릭하시오.

해설 글의 문맥상 단어의 의미를 유추할 수 있다. 특히 두 번째 단락의 두 번째 문장에 비슷한 형태(형용사 valuable + water)

가 있는 것을 확인한다면 쉽게 풀 수 있을 것이다. 사막에 물이 부족하다는 일반 상식으로도 의미를 짐작할 수 있다. (precious는 토플 기출 단어로 priceless, invaluable 등과 동의어 관계이다.)

4.

해석 다음 문장은 이 글에 삽입될 수 있다.

때때로 일부 사막 뱀은 피부를 물에 적시지 않고도 그것을 벗을 수 있다.

글의 어디에 오면 가장 적당한가?

삽입하려고 하는 곳에 있는 네모박스(■)를 클릭해라.

해설 삽입될 문장에 제시된 cast off과 동일한 표현이 쓰인 곳을 찾는다. cast off는 지문에서 마지막 부분에서만 언급되므로 글의 마지막인 5번째 ■에 삽입한다. 해석을 통해 정답을 확인하는 것은 매우 중요하다. 즉 사막 뱀이 껍질을 벗을 때(cast off) 물을 직접적으로 필요로 하지만, 때때로 물이 없어도 된다는 자연스러운 해석까지 해야 정확한 정답 확인이 된다.

p.188

03 1.(A) 2.(B) 3.In 1905~of Agriculture. 4.1st■ 5.(D)

해석 20세기 전환기 미국에서는 국유지 관리국이 국가의 산림 보호 지역을 유지하는 데 대한 책임을 갖고 있었다. 그러나 그것은 무능력과 부정으로 유명할 뿐이었다. 산림국은 산림에 대한 보호가 제공되지 않을 경우, 50년 안에 국유림이 점차 감소할 것이라고 정부에 경고했다. 정부가 마침내 법안을 제정하기까지는 시간이 걸렸다. 1905년 Theodore Roosevelt 대통령의 강력한 촉구로 법률은 산림국을 내무부에서 농무부로 옮겼다. 산림국은 이후 산림청으로 알려지게 되었다.

산림청은 자연의 자원을 보호하고 관리하기 위해 설립되었다. **게다가, 산림지, 방목장 관리, 산림 자원 이용의 모든 측면에 대한 연구를 수행하는 것이 승인되었다.** 이 연구는 국가 산림을 보호하기 위한 귀중한 정보를 제공했다. 산림청은 또한 목재 산업의 벌목 작업을 규제했다. 그것은 국유림의 15%만이 목재 산업을 위해 베어질 수 있도록 규제하였다. 그 기관의 역할은 국가를 위하여 양질의 물과 목재를 공급하는 것이었다. 그러나 그것은 단지 국유림만 통제할 수 있었고, 주 소유의 산림 지역이나 사유지에 대해서는 통제권이 없었다.

1.

해석 이 글의 주제는 무엇인가?

(A) 산림청의 설립과 역할
(B) 19세기 초기의 국회의 법령
(C) 미국의 산림 보유고에 대한 통계
(D) 19세기의 미국 목재 산업

해설 첫 번째 단락에는 Forest Service 의 설립 배경을 다루고 있고, 두 번째 단락에는 그것의 역할에 대해서 다루고 있다. 따라서 주제는 Forest Service 의 설립과 역할이다.
(B) Forest Service라는 특정 주제에서 벗어난다.
(C) 글의 중심 내용과는 관련이 없으므로 주제에서 벗어난다
(D) 19세기의 목재산업 역시 글의 중심 내용과는 관련 없으므로 주제에서 벗어난다.

2.

해석 첫 번째 단락의 단어 **dwindle**은 의미상 –과 가장 가깝다.

(A) 성장하다 (B) 감소하다
(C) 증가하다 (D) 타버리다

해설 if로 시작되는 가정법 구문이다. 보호가 없다면 국유림은 당연히 '줄어들' 것이라고 유추할 수 있다. (dwindle은 토플 빈출 단어로 decrease, diminish가 동의어 이다. 암기해 둔다.)

3.

해석 첫 번째 단락에서 산림국이 다른 부서로 이동한 때에 관하여 언급하는 문장을 클릭하시오.

해설 시간과 관련된 표현이 있는 문장을 찾으면 in 1905년을 찾을 수 있으니 주위 부분을 읽어본다. 이 부분에서 산림국을 내무부에서 농무부로 옮겼다는 사실을 확인할 수 있다.

4.

해석 다음 문장은 이 글에 삽입될 수 있다.

게다가, 산림지, 방목장 관리, 산림 자원 이용의 모든 측면에 대

한 연구를 수행하는 것이 승인되었다.
글의 어디에 오면 가장 적당한가?
삽입하려고 하는 곳에 있는 네모박스(■)를 클릭해라.

해설 삽입해야 하는 문장에는 in addition이라는 부연설명을 하는 연결어와 it이라는 대명사 단서가 있다. In addition 뒤에 it의 목적이 나오므로 이 문장의 앞에는 it의 또 다른 목적이 와야 한다. 해석하면 it은 어떠한 역할을 하는 주체로 Forest Service가 되며 그 목적이 나온 문장 뒤 첫 번째■에 들어간다. 앞 뒤 문장의 해석을 통해 최종 확인하면, 첫 번째■의 뒤에 나오는 this research가 삽입될 문장의 research와 반복된 것으로 답임을 재확인할 수 있다.

5.

해석 다음 중 산림청의 역할이 아닌 것은?
(A) 국가 산림을 보호하기 위해 연구하는 것
(B) 벌목 작업을 관리하는 것
(C) 현존하는 산림 보호지역을 관리하는 것
(D) 사유림과 주유림을 통제하는 것

해설 선택지와 지문을 하나씩 따져나가면 (D)가 지문의 두 번째 단락 마지만 문장의 내용과 다르게 진술되었음을 확인할 수 있다.
(A)는 4번의 삽입해야 할 문장과 This research would provide~이하에서 확인 가능하다.
(B)는 The Forest Service also regulated logging operations에서 확인 가능하다.
(C)는 The Forest Service was established to protect and manage~에서 확인 가능하다.

p.190

04 1.(B) 2.(D) 3.(C) 4.(D)

해석 1800년대 초기로 돌아가보면, 거대한 버펄로 떼가 사람들이 볼 수 있을 만큼 뻗어 있었다. 1850년 무렵에는 약 1200만 마리의 버펄로가 있었다. 그러나 1870년 중반 무렵에는 버펄로가 거의 멸종 상태까지 사냥 되었다. 재미로 또는 돈벌이를 위해 죽임을 당한 버펄로의 수는 천문학적이었다. 어떤 사람들은 버펄로 사냥의 붐을 골드 러시에 비유했다. 총기의 사용, 버펄로 가죽에 대한 시장, 버펄로 가죽 벗기는 방법의 발전, 철도 시스템의 확장 모두가 버펄로 사냥의 급격한 증가의 원인이 되었다. 특히, 1870년대에 버펄로 가죽으로 만들어진 옷이 유행하였고, 제조업자들은 버펄로 가죽이 다른 용도로 이용될 수 있다는 것을 발견했다.

1870년대에 어려운 경제 여건으로 고생하던 농장 노동자들 또한 돈을 벌겠다는 희망으로 버펄로 사냥으로 몰려 들었다. 이상하게도, 극소수의 사람들만이 성공했다. 이러한 사람들은 적절하게 버펄로 가죽을 벗기는 방법과 무두질을 사용하는 방법을 알지 못했기 때문이다. 이러한 실패에도 불구하고 버팔로 사냥은 계속되었다. 이러한 상황의 한 결과, 버펄로의 공급이 수요를 넘어섰고, 버펄로 가죽의 가격이 하락하였다.

1.

해석 이 글을 주로 무엇에 관해 논하고 있는가?
(A) 1800년대의 미국 식민지들
(B) 미국에서 버펄로 사냥 붐
(C) 골드러시와 버펄로 사냥의 비교
(D) 인기 있는 버펄로 상품

해설 첫 번째 단락에서는 1800년대의 버펄로 사냥의 시작과 그 엄청난 영향을, 두 번째 단락에서는 1870년대 이후에 버팔로 사냥이 미친 영향(결과)대해서 다루고 있다. 따라서 이 글은 buffalo hunting boom에 대해서 다루고 있다.
(A) 지문에서 다루지 않는 내용으로 주제에서 벗어난다.
(C) 두 번째 단락 내용의 일부이므로 주제가 되기에 모자란다.
(D) 첫 번째 단락 내용의 일부이므로 주제가 되기에 모자란다.

2.

해석 다음 중 —을 제외하고 다음 모든 것이 버펄로 사냥의 증가에 기여한 요소들이다.
(A) 총기 사용의 증가
(B) 철도 시스템의 발전
(C) 버펄로 시장의 성장
(D) 서부로의 이동

해설 문제의 contributed가 지문의 어떤 부분에서 언급되었는지 확인하면, 첫 번째 단락의 여섯 번째 줄의 The use of guns, a market for buffalo hide, the development of tanning buffalo hide, and the expansion of the railroad system all contributed to the sharp increase in buffalo hunting을 찾을 수 있으며, 이 부분과 선택지를 하나하나 따져나가면 (D)의 내용이 언급 되지 않았음을 알 수 있다.

3.

해석 이 글에 따르면, 왜 버펄로 사냥에 성공한 사람들이 거의 없었는가?
(A) 사람들은 적절한 사냥용 무기를 갖고 있지 않았다.
(B) 그들은 어디에서 버펄로를 찾아야 할 지 몰랐다.
(C) 사람들은 정확하게 버펄로 가죽을 처리하는 방법을 몰랐다.
(D) 그들은 인디언들과 싸웠다.

해설 문제의 few succeeded at buffalo hunting이 지문의 어떤 부분에서 언급되었는지 확인하면 두 번째 단락의 세 번째 줄의 only a few succeeded because these people did not know how to properly peel off the buffalo's skin and how to use tanning methods를 찾을 수 있고 여기서 (C)가 답이 됨을 알 수 있다.

4.

해석 두 번째 단락의 단어 **ramification**은 의미상 –와 가장 가깝다.
(A) 원인 (B) 출처 (C) 전례 (D) 결과

해설 앞에서 버펄로 사냥이 계속되었다고 했고 그 ramification이 버펄로의 공급이·수요보다 늘어 가격이 떨어진 것이라고 하면 문맥상 앞의 내용은 뒤 내용의 원인이 된다. 따라서 ramification이 '결과' 라는 의미를 가졌을 것을 유추할 수 있다. (토플 빈출 단어로 consequence, result, effect와 동의어이다)

4th Week | 4th Day
Progressive Test 4

p.192

01 1.(A) 2.(B) 3.(B) 4.(B)

해석 미국에서 항공 우편 서비스의 발전은 더욱 신속한 우편 서비스에 대한 요구로 시작되었다. 우정 공사가 구입한 최초의 비행기들인 JL-6은 느리고 심각한 연료 누출 문제를 가지고 있었다. 이러한 비행기는 더 속력이 빠른 DH-4로 대체되었다. 게다가 최초의 미 대륙 횡단 우편 서비스는 기차와 항공 서비스의 결합 형태로 제공되었다. 기차가 저녁에 우편물을 운반하는 반면, 비행기는 낮 동안 우편물을 배달했다. 이러한 시스템은 시간이 많이 소모되었고 비효율적이었다. 그 결과 우정 공사는 완전한 항공 우편 시스템을 개발하기를 원했다. 이러한 개발을 가능하게 하기 위해 우정 공사는 야간 비행을 필요로 했다.

1921년 2월 22일에 두 대의 DH-4기가 각각 New York과 San Francisco에서 이륙하였다. 그러나 단지 한 대의 비행기만 최종 목적지인 Chicago에 도착했고, 샌프란시스코에서 출발한 그 비행기의 마지막 두 구간을 비행한 사람은 Jack Knight였다. 그는 Nebraska주의 North Platte에서 출발하여 Omaha를 지나 Chicago에 도착했다. 불빛의 도움 없이 야간에 비행했지만, 그는 공중에서 7시간 동안 비행한 뒤 Chicago를 찾았고, 아침 8시 40분에 도착했다. Jack Night은 항공 우편 서비스의 발전에 기여한 국가적인 영웅이 되었다.

1.

해석 이 글을 주로 무엇에 관해 논하고 있는가?
(A) 미국 항공 우편 시스템의 시작
(B) 미국 우정 공사가 사용한 신 · 구 비행기들
(C) 미국 우정 공사의 비효율성
(D) 미국 최초의 대륙 횡단 비행

해설 첫 번째 단락의 첫 문장인 주제문(Topic Sentence)을 통해 이 글이 미국의 항공 우편 시스템에 대해 다룰 것임을 알 수 있다. 그리고 첫 번째 단락에서 초기 우편 배달 서비스가 느렸던 이유와 상황에 대해서 설명을 하고 있고, 두 번째 단락에서는 항공 우편 배달 서비스가 Jack Knight의 첫 야간 횡단 비행으로 시작되었음을 보여주고 있다. 따라서 이 글은 미국 항공 우편 서비스의 시작에 대해서 다룬 글이다.
(B) 비행기의 종류들에 대한 언급은 이 글의 주제에서 벗어난다.
(C) 첫 번째 단락에 비효율성이 잠깐 언급되었으므로 주제가 되기에 모자란다.
(D) 두 번째 단락만의 내용이므로 글 전체 주제가 되기에 모자란다.

2.

해석 이 글에서 단어 **initial**은 의미상 –와 가장 가깝다.
(A) 중요한 (B) 처음의
(C) 마지막의 (D) 제2의

해설 항공 우편 시스템의 초기에 대해 말하고 있으므로 처음이라는 의미의 단어를 유추할 수 있다.

3.

해석 이 글에 따르면, Jack Knight은 –때문에 국가적인 영웅이 되었다.
(A) 그는 DH4로 비행한 첫 번째 사람이었다.
(B) 그는 항공 우편 서비스 진전에 있어 중요한 역할을 했다.
(C) 그의 비행기는 도착한 유일한 비행기였다.
(D) 그는 비행의 마지막 구간에서 계기만으로 비행하였다

해설 문장의 national hero가 지문에서 언급된 부분인 글의 마지막 문장 Jack Knight became a national hero who contributed to the development of air mail service에서 (B)의 내용을 확인할 수 있다.

4.

해석 이 글에 이어지는 단락은 아마도 – 에 관해 논할 것이다.
(A) Jack Knight의 생애
(B) 미국 항공 우편 시스템의 성장
(C) 미국 대륙 횡단 비행
(D) 미국 항공 우편 시스템의 문제점

해설 이 지문의 첫 문장 The development of air mail service in the United States began due to demand for faster mail service에서 우편 배달의 속도 증가로 인해 우편 배달 서비스의 발달이 시작되었다고 하였다. 두 번째 단락에서는 우편 배달의 속도 증가의 계기 중 시작이 된 사건을 언급한 것이다. 따라서 다음 단락에서는 우편 배달의 속도 증가로 인한 "우편 배달 시스템의 성장"에 대해서 언급하여 글을 전개해 나갈 것이다.

p.194

02 1.(A) 2.(B) 3.(B) 4.(A) 5.(A)

해석 미국 정부에 의한 교육에 쏟아지는 큰 강조와 함께 18세기 말에 공립 학교들이 더욱 널리 퍼지게 되었다. 더 쉽게 공교육을 받을 수 있게 됨에 따라, 공립 학교에 대한 투자가 많아졌고, 무료 교과서 시스템이 만들어졌다. 그러나 이러한 지원에도 불구하고 아이들은 초등학교 이후 학교에 거의 가지 않았다. 단지 취학 연령 인구의 2퍼센트만이 중학교에 갔고, 단지 1퍼센트의 아이들만이 고등학교에 갔다. 중학교에서 공부한 많은 취학 연령의 아이들은 일하기 위해 학교를 떠났다.

도시의 발전은 중등 교육에 대한 이러한 대중의 인식을 바꿔놓았다. 그것은 학교를 더욱 아이들에게 접근하기 쉬운 곳으로 만들었다. 예를 들어, 19세기 중엽에 초등학교가 더욱 확산되었다. 전화의 개발과 같은 기술 진보는 심부름꾼으로 일하는 아이들의 수를 감소시켰다. 그 결과, 더 많은 아이들이 학교에 갈 수 있게 되었다. 덜 육체적인 노동을 요하는 일을 찾는 아이들은 더 많은 교육이 필요했다. 이렇게 교육 받은 아이들이 19세기 후반에 성인이 되자, 그들은 그들의 자식들이 더 나은 교육을 받을 기회를 갖기를 원했다. 이러한 조건들이 19세기 초 이래로 늘 같던 교육 과정의 변화에 대한 자극이 되었다.

1.

해석 이 글의 주제는 무엇인가?
(A) 공교육의 성장
(B) 기술의 발달
(C) 교육 과정의 변화
(D) 도시의 발달

해설 첫 번째 단락은 공교육이 시작되었으나 다소의 한계가 있었음을 언급하고 있다. 두 번째 단락에서는 도시의 발달과 함께 공교육에도 변화가 생겼음을 언급하고 있다. 따라서 이 글은 공교육의 성장을 주제로 하고 있다.
(B) 두 번째 단락에 언급되었으나 주제가 되기에 모자란다.
(C) 두 번째 단락 내용의 일부이므로 주제가 되기에 모자란다.
(D) 두 번째 단락 내용의 일부이므로 주제가 되기에 모자란다.

2.
해석 이 글로부터 처음에 미국인들은 교육을 -라고 여겼다는 것을 추론할 수 있다.
(A) 지나치게 비싼
(B) 일보다 덜 중요한
(C) 부적절한
(D) 실망스러운

해설 여러 지원에도 불구하고, 아이들이 학교에 가지 않았다는 사실과 기술 진보로 일하는 아이들의 수가 줄어 교육을 받는 아이들의 수가 줄었다는 것으로 보아, 이전에는 교육보다 일을 우선시 하였음을 알 수 있다.

3.
해석 이 글에서 성인들이 받는 교육의 양이 - 라는 것을 추론할 수 있다.
(A) 그들의 아이들 교육에 어떤 영향도 미치지 않았다.
(B) 그들의 아이들이 학교에 갈 수 있는 가능성을 높였다.
(C) 아이들이 취업을 할 지 결정했다.
(D) 공립 학교의 관리에 영향을 미쳤다.

해설 두 번째 단락 As these educated children reached adulthood in the latter part of the 19th century, they wanted their children to have the opportunity to receive better education의 내용으로 미루어, 교육을 받은 어른일수록 자녀들이 더 많은 교육을 받기를 원한다는 것을 유추할 수 있다.

4.
해석 두 번째 단락의 단어 **impetus**는 의미상 -와 가장 가깝다.
(A) 자극　(B) 변화
(C) 진정제　(D) 축소

해설 impetus는 기출 단어이다. stimulus와 동의어 관계임을 암기해 둔다.

5.
해석 이 글 이후의 단락은 무엇에 관해 논의할 것인가?
(A) 공립 학교에서의 교육 과정
(B) 사교육
(C) 도시의 발달
(D) 기술 분야에서 이루어진 발전

해설 이러한 상황이 교육 과정에 변화를 일으켰다는 마지막 문장으로 다음 단락에서는 어떠한 교육의 변화가 이루어졌는지에 관한 이야기를 할 것이라 예상된다.

p.196

03 1.(B) 2.(A) 3.(C) 4.(B)

해석 각막은 눈의 수정체 외부를 덮는 투명한 막이다. 빛이 눈에 들어오면, 각막은 광선을 확산시킨다. 각막은 투명하여 어떤 물질도 포함하고 있지 않는 것처럼 보이지만 실제로는 세포와 단백질이 모인 복잡한 집합체이다. 사람들이 나이가 들어감에 따라 그 기능은 저하된다. 나이가 들면서 각막은 덜 투명하게 되어 뒤틀리거나 흐린 이미지로 보이게 만든다. 그리고 다양한 색조에 대한 감각이 상실되기도 한다.

눈에서 노령에 의해 쉽게 영향을 받는 또 다른 기관은 홍채이다. 눈에 들어오는 빛의 양을 조절하는 근육인 홍채는 카메라 렌즈와 상당히 비슷하게 작동한다. 홍채는 동공의 수축을 조절한다. 나이가 들어감에 따라, 홍채는 조절 능력을 상실하고 빛의 변화에 바로 반응할 수 없다. 특히 나이가 들면서 눈에 있는 수정체와 모양체는 다른 어떤 신체 기관보다 심하게 변한다. 모양체는 수정체의 모양을 변화시키고, 안구 뒤쪽에 있는 층인 망막에 빛의 초점을 맞춘다. 모든 기관이 노화됨에 따라, 수정체의 뒤쪽에 축적되는 잔해는 건물에 있는 페인트칠과 같아진다. 결과적으로 수정체는 젊은 사람들의 수정체보다 3배 정도 두꺼워진다. 수정체가 두꺼울 경우, 가까이 있는 물체를 보는 데 어려움을 겪게 된다.

1.

해석 이 글의 주제는 무엇인가?
(A) 눈의 기관들
(B) 노령이 눈의 기관에 어떻게 영향을 미치는가
(C) 눈이 어떻게 보는가
(D) 눈을 먼지로부터 보호하기

해설 첫 번째 단락은 노화에 따른 각막의 변화에 대해 기술 하고 있고 두번째 단락은 홍채의 변화에 대해 기술하고 있다. 따라서 이 글은 노령화가 눈의 각 부분에 어떠한 영향을 미치는 가에 관해 쓴 글이다.
(A) 눈의 기관들에 대한 설명을 담고 있지만 노령화에 대한 언급이 부족하므로 주제가 되기에 모자란다.
(C) 눈이 어떻게 보는가는 주제에서 벗어난다.
(D) 눈을 먼지로부터 보호하기는 주제에서 벗어난다.

2.

해석 이 글에 따르면, 나이가 들어감에 따라 어느 신체 기관이 가장 변하는가?
(A) 수정체와 모양체 (B) 홍채
(C) 각막 (D) 혈관

해설 문제의 parts of the body가 지문의 어떤 부분에 언급되었는지 확인하면, 두 번째 단락에서 The lens and ciliary change more profoundly than any other part of the body when people become old을 찾을 수 있고 여기서 (A)가 답이 됨을 확인할 수 있다.

3.

해석 이 글에서 **각막, 홍채, 모양체, 망막**이라는 용어를 보고, 이것들 중 이 글에 정의되지 않은 것은 어느 것인가?
(A) 각막 (B) 홍채
(C) 모양체 (D) 망막

해설 (A) cornea는 be동사를 통한 정의가 나와있다.(B)와 (D) 의 iris, retina는 컴마(,)를 이용한 동격 설명으로 정의되어있다.

4.

해석 두 번째 단락의 단어 alters는 의미상 –와 가장 가깝다.
(A) 약화시킨다 (B) 변경한다
(C) 첨가한다 (D) 강화한다

해설 alter는 기출단어이다. vary, change, turn into, metamorphose와 동의어 관계로 이 지문에서는 특별한 단서가 아닌 기본단어의 의미를 아는 것으로 문제를 푼다.

p.198

04 1.(B) 2.plentiful 3.(C) 4.wood frog

해석 동물들은 혹독한 겨울 날씨 속에서 생존하는 그들 나름대로의 방식을 가지고 있다. 새들은 대개 봄과 여름을 북부 번식지에서 보낸 뒤 남쪽에 있는 따뜻한 기후로 이동한다. 펭귄은 음식이 충분할 때 지방을 몸에 축적한다. 이 지방은 펭귄의 몸이 따뜻하게 유지되도록 도와주고, 그래서 겨울 동안 음식이 충분하지 않을 때 그들은 생존할 수 있다. 마못, 다람쥐, 그리고 일부 지역의 박쥐와 같이 땅에 사는 동물들은 그들의 체온을 낮출 수 있다. 곤충들은 때때로 겨울을 유충으로 보낸다.

겨울을 견뎌내는 더 복잡한 전략 하나는 신체 내에서의 실질적인 얼음 형성을 견뎌내는 능력인 '내한성(Freeze Tolerance)'이다. 송장 개구리는 동물이 어떻게 몸이 어는 것을 견뎌낼 수 있는가에 대한 한 가지 훌륭한 예이다. 송장 개구리의 표피는 얼음에 대한 방어막이 되지 못하기 때문에 개구리는 쉽게 얼어 버린다. 혈액 흐름이 정지되고, 신체의 60퍼센트가 얼음이 된다. 그러나 송장 개구리는 자연적으로 얼음이 형성되도록 기다리기 보다는, 표피에서 발견되는 특별한 박테리아를 사용함으로써 어는 것을 조절한다. 이것은 개구리가 생존을 보장하기 위해 체내를 조절하는 것을 가능하게 해준다.

1.

해석 이 글의 가장 적합한 제목은 무엇인가?
(A) 개구리가 추운 날씨를 견뎌내는 방법

(B) 동물들이 겨울을 견뎌내는 다양한 방법
(C) 겨울 동안의 동면
(D) 내한성

해설 이 글의 첫 문장은 전체 지문의 주제문(Topic Sentence)이다. 첫 문장으로 미루어, 이 글에서는 동물이 겨울을 나는 다양한 방법들에 대해서 다룰 것이라는 것이 예상된다. 실제로 첫 번째 단락에서는 겨울을 나는 다양한 동물들에 대해서 다루고, 두 번째 단락에서는 겨울을 나는 전략 중 하나인 내한성에 대해서 예를 들어 다루고 있다.
(A) 내용 중 일부에 불과 하므로 주제가 되기에 모자란다.
(C) 상식적으로 동면은 겨울나기의 일부이지만 지문에서는 전혀 언급되지 않았으므로 주제에서 벗어난다.
(D) 내한성에 관한 언급이 두 번째 단락에서만 나타나므로 주제가 되기에 모자란다.

2.
해석 이 글에서 단어 **abundant**를 보고, 굵은 글씨로 쓰인 본문에서 같은 의미를 가진 단어나 구를 클릭하시오.

해설 해당 내용을 살펴보면 동물들이 음식이 abundant할 때 지방을 저장한다고 하였으므로, abundant가 음식이 '적어도 존재하거나 많을 때' 라는 의미를 짐작할 수 있다. 굵은 글씨가 처리된 본문을 문맥상 이해하면서 살펴보면 겨울에는 음식이 plentiful하지 않다고 했으므로, plentiful 역시 '존재하거나 많다' 의 의미라는 것을 알 수 있다. 실재 단어의 뜻 역시 둘 다 '많은' 의 의미를 가진다.
(abundant는 토플 기출 단어이다. plentiful, wealthy, rich 등과 동의어 관계에 있으므로 암기해둔다.)

3.
해석 왜 필자는 이 글에서 '송장 개구리'를 언급하는가?
(A) 동면하는 동물을 기술하기 위해
(B) 동물들이 어떻게 따뜻한 기후로 이동하는지 보여주기 위해
(C) 겨울 동안 내한성을 이용하는 동물의 예를 보여주기 위해
(D) 따뜻하게 유지하기 위해 털을 이용하는 동물에 관해 논하기 위해

해설 문제에 언급된 wood frog를 다룬 부분을 두 번째 단락 두 번째 문장 ~ 마지막 문장까지 에서 내용을 확인할 수 있다.

4.
해석 두 번째 단락에서 단어 'Its'를 보고 굵은 글씨로 쓰인 본문에서 'Its'가 가리키는 단어나 구를 클릭하시오.

해설 내용상 Its의 지칭어는 생명체이다. 따라서 답이 될 수 있는 후보는 wood frog와 an animal이다. an animal은 wood frog를 설명하기 위해 나온 대상이므로, 답은 wood frog이다.

4th Week | 5th Day
Progressive Test 5

p.200

01 1.(A) 2.(B) 3.(A) 4.(D) 5.3rd■

해석 미국 혁명 이전에는 잡지와 같은 정기적인 출판물인 정기 간행물이 단지 15개 밖에 없었고, 각각은 수명이 단지 10개월 밖에 되지 않았다. 전쟁 후 더 많은 잡지들이 더 많은 수량으로 등장하였다. 1800년 이전에는, 출판된 간행물이 70권에 이르렀다. 대부분은 문학 잡지였다. 잡지의 전성기는 대륙 횡단 철도의 건설, 향상된 인쇄법, 더 낮아진 생산 비용, 우편법의 제정으로 가능해졌다. 특히, 우편법은 잡지에 대한 우편 요금을 하락시켰다. 중등 교육의 개선과 대중화 또한 잡지 산업을 번창하게 만들었다.

광고가 1741년에 도입되었을 때는 미미한 요소였지만, 이후 잡지 산업의 중심이 되었다. General Magazine, Historical Chronicle과 같은 잡지의 발행자들은 광고가 게재되도록 함으로써 그들의 잡지 가격과 생산 비용을 낮췄다. 신문사들 역시 이 방법을 채택했다. **곧, 대부분의 현대 잡지사들, 특히 여성지들이 이러한 전략을 모방했다.** 시간이 지남에 따라, 강력한 광고 수입의 유혹에 의해서 많은 잡지사들이 단지 수익만을 추구하게 되었다. 이것은 전반적인 잡지의 질을 하락 시켰다.

1.
해석 이 글의 요지는 무엇인가?
(A) 광고를 포함한 다양한 요소가 잡지 산업의 성장에 공헌했다.

(B) 미국의 정기 간행물들은 많은 형태로 등장했다.
(C) 신문사들은 직접 잡지와 경쟁했다.
(D) 회사들이 수익에만 관심을 가지면서 잡지의 질이 떨어졌다.

해설 이 글에서는 정기 간행물의 성장이 어떻게 이루어졌는지에 시간 순으로 배경과 요인을 설명하고 있다.
(B) 내용의 극히 일부이므로 주제가 되기에 모자란다.
(C) 신문사가 언급된 이유는 단순히 광고가 널리 퍼졌다는 것을 나타내기 위함이므로 주제에서 벗어난다.
(D) 잡지의 질이 떨어진 것은 두 번째 단락의 일부 내용이므로 주제가 되기에 모자란다.

2.

해석 이 글에서 구 **golden age**는 의미상 –와 가장 가깝다.
(A) 점차적인 감소 (B) 전성기
(C) 골드 러시 (D) 권태

해설 정기간행물이 성공했음직한 요인들이 문장에서 나열된 것으로 보아 golden age가 상당히 긍정적인 의미라는 것을 유추할 수 있다.

3.

해석 필자는 중등 교육의 인기가 –를 도왔다는 것을 함축하고 있다.
(A) 독자들의 수를 증가시키다.
(B) 미국의 노동 인구를 증가시키다.
(C) 공립 학교를 위한 기금을 높이다.
(D) 교육에 있어 더 큰 관심을 일으키다.

해설 첫 번째 단락 popularization of secondary education also made the magazine industry flourish에서 해당 내용을 확인할 수 있다. 여기서 독자들의 수의 증가가 잡지산업을 증가시켰을 것이라는 필연적인 인과관계를 유추할 수 있다.

4.

해석 왜 필자는 신문사를 언급하는가?
(A) 신문이 잡지와 어떻게 경쟁하였는지 명백하게 설명하기 위해
(B) 잡지와 신문에 의해 사용된 다른 방법들을 구분하기 위해
(C) 표절 사례를 인용하기 위해
(D) 광고의 확대를 증명하기 위해

해설 두 번째 단락에서 해당 어구가 언급된 부분인 Newspaper companies adopted this method in the 1960's에서 잡지사 뿐 아니라 신문사들까지도 광고라는 방식을 채택함으로써 광고가 확대 됨을 알 수 있다.

5.

해석 다음 문장은 이 글에 삽입될 수 있다.
곧, 대부분의 현대 잡지사들, 특히 여성지들이 이러한 전략을 모방했다.
글의 어디에 오면 가장 적당한가?
삽입하려고 하는 곳에 있는 네모박스(■)를 클릭해라.

해설 삽입할 문장의 these tactics는 앞의 advertising으로 생산비를 절감한 것이다.

p.202

02 1.(B) 2.The French~a desert. 3.4th ■ 4.(C) 5.(C)

해석 프랑스 지리학자 Andre Aubreville은 풍부한 산림지와 목초지에서 사막으로 바뀐 아프리카의 땅을 묘사하기 위해 1949년에 최초로 '사막화'라는 용어를 사용했다. 세계의 많은 국가들, 특히 북미 지역이 사막화에 의해 영향을 받았다. 서부의 사막 지역은 오늘날만큼 광대하지 않았다. 오늘날 실제로 북미 건조 지역이나 건조지대의 74퍼센트가 급속히 사막으로 바뀌고 있다. 그 지역의 상당 부분이 이전에 목초지였다.

미국의 건조 지역이 사막화의 영향을 받고 있는 데는 많은 이유가 있다. 우선, 서부로의 이동으로 인해 목초지에 정착하여 버펄로를 기르는 사람 수가 많아졌다. 기후가 너무 건조하였기 때문에 정착민들은 농업에 종사할 수 없었던 것이다. 버펄로들은 단지 풀만 먹었고 목본식물에는 손도 대지 않았다. 그 결과 단기간만에 목본식물만 남게 되었다. 일부 사람들은 소들의 풀 먹는 습관이 사막화에 대한 유일한 이유였다고 믿고 있지만, 땅이 사막으로 바뀐 데는 또 다른 이유가 있었다. **산불의 감소가 사막화 과정의 또 다른 공헌자인 것이다.** 산불은 자연적이고 흔한 일이었

다. 사람들의 믿음과 정반대로, 산불은 식물에 영양을 공급하는 데 도움이 되었다. 더욱이, 화재의 발생은 생태계의 균형을 유지하는 데 도움이 되었다. 그러나 더욱 더 많은 사람들이 목초지에 정착함에 따라, 산불이 더 적게 발생했다. 19세기에 정착민들은 불을 끄는 데 뛰어난 기술을 가지고 있었다. 그러나 이것은 사막화를 가속화 시키는 결과를 가져오면서 생태계의 균형을 파괴시켰다.

1.

해석 이 글의 주제는 무엇인가?

(A) 전세계적인 사막화 (B) 북미 지역 사막화의 원인
(C) 북미 생태계의 변화 (D) 목초지에서 버펄로 기르기

해설 첫 번째 단락에서는 사막화의 정의와 사막화에 영향을 받은 지역에 대해서, 두 번째 단락에서는 사막화의 여러 원인들에 대해서 언급하고 있다. 따라서 주제는 북미 지역의 사막화의 원인이다. (이 글의 첫 번째 단락은 두 번째 단락의 내용에 들어가기 위한 도입부분으로 실제 토플 시험에서도 자주 출제되는 구조로 이루어져 있다.)
(A) 북미 지역이 아닌 전세계 이므로 주제가 되기에 넘친다.
(C) 북미 사막화 원인의 일부이므로 주제가 되기에 모자란다.
(D) 북미 사막화 원인의 일부이므로 주제가 되기에 모자란다.

2.

해석 첫 번째 단락에서 언제 사막화라는 이름이 처음 만들어졌는지에 관해 언급하는 문장을 클릭하시오.

해설 문제에서 언급된 핵심어인 desertification이 지문의 어떤 부분에서 언급되었는지 확인하면, used the word, 'desertification'을 desertification was first given a name이라는 문장을 찾을 수 있다.

3.

해석 다음 문장은 두 번째 단락에 삽입될 수 있다.
산불의 감소가 사막화 과정의 또 다른 공헌자인 것이다.
글의 어디에 오면 가장 적당한가?
삽입하려고 하는 곳에 있는 네모박스(■)를 클릭해라.

해설 네 번째 ■앞에서 사막화의 또다른 원인이 있다고 하였는데 그 것이 바로 삽입해야 하는 문장이 된다. 또한 삽입할 문장의 forest fire가 언급된 부분을 찾으면 네 번째 ■뒷 부분이다.

4.

해석 필자는 북미 사막화의 주된 이유가 –라고 제시한다.

(A) 강수량의 부족 (B) 토양 침식
(C) 소 방목 (D) 산불

해설 문제의 primary reason을 살펴보기 위해서는 두 번째 단락의 첫 번째 문장의 many reasons들을 살펴봐야 한다. 두 번째 단락을 scanning하면 북미 사막화의 두 가지 원인이 유입된 인구가 농업이 아닌 소 방목을 해서인 것과, 산불의 감소 두 가지라고 제시하고 있는데, (D)는 산불의 감소가 아닌 산불이므로 답이 될 수 없다.

5.

해석 다음 중 두 번째 단락의 구조를 가장 잘 기술한 것은?
(A) 사막화의 결과가 논의되고 있다.
(B) 사람들이 서부로 이동한 이유가 제시되고 있다.
(C) 북미의 사막화 원인들이 열거되고 있다.
(D) 사막화이 단계가 기술되고 있다.

해설 북미사막화의 원인 두가지를 열거하고 있으므로 답은 (C)이다.

p.204

03 1.(B) 2.(A) 3.(C) 4.(C) 5.(C)

해석 목화산업은 1793년 Eli Whitney가 남부 지방에 조면기를 도입한 후 미국 남부의 주요 산업이 되었다. 남부의 토양이 목화를 재배하는 데 이상적이긴 했지만 한 가지 단점이 있었다. 한 가닥의 실을 만드는 데 시간이 너무 많이 걸린다는 것이었다. 목화섬유에서 씨를 제거하는 기계인 조면기가 Eli Whitney에 의해 개발되기 전까지는, 1파운드의 실을 만드는데 하루가 걸렸다. 조면기는 하루에 생산되는 실의 양을 50파운드까지 엄청나게 증가시켰다. Whitney는 그의 조면기를 몇몇 친구에게 보여주었고, 그들은 그 기계가 얼마나 효율적인지 보자 그들의 벌판에 녹색씨 목화를 심었다. 곧, 그 기계에 대해 엄청난 수요가 생겼다.

다른 많은 요소들이 목화 산업의 폭발적인 성장에 기여하였다. 값싼 노동력의 풍부한 제공으로 인해, 연중 무휴 생산이 가능했다. 게다가 목화 산업에 종사하는 노동자들에게는 아주 최소한의 기술만이 요구되었다. 이러한 미국 목화 산업의 성장은 영국에 막대한 영향을 끼쳤다. London Economist는 실제로 미국 목화 산업에 대해 실패가 발생한다면 영국에서 수 백만 명의 사람들이 악영향을 받게 될 거라고 말했다.

1.

해석 이 글에 가장 적합한 제목은 무엇인가?
(A) Eli Whitney의 유명한 조면기
(B) 미국에서 목화 산업이 어떻게 성장하였는가
(C) 전세계적으로 다양한 목화 수출품
(D) 조면기가 작동하는 방법

해설 첫 번째 단락에서는 조면기의 개발과 그것이 미국의 목화 산업의 성장에 끼친 영향을 다루고 있다. 두 번째 단락에서는 그 외의 다른 미국의 목화 산업 성장의 요인들에 대해서 다루고 있다. 따라서 이 글의 적합한 제목은 '미국에서 목화 산업이 어떻게 성장하였는가'가 적합하다.
(A) Eli Whitney의 조면기는 내용의 목화산업 발달의 한가지 요인이므로 주제가 되기에 부족하다.
(B) 전세계적으로 다양한 목화 수출품은 주제에서 벗어난다.
(D) 조면기의 작동법은 전혀 언급되지 않았으므로 주제에서 벗어난다.

2.

해석 이 글에서 단어 **drawback**은 의미상 -와 가장 가깝다.
(A) 단점　　(B) 그림
(C) 수익　　(D) 기계

해설 Although가 이용된 대조 구문이다. 목화를 재배하기에는 이상적(ideal)이지만 한가지 drawback이 있다고 했으므로 drawback이 '문제점'이나 '결점' 등의 부정적 단어일 것이라는 것이 유추된다. (토플 기출단어이다. disadvantage, defect, shortcoming 등과 동의어관계이므로 암기해 둔다.)

3.

해석 다음 중 미국 목화 생산의 급격한 증가에 대한 요소로써 언급되지 않은 것은 어느 것인가?
(A) 비싸지 않은 노동력　　(B) Whitney의 기계
(C) 좋은 날씨　　(D) 연중 계속되는 생산

해설 문제에서 언급된 boom이 지문의 어떤 부분에서 언급되었는지 찾아보면 Whitney's machine may have spurred the planting of cotton in the South, but with plenty of cheap labor available, a production that allowed for year-round employment 에서 spurred이라는 것을 확인할 수 있다. 선택지와 해당부분을 하나하나 따져나가면 (C)는 언급되지 않았다.

4.

해석 두 번째 단락의 단어 **minimal**은 의미상 -와 반대이다.
(A) 최소의　　(B) 가장 싼
(C) 최대의　　(D) 진보한

해설 minimal은 '최소한'이라는 뜻을 가진 단어이다. 따라서 반대의 의미인 '최대의' 라는 뜻을 가진 단어를 찾아야 한다.

5.

해석 London Economist가 한 논평에서 무엇을 추론할 수 있는가?
(A) London은 미국 목화 산업에 대해 비판적이었다.
(B) 미국은 London과 사업을 하고 있었다.
(C) 영국은 미국 목화 산업에 아주 의존적이었다.
(D) 목화는 London에서 가격이 낮았다.

해설 London Economist가 지문에서 언급된 부분을 살펴보면, 두 번째 단락 뒤 두 번째 문장의 millions of people in Britain would be adversely affected.에서 많은 사람들이 타격을 받았다는 것으로 보아, 영국이 목화 산업에 상당부분 의존하고 있다는 것이 추론된다.

p.206

04 1.(C) 2.(A) 3.(B) 4.(C)

해석 Isaac Newton경이 광학에 대해 관심을 갖기 시작했을 때 단지 학생이었다. 영국 물리학자 Robert Boyle과 Robert Hooke의 광학과 빛에 대한 저술을 읽은 후 1664년에 그의 흥미는 고무되었다. 이후 2년에 걸쳐, Newton은 자칭 '자기 일생의 발명에 대한 전성기'로 접어들었다. 이 시기 동안 그는 Principia라고 알려진 '자연 철학의 수학적 법칙'을 집필하였을 뿐만 아니라 유리 프리즘에 의해 굴절될 때의 빛에 대한 실험을 실시하였다.

초기의 과학자들은 빛을 프리즘에 통과시킴으로써 만들어지는 색깔은 빛 자체가 아니라 유리로부터 온다고 믿었다. Isaac Newton은 빛에 대해 매우 정교한 실험을 실시하였다. 그 실험은 빛에 대한 이전의 개념에 대한 도전이었다. 검은 종이 한 장에 구멍을 내고, Newton은 이 구멍을 통해 빛을 통과시킨 후 빛이 프리즘을 통과하도록 하였다. 그래서 그는 백색광이 실제로 무지개나 스펙트럼에서의 다양한 색깔을 띤 광선들이 결합된 것이라는 사실을 발견했다. Newton은 분산된 빛을 또 다른 프리즘에 통과시킴으로써 한 단계 더 나아갔다. 이 때, 그 빛은 원래의 형태로 한데 모아졌다. Newton은 '광학'이라는 제목의 책에서 그의 실험 결과들을 논했다. 이 책은 오늘날 여전히 대학 물리학 수업에서 사용되고 있다.

1.

해석 이 글은 주로 무엇에 관해 논하고 있는가?
(A) Newton이 쓴 책
(B) 빛에 관한 과학 실험들
(C) 빛에 관한 Newton의 실험
(D) 성공적인 과학 실험

해설 첫 번째 단락은 뉴턴이 빛에 대한 실험을 하였다는 내용을 간략히 소개하였다. 두 번째 단락은 뉴턴이 빛에 대한 어떠한 실험을 했으며, 이 실험의 의의와 뉴턴이 이 실험 후 쓴 책에 대해서 다루고 있다. 따라서 이 글은 빛에 관한 뉴턴의 실험이다.
(A) 내용의 일부이므로 주제가 되기에 모자란다.
(B) 뉴턴의 실험이라는 특정 주제를 다루기에 너무 넓으므로 주제가 되기에 넘친다.
(D) 빛에 관한 뉴턴의 실험이라는 특정 주제를 다루기에 너무 넓으므로 주제가 되기에 넘친다.

2.

해석 이 글에 따르면, Newton의 빛에 관한 실험은?
(A) 이전의 이론에 의문을 제기했다.
(B) 방사능의 발견을 이끌었다.
(C) 무지개 색깔에 관해 규정 지었다.
(D) 다른 과학자들의 발견에 동의했다.

해설 두 번째 단락 The experiments were to challenge earlier notions about light에서 뉴턴이 이전의 이론에 대해서 의문을 제기 했다는 것을 확인할 수 있다.

3.

해석 이 글에서 단어 **conducted**는 의미상 –와 가장 가깝다.
(A) 제거했다 (B) 실시했다
(C) 추구했다 (D) 전달했다

해설 conduct는 여러 의미를 가진 단어이다. 여기서는 문맥상 실험(experiments)라는 단어를 통해 실험을 '하다'의 의미가 있음을 충분히 유추해 낼 수 있다.

4.

해석 이 글에서 단어 **converged**는 의미상 –와 가장 가깝다.
(A) 교차하였다. (B) 정렬하였다.
(C) 만났다. (D) 분리되었다.

해설 This time에는 converge했다고 했으므로, 전에는 어떻게 했는지를 문맥에서 살펴본다. Divided light를 프리즘에 통과시켜 실험을 한 단계 더 발달시킨 것이 this time이므로 converge는 나뉘어진(divided)의 반의어이다. 여기서 converge가 '모이다, 합치다'의 의미라는 것이 유추된다. (토플 기출 단어이다. meet, gather, merge와 동의어 관계에 있으므로 함께 암기한다.)

4th Week | 6th Day
Actual Test

p.208

01 1.(B) 2.(A) 3.However~conflict 4.(C) 5.(A) 6.fruitful 7.(C) 8.(B) 9.(B) 10.(C) 11.5th■

해석 미국 식민지 시대에, 변호사들은 대개 중요한 사람들로 여겨지지 않았다. 그럼으로써 변호사들이 수적으로 거의 없었다. 그 시대의 시민들은 변호사를 아주 전문적이라고도, 지식을 심오하게 갖추었다고도 생각하지 않았다. 일부 법률가들은 심지어 모욕을 당하거나 비방을 듣기도 했다. 그러나 사회가 점점 복잡해지고 사회악에 대한 위험이 더 분명해짐에 따라, 사람들은 시민들의 분쟁을 처리할 수 있는 변호사들을 필요로 했다. 곧 변호사에 대한 비판가들까지 그들의 필요성을 인식하기 시작했다.

그 당시, 미국의 남부 지방에는 로스쿨이 없었기 때문에 법학을 공부하는 데 관심을 가진 많은 사람들이 영국으로 갔다. 그들 대부분은 'Inns of Court' 라고 불리는 학교에 갔는데, 그것은 정식 학교는 아니었지만 영국 법무부의 실용부서였다. 이 학교에 학비를 낸 미국인들은 이 후 사무원직 이행과 같이 가치가 거의 또는 전혀 없는 일을 돕거나 기존 변호사의 수습생이 되었지만, 대체로 만족했고 그들의 훈련이 유익하다고 생각했다.

한편, 미국에서는 변호사들을 각주에 임명하고 그들이 지방 법원에서 사건을 처리하도록 하는 것이 정책화 되었다. 변호사들은 존경과 권력을 얻게 되었고, 대부분은 미국 변호사 협회에서 지위를 얻었다. 이 협회는 매우 위계가 잡힌 조직을 갖기 위해 이미 체계를 잡아가고 있었고, 변호사들의 지위는 결국 시민 수준에서 일하는 사람들에서 연방 사법권 안에서 일하는 사람들로 상승하였다. 그 당시 주요 변호사들은 곧 지역 사회에서 강력한 목소리를 갖게 되었다. 예를 들어, 새로운 미국이 세워졌을 때, 많은 변호사들이 독립 선언을 제정하고 헌법을 만드는 데 기여하였다. **이러한 미국의 건국자들 중에는 Thomas Jefferson과 Samuel Adams를 비롯한 많은 저명한 변호사들이 있었다.**

1. * 2주 1일의 main topic 문제이다.
해석 이 글은 주로 무엇에 관해 논하고 있는가?
(A) 식민지 시기 동안 미국 변호사들에 대한 교육의 기회
(B) 식민지 시대에 미국 변호사들의 역할에 있어서의 변화
(C) 미국 체계에 대한 영국 법의 근본적인 우세
(D) 미국 법 체계가 어떻게 새로운 국가의 건설에 기여하였는가

2. * 3주 4일의 reference 문제이다.
해석 이 글에서 단어 **some**이 가리키는 것은
(A) 변호사들 (B) 사람들 (C) 비평가들 (D) 시민들

3. * 3주 2일 scanning 문제이다.
해석 왜 변호사들이 결국 미국에서 필요하게 되었는지 기술하는 문장을 첫 번째 단락에서 클릭하시오.

4. * 3주 5일 inference 문제이다.
해석 이 글에서 –를 추론할 수 있다.
(A) 북부에서는 변호사들에 대한 수요가 적었다.
(B) 북부 사람들은 미국 학교를 선호했다
(C) 북부에는 아마도 몇 개의 로스쿨이 있었다.
(D) 영국에서 생활비가 더 비쌌다.

5. * 2주 5일의 fact 문제이다.
해석 이 글에 따르면 'Inns of Court' 는 무엇이었는가?
(A) 실질적인 법률 기관 (B) 정식 로스쿨
(C) 변호사들을 위한 주택 (D) 법률 수습생들을 위한 호텔

6. * 3주 3일의 vocabulary 문제 중 반의어 클릭 문제이다.
해석 이 글에서 구 **little or no value**를 보고, 굵은 글씨로 쓰여진 본문에서 상반되는 의미를 가진 단어나 구를 클릭하시오.

7. * 2주 5일의 fact 문제이다.
해석 이 글에 따르면, 'Inns of Court' 에서 법학을 공부하는 미국 변호사들은 주로
(A) 주요 법률 사건에 참여했다.
(B) 많은 시간을 연구에 쏟았다.
(C) 사소한 업무나 수습 업무를 수행했다.
(D) 그들의 강사들을 위해 어려운 임무를 수행하였다.

8. * 3주 3일의 vocabulary 문제 중 동의어 4지선다형 문제이다.
해석 이 글에서 단어 **established**는 의미상 –와 가장 가깝다.
(A) 교육 받은 (B) 자격을 갖춘
(C) 체격이 좋은 (D) 단호한

9. * 3주 3일의 vocabulary 문제 중 동의어 4지선다형 문제이다.
해석 이 글에서 단어 **oblige**는 의미상 –와 가장 가깝다.
(A) 돕다 (B) 강요하다 (C) 괴롭히다 (D) 도움이 되다

10. * 3주 3일의 vocabulary 문제 중 동의어 4지선다형 문제이다.
해석 이 글에서 단어 **accorded**는 의미상 –와 가장 가깝다.
(A) 힘이 북돋아진 (B) 기증 받은
(C) 수여 받은 (D) 등록된

11. * 2주 3일의 insertion 문제이다.
해석 다음 문장은 이 글에 삽입될 수 있다.
이러한 미국의 건국자들 중에는 Thomas Jefferson과 Samuel Adams를 비롯한 많은 저명한 변호사들이 있었다.
글의 어디에 오면 가장 적당한가?
삽입하려고 하는 곳에 있는 네모박스(■)를 클릭해라.

VOCABULARY
colonial [kəlóuniəl] *a.* 식민지의 ● period [pí(:)əriəd] *n.* 시대 ● terribly [térəbli] *ad.* 몹시 ● professional [prəféʃənəl] *a.* 전문적인 ● profoundly [prəfáundli] *ad.* 심오하게 ● equip [ikwíp] *v.* 갖추어주다 ● vilify [víləfài] *v.* 비방하다 ● social evil [í:vəl sóuʃəl] 사회악 ● conflict [kánflikt] *n.* 분쟁 ● practical [prǽktikəl] *a.* 실질적인 ● tuition [tjuːíʃən] *n.* 학비 ● implementation [ìmpləməntéiʃən] *n.* 이행, 실행 ● clerkship [klə́:rkʃip] *n.* 사무원 ● apprentice [əpréntis] *n.* 수습생 ● appoint [əpɔ́int] *v.* 임명하다 ● oblige [oublí:ʒ] *v.* ~하도록 하다 ● regional court [rí:dʒənəl kɔ:rt] 지방법원 ● accord [əkɔ́:rd] *v.* 주다, 수여하다 ● shape up [ʃeip ʌp] 체계를 잡다 ● hierarchical [hàiərá:rkikəl] *a.* 위계가 잡힌 ● ranking [rǽŋkiŋ] *n.* 지위 ● ascend [əsénd] *v.* 상승하다 ● operate [ápərèit] *v.* 일하다 ● jurisdiction [dʒùərisdíkʃən] *n.* 사법권 ● found [faund] *v.* 세우다 ● residence [rézidəns] *n.* 주택 ● compel [kəmpél] *v.* 강요하다

p.210

02 12. (D) 13. (D) 14. (B) 15. (C) 16. (A) 17. elaborate 18. (C) 19. (D) 20. 2nd■ 21. The addition~available. 22. (A)

해석 스테인드 글래스는 기원후 1세기에 부유한 로마인들의 저택이나 궁전에서 처음 사용되었다. 이 시기에 스테인드 글래스는 예술적 수단이라기 보다 사치품으로 간주되었다. 9세기, 10세기까지 교회에 대한 수요가 늘어남에 따라 장식적인 스테인드 글래스 창문의 생산도 늘어났다. 오늘날 우리가 알고 있는 스테인드 글래스는 12세기 유럽의 종교화에서 처음 사용되었다. 스테인드 글래스는 이 고딕 시기에 디자인, 형태, 그리고 색채에 있어서 가장 큰 다양성을 보였다. 스테인드 글래스의 사용은 예술 부흥기인 르네상스 시대에 확산되었고, 교회 외의 건축에도 쓰이기 시작했다. 이 다양한 접근은 숙련된 예술적 기교–통제된 조합의 구조, 그리고 폭넓은 진보와 함께 발전한–와 함께 그 매체(스테인드 글래스)를 비길 데 없는 탁월함의 위치로 격상시켰다.

스테인드 글래스를 만드는 과정은 지난 천 년간 거의 바뀌지 않았다. 스테인드 글래스 장인들은 우선 카툰이라고 불리는 큰 사이즈의 그림을 그린다. 그런 다음 유리는 카툰을 따라 만든 패턴대로 잘라진다. 유리에 다양한 색채 효과를 주기 위해서, 손과 얼굴 같은 세부적인 것들이 칠해진다. 그 다음 도료를 붙이기 위해 유리는 고열에 노출된다. 납을 넣는 복잡한 작업–유리와 유연한 금속 조각들을 섞는 정교한 과정–이 그 뒤를 따른다. 그 후에 납은 특별한 혼합물로 봉해지거나 접합되고 창문은 벽 위의 공간에 세워진다. 최종 결과물은 색채와 빛의 장엄한 혼합이다.

채색된 '투명한' 종류의 스테인드 글래스는 오늘날 성당의 스테인드 글래스로 알려져 있다. **이것은 원래 투명한 유리였는데 색채가 그 위에 입혀졌던 것이다.** 스테인드 글래스는 금속과 광물을 녹은 유리에 넣어 색채 유리를 만듦으로써, 곧 색채가 실제 유리에 섞여진 유리로 발전했다. 스테인드 글래스는 미국의 유리 제작자들이 유백색 유리로 알려진 반투명의 젖 빛 유리를 만든, 1800년대 후반과 1900년대 초반에 커다란 진보를 이루었다. 유백색 유리가 더해짐으로써 사용 가능한 유리의 다양성이 훨씬 확대되었다. 다른 특수한 유형의 스테인드 글래스가 최근 몇 년간 개발되었으나, 오늘날 쓰이는 두 개의 기본적인 스테인드 글래스는 여전히 성당의 유리와 유백색의 유리이다.

12. * 2주 1일 main title 문제이다.
해석 세 번째 단락에서는 주로 무엇에 관해 논하고 있는가?
(A) 스테인드 글래스를 만드는 법
(B) 유리 제조 산업의 진보
(C) 성당에서 스테인드 글래스의 사용
(D) 스테인드 글래스의 여러 유형들

13. * 2주 5일의 fact 문제이다.
해석 이 글에 따르면 무엇이 스테인드 글래스 생산을 증가시켰는가?
(A) 디자인과 형태에서 더 커진 다양성
(B) 집에서 스테인드 글래스 창문의 사용 증가
(C) 스테인드 글래스의 기술적 발전
(D) 교회 수의 증가

14. * 3주 3일의 vocabulary 문제 중 동의어 4지 선다형 문제이다.
해석 이 글에서 단어 **unsurpassed**는 의미상 -와 가장 가깝다.
(A) 독특한 (B) 비길 데 없는
(C) 전례 없는 (D) 확장된

15. * 3주 5일 inference 문제이다.
해석 첫 번째 단락에서 스테인드 글래스에 관해 무엇을 추론할 수 있는가?
(A) 스테인드 글래스의 수요는 10세기 이후 감소했다.
(B) 스테인드 글래스는 로마시대 초기에 흔히 볼 수 있었다.
(C) 고딕 시기는 스테인드 글래스가 혁신된 절정기였다.
(D) 유백색의 유리는 유럽의 교회를 장식하는 데 쓰였다.

16. * 3주 4일의 reference 문제이다.
해석 두 번째 단락의 단어 **it**이 가리키는 것은
(A) 유리 (B) 색채
(C) 도료 (D) 밑그림

17. * 3주 3일의 vocabulary 문제 중 동의어 클릭 문제이다.
해석 이 글의 단어 **complicated**를 보고, 두 번째 단락의 굵은 글씨로 쓰여진 본문에서 의미상 비슷한 단어를 클릭하시오.

18. * 3주 1일의 negative 문제이다.
해석 -를 제외하고 다음은 모두 스테인드 글래스 제작과정의 단계이다.
(A) 유리 자르기
(B) 납 섞기
(C) 혼합
(D) 그림 그리기

19. * 3주 3일의 vocabulary 문제 중 동의어 4지선다형 문제이다.
해석 이 글의 단어 mixture는 의미상 -와 가장 가깝다.
(A) 수집물
(B) 크기
(C) 배열
(D) 혼합

20. * 2주 3일의 insertion 문제이다.
해석 다음 문장은 이 글에 삽입될 수 있다.
이것은 원래 투명한 유리였는데 색채가 그 위에 입혀졌던 것이다.
이 글의 어디에 오면 가장 적당한가? 삽입하려고 하는 곳에 있는 네모박스 (■)를 클릭해라.

21. * 3주 2일의 scanning 문제이다.
해석 세 번째 단락의 굵은 글씨로 쓰여진 본문의 문장들을 보고, 유백색 유리가 왜 주요한 진보였는지 설명하는 문장을 클릭하라.

세 번째 단락은 화살표 [➡]로 표시되어 있다.

22. * 3주 3일의 vocabulary 문제 중 동의어 4지선다형 문제이다.
해석 세 번째 단락에서 단어 **translucent**는 의미상 -와 가장 가깝다.
(A) 불투명한 (B) 밝은
(C) 유동적인 (D) 맑은

VOCABULARY

luxury [lʌ́kʃəri] *n.* 사치품 ● decorative [dékərətiv] *a.* 장식적인 ● combine [kəmbáin] *v.* 결합하다 ● artistry [ɑ́ːrtistri] *n.* 예술적 수완, 기교 ● guild [gild] *n.* 상인 단체, 조합 ● unsurpassed [ʌ̀nsərpǽst] *a.* 비길 데 없는, 탁월한 ● preeminence [priːémənəns] *n.* 탁월 ● artisan [ɑ́ːrtizən] *n.* 장인 ● cartoon [kɑːrtúːn] *n.* 실물 크기의 밑그림 ● seal [siːl] *v.* 봉하다 ● complicated [kɑ́mpləkèitid] *a.* 복잡한 ● elaborate [ilǽbərit] *a.* 정교한 ● strip [strip] *n.* 가늘고 긴 조각 ● bendable [béndəbl] *a.* 구부릴 수 있는 ● cement [simént] *v.* 접합하다, 굳게 하다 ● mixture [míkstʃər] *n.* 혼합물 ● magnificent [mægnífisənt] *a.* 장엄한 ● see through [siːθruː] 꿰뚫어 보다 ● incorporate [inkɔ́ːrpərèit] *v.* 통합시키다, 섞다 ● mineral [mínərəl] *n.* 광물 ● molten [móultən] *a.* 녹은 ● tint [tint] *v.* 연하게 칠하다 ● translucent [trænsljúːsənt] *a.* 반투명의 ● opalescent [òupəlésənt] *a.* 유백색의 ● expand [ikspǽnd] *v.* 확장시키다 ● available [əvéiləbl] *a.* 이용할 수 있는

p.212

03 23.(B) 24.It did ~everyday life. 25.(A) 26.(B) 27.(D) 28.music 29.(C) 30.(A) 31.5th■ 32.(A) 33.(A)

해석 20세기경, 현대 무용이 아방가르드 운동의 일환으로 등장하였다. 아방가르드 무용은 실험적인 표현이었다. 그것은 무용가들에게 전통적인 발레복을 입고 공연하도록 요구하지 않았고, 오히려 일상적인 감정을 표현하기 위해 그들이 티셔츠와 청바지와 같은 캐주얼을 입도록 허용했다. 가장 중요한 것은, 아주 조직화되어 있고 단지 콘서트 홀과 같은 공식적인 장소에서만 공연되는 전통 무용과 달리, 아방가르드 무용은 흔히 공원, 교회, 또는 거리에서 공연되었다.

사실 전통 무용과 현대 무용의 기본적인 형식은 상당히 다르다. 전통적인 접근법은 무용에 대해 체계적인 형식과 이야기를 요구했지만, 그것은 거의 항상 안무가에 의해 만들어졌다. 반면, 현대 무용은 단지 음악만을 필요로 했고, 대부분 즉흥적인 소재에 의존했다. 때때로, 현대 무용은 그것 조차도 필요로 하지 않았고, 이따금 마임이나 설명적인 무용의 형태를 띨 수도 있었다. 아방가르드 무용은 예술에 대해 지식이 없거나 세련된 관객이 아닌 사람들을 비롯하여 다양한 종류의 대중들에게 호소했다. 그래서 누구든 예술에 관심이 있고 열린 마음을 갖고 있는 사람들은 아방가르드 무용을 즐길 수 있었다.

아방가르드 무용에 있어 스타일상의 중요한 차이는 무용가들이 자신을 표현하기 위해 선택하는 방식이다. 그들은 무용 공연 동안 이야기하거나 심지어 무대를 깨끗이 청소할 수도 있다. 흥행단과 개인 공연자들은 그들의 예술을 더 광범위한 공연 환경 속에 통합하기 위한 새로운 방법들을 찾았다. 이것이 반영된 한가지 방법은 흥행단 이름에 대한 그들의 선택에 있었다. 아방가르드 운동 이전에 흥행단은 주로 그들의 입주 안무가의 이름을 따서 이름이 지어졌다. 그러나 운동이 발달한 후 그들은 'Acme'과 같이 그들 고유의 이름을 취했다. 이러한 진보와 함께 안무가의 역할에 대한 중요성이 최소화되었다.

23. * 2주 1일 main idea 문제이다.
해석 이 글의 주제는 무엇인가
(A) 전통 발레에 대한 아방가르드 무용의 승리
(B) 아방가르드 무용의 특징
(C) 아방가르드 무용 이면의 문화 운동
(D) 20세기의 아방가르드 예술 형태

24. * 3주 2일 scanning 문제이다.
해석 아방가르드 무용에서 공연자들이 입은 옷에 대해 언급하는 문장을 클릭하시오.

25. * 3주 1일의 negative 문제이다.
해석 –에서 아방가르드 무용이 가장 공연되었을 것 같지 않다.
(A) 콘서트 홀　(B) 공원
(C) 교회 지하실　(D) 창고

26. * 2주 5일 fact 문제이다.
해석 이 글에 따르면, 다음 중 어느 것이 아방가르드 운동 이전의 무용에 대한 특징인가?
(A) 그것은 음악에 의존하지 않았다.
(B) 그것은 잘 조직된 형식을 따랐다.

(C) 무용 홍행단은 자유롭게 이름 지어졌다.
(D) 무용복은 평상복을 포함했다.

27.* 3주 3일의 vocabulary 문제 중 동의어 4지선다형 문제이다.
해석 두 번째 단락에서 단어 **improvised**는 의미상 –와 가장 가깝다.
(A) 새로운 (B) 독특한
(C) 흥미로운 (D) 즉흥적인

28.* 3주 4일의 reference 클릭 문제이다.
해석 두 번째 단락에서 단어 **that**을 보고, 굵은 글씨로 쓰여진 본문에서 **that**이 가리키는 단어나 구를 클릭하시오.

29.* 2주 5일 fact문제다.
해석 이 글에 따르면, 아방가르드 무용을 즐긴 사람들은
(A) 전통 예술 형태를 싫어했다.
(B) 거리 주변을 배회했다.
(C) 반드시 예술에 있어 전문가들인 것은 아니었다.
(D) 상당히 닫힌 마음을 갖고 있었다.

30.* 3주 3일의 vocabulary 문제 중 동의어 4지선다형 문제이다.
해석 세 번째 단락에서 단어 **incorporate**는 의미상 –와 가장 가깝다.
(A) 구체화시키다/구현하다 (B) 변화시키다
(C) 들어가다 (D) 줄이다

31.* 2주 3일의 insertion 문제이다.
해석 다음 문장은 이 글에 삽입될 수 있다.
이동 공연단들은 주로 'Zeferelli의 무용단' 또는 'Radoyanov 발레단'과 같은 이름을 갖고 있었다.
글의 어디에 오면 가장 적당한가?
삽입하려고 하는 곳에 있는 네모박스(■)를 클릭해라.

32.* 3주 5일의 inference 문제이다.
해석 이 글에서 아방가르드 운동 이전의 안무가들은 –임을 추론할 수 있다.
(A) 중요한 (B) 하찮은
(C) 부유한 (D) 드문

33.* 3주 3일의 vocabulary 문제 중 동의어 4지선다형 문제이다.
해석 세 번째 단락에서 단어 **minimized**는 의미상 –와 가장 가깝다.
(A) 감소된 (B) 제거된
(C) 파괴된 (D) 강화된

VOCABULARY
avant-garde movement [ǽvɑːŋ-gɑ́ːd múːvmənt] 아방가르드 운동 ● **experimental** [ikspèrəméntəl] *a.* 실험적인 ● **conventional** [kənvénʃənəl] *a.* 전통적인 ● ● **format** [fɔ́ːrmæt] *n.* 형식 ● **choreographer** [kɔ̀(ː)riəgrǽfer] *n.* 안무가 ● **improvised** [ímprəvàizd] *a.* 즉흥의 ● **at times** [ət taimz] 때때로 ● **mime** [maim] *n.* 마임 ● **interpretive** [intə́ːrpritiv] *a.* 설명적인 ● **refine** [rifáin] *v.* 세련되다 ● **patron** [péitrən] *n.* 관객 ● **incorporate** [inkɔ́ːrpərèit] *v.* 통합하다 ● **broad** [brɔːd] *a.* 광범위한 ● **context** [kántekst] *n.* 환경, 문맥 ● **troupe** [truːp] *n.* 흥행단 ● **basement** [béismənt] *n.* 지하실 ● **warehouse** [wέərhàus] *n.* 창고 ● **loiter** [lɔ́itər] *v.* 배회하다 ● **embody** [imbádi] *v.* 통합하다 ● **eliminate** [ilímənèit] *v.* 제고하다 ● **enhance** [inhǽns] *v.* 강화하다

p.123

04 34.(C) 35.(A) 36.(C) 37.(C) 38.(A) 39.(D) 40.(D) 41.(B) 42.(A) 43.(C) 44.3rd■

해석 최초의 세계 박람회는 1851년에 London에서 개최되었고, 이를 통해 미국에 세계 박람회의 시대가 열리게 되었다. 세계 박람회는 국가의 기술과 과학 발전을 보여주기 위해 개최되었고, 시민들이 국가적 혁신의 우수성에 대한 일종의 집단적 확신을 느끼도록 해 주었다. 이러한 열정의 시대는 New York City에서 열린 1853-54년 Crystal Palace Exhibition과 함께 미국에서 시작되었고, 이 박람회는 미국 최초의 세계 박람회로 기록되었지만, 불행하게도 많은 관객들을 유치하는 데는 실패했다.

New York 박람회의 뒤를 이어 1876년에 Philadelphia에서 Centennial International Exhibition이 열렸고, 이것에 의해

미국 독립 기념일을 축하하기 위해 세계 박람회를 개최하는 전통이 시작되었다. 박람회는 제2차 세계대전이 발발할 때까지 전국적으로 계속해서 열렸다. 1939년에서 1940까지 열린 New York 세계 박람회는 전쟁의 발발과 때를 같이함으로써 그 도시에 또 다른 실망거리가 되었다.

1958년에 Brussels에서 열린 다음 세계 박람회는 냉전에 대한 상징성으로 가득 차 있었다. 미국은 1962년에 Washington주의 Seattle에서 열린 Century 21 Exposition으로 선례를 따랐다. 이 박람회는 엄청난 성공을 거두었고, 전국적으로 많은 소규모의 박람회들을 고무시켰다. 박람회들은 보편적인 개념 보다는 주제적인 개념에 더 초점을 맞추게 되었다. **이처럼 새롭게 맞춰진 초점과 함께, 박람회들은 또한 개최 도시에서 제대로 이용되지 않던 지역을 이용하고자 하였다.** 그러나 1982년의 Knoxville 박람회는 부패한 운영으로 전국의 박람회들에 타격을 입혔다. New Orleans 박람회가 2년 후 재정적인 파탄으로 끝을 맺자, 세계 박람회의 유산은 영구적인 타격을 입었다. 때 맞춰 1971년에 Disney World와 같은 가족 테마 공원의 증가는 기술적인 경이와 혁신에 대한 기반으로써 세계 박람회의 자리를 대신하게 되었다. 그러나 엄청난 수익을 가져 다 주었고, 전국에 걸친 테마 공원의 발전을 가져온 아이들을 위한 오락에 관심이 집중되었을 때, 이러한 변화는 필연적이었다고 주장할 수 있다.

34. * 2주 1일의 main topic 문제이다.
해석 이 글을 주로 무엇에 관해 논하고 있는가?
(A) 전세계에 걸친 세계 박람회의 유산
(B) 세계 박람회의 수적 증가
(C) 미국 세계 박람회의 역사
(D) 세계 박람회에서 얻은 수익

35. * 3주 3일의 vocabulary 문제 중 동의어 4지선다형 문제이다.
해석 단어 **faith**는 의미상 –와 가장 가깝다.
(A) 자신 (B) 신뢰
(C) 설득 (D) 발전

36. * 3주 3일의 vocabulary 문제 중 동의어 4지선다형 문제이다.
해석 이 글에서 단어 **spectators**는 의미상 –와 가장 가깝다.
(A) 관리인 (B) 출품자
(C) 관객 (D) 구매자

37. * 3주 3일의 vocabulary 문제 중 동의어 4지선다형 문제이다.
해석 이 글에서 단어 **commemorate**는 의미상 –와 가장 가깝다.
(A) 상기시키다 (B) 장식하다
(C) 축하하다 (D) 수여하다

38. * 3주 5일의 inference 문제이다.
해석 이 글에서 제2차 세계대전이 세계 박람회에 어떤 영향을 미쳤다고 추론할 수 있는가?
(A) 20년 동안 세계 박람회에 대한 무관심을 초래했다.
(B) 이용할 수 있는 기금의 양을 증가시켰다.
(C) 박람회에 더욱 많은 관중들을 유치하였다.
(D) 세계 박람회를 끝냈다.

39. * 3주 3일의 vocabulary 문제 중 동의어 4지선다형 문제이다.
해석 이 글에서 구 **rife with**는 의미상 –와 가장 가깝다.
(A) 부족한 (B) 연상되는
(C) ~없이 (D) 가득찬

40. * 2주 5일의 restatement 문제이다.
해석 이 글에 따르면 다음 중 어느 박람회가 가장 성공적이었는가?
(A) 1876년에 열린 Philadelphia 박람회
(B) 1853년에서 54년에 열린 New York City 박람회
(C) 1982년에 열린 Knoxville 박람회
(D) 1962년에 열린 Seattle 박람회

41. * 2주 5일의 detail 문제이다.
해석 왜 Seattle에서 열린 박람회가 중요하였는가?
(A) 가장 많은 수익을 올렸다.
(B) 지역 박람회들에 대한 추세를 불러일으켰다.
(C) 가장 많은 사람들을 유치했다.
(D) 부패가 만연했다.

42. * 3주 5일의 inference 문제이다.
해석 이 글에서 New Orleans 세계 박람회는 –라는 것을 추론할 수 있다.

(A) 미국에서 열린 마지막 박람회였다.
(B) 상당한 수익을 올렸다.
(C) 박람회 부지를 완전히 붕괴시켰다.
(D) 테마 공원에 대한 추세에 영향을 미쳤다.

43.* 2주 5일의 fact문제이다.
해석 이 글에 따르면, 왜 미국 박람회들이 테마 공원에 의해 대체되었는가?
(A) 대중적 관심의 부족
(B) 전후 고립주의자적 감정
(C) 부패한 운영과 재정적 부족
(D) 주제적 개념에 맞춰진 초점의 증가

44.* 2주 3일의 insertion 문제이다.
해석 다음 문장은 이 글에 삽입될 수 있다.
이처럼 새롭게 맞춰진 초점과 함께, 박람회들은 또한 개최 도시에서 제대로 이용되지 않던 지역을 이용하고자 하였다.
글의 어디에 오면 가장 적당한가?
삽입하려고 하는 곳에 있는 네모박스(■)를 클릭해라.

VOCABULARY
world fair [wəːrld fɛər] 세계 박람회 ● collective [kəléktiv] *a.* 집단적인 ● faith [feiθ] *n.* 자신감 ● enthusiasm [inθjúːziæ̀zəm] *n.* 열정 ● draw [drɔː] *v.* 유치하다 ● spectator [spékteitər] *n.* 관객 ● centennial [senténiəl] *a.* 100년마다의 ● launch [lɔːntʃ] *v.* 개최하다 ● commemorate [kəmémərèit] *v.* 기념하다 ● outbreak [áutbrèik] *n.* 발발 ● coincide [kòuinsáid] *v.* 동시에 일어나다 ● onset [ánsèt] *n.* 발발 ● rife [raif] *a.* 가득찬 (~with) ● symbolism [símbəlìzəm] *n.* 상징성 ● blow [blou] *n.* 타격 ● corrupt [kərʌ́pt] *a.* 부패한 ● legacy [légəsi] *n.* 유산 ● theme park [θiːm pɑːrk] *n.* 테마 공원 ● platform [plǽtfɔːrm] *n.* 기반 ● marvel [máːrvəl] *n.* 경이 ● inevitable [inévitəbl] *a.* 필연적인 ● janitor [dʒǽnitər] *n.* 관리인 ● exhibitor [igzíbitər] *n.* 출품자 ● instigate [ínstəgèit] *v.* 불러일으키다 ● plague [pleig] *v.* 귀찮게 하다, 역병에 걸리게 하다 ● corruption [kərʌ́pʃən] *n.* 부패 ● substantial [səbstǽnʃəl] *a.* 상당한 ● demolish [dimáliʃ] *v.* 붕괴시키다 ● isolationist [àisəléiʃənist] *n.* 고립주의자 ● sentiment [séntəmənt] *n.* 감정 ● deficiency [difíʃənsi] *n.* 부족